D0976710

Faut-il manger les animaux ?

Du même auteur

Tout est illuminé
Éditions de l'Olivier, 2003
Points n° 1188

Extrêmement fort et incroyablement près
Éditions de l'Olivier, 2006
Points n° 1746

JONATHAN SAFRAN FOER

Faut-il manger les animaux ?

traduit de l'anglais (États-Unis)
par Gilles Berton et Raymond Clarinard

ÉDITIONS DE L'OLIVIER

L'édition originale de cet ouvrage a paru
chez Little, Brown and Company en 2009,
sous le titre : *Eating Animals*.

ISBN 978.2.87929.709.5

Pour Sam et Eleanor,
boussoles sûres

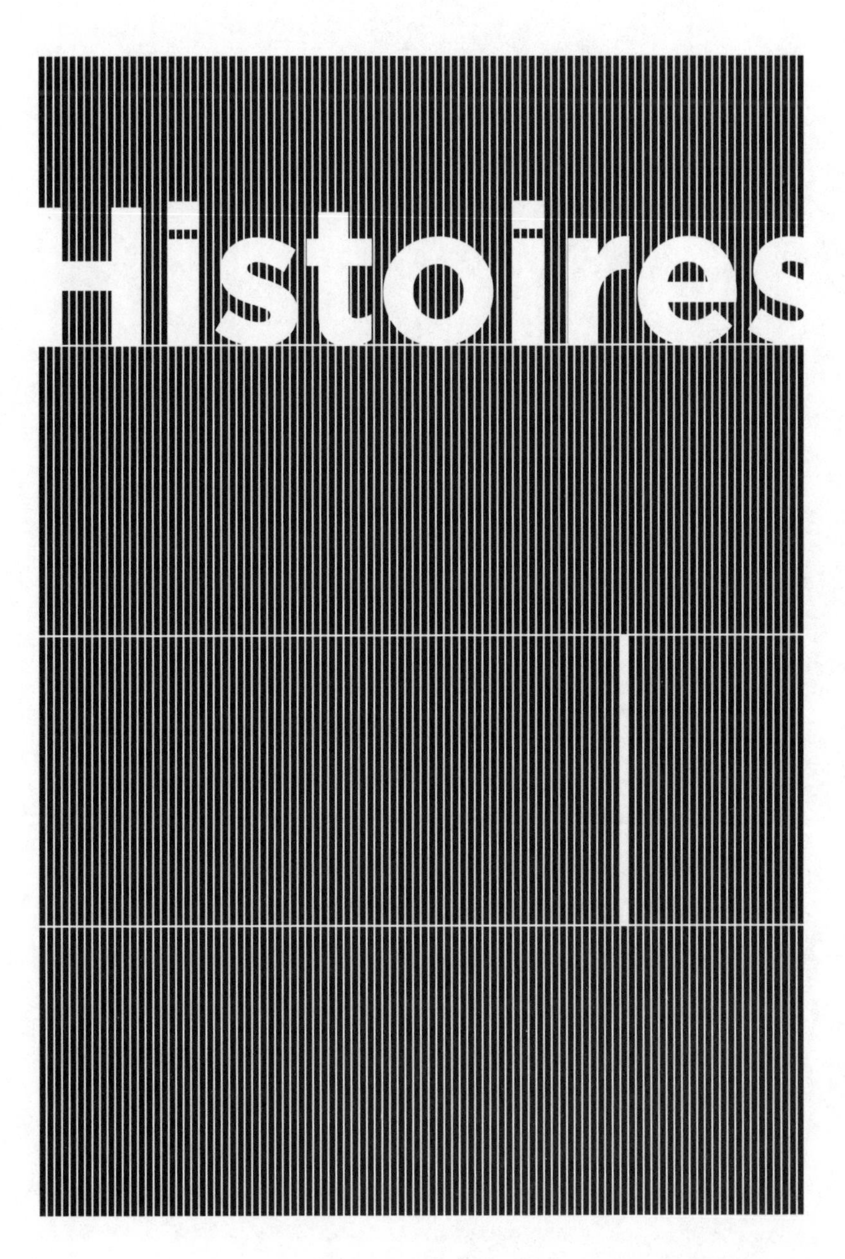

Les Américains choisissent de manger moins de 0,25 % des denrées comestibles connues de la planète[1].
(Notes de l'auteur : p. 331 et suivantes)

Les fruits des arbres généalogiques

Enfant, j'allais souvent passer le week-end chez ma grand-mère. À mon arrivée, le vendredi soir, elle me soulevait du sol et me serrait contre elle à m'étouffer. Et au moment de mon départ, le dimanche soir, j'étais une nouvelle fois hissé dans les airs. Ce n'est que des années plus tard que j'ai réalisé qu'en fait elle me pesait.

Ma grand-mère avait survécu à la fin de la guerre pieds nus, se nourrissant des déchets des autres : patates pourrissantes, abats de viande négligés, peaux, fragments de chair adhérant aux os et aux noyaux. C'est pourquoi elle se moquait éperdument que je dépasse parfois lorsque je m'adonnais au coloriage, pourvu que je découpe les coupons de réduction en suivant le pointillé. Et les buffets d'hôtel : tandis que le reste de la famille se remplissait la panse au petit-déjeuner, elle confectionnait une ribambelle de sandwiches qu'elle enveloppait de serviettes et fourrait dans son sac pour le déjeuner. C'est ma grand-mère qui m'a appris qu'un seul sachet de thé suffit quel que soit le nombre de convives, et que, dans une pomme, tout se mange.

Ce n'était pas une question d'argent. (Beaucoup de ces coupons que je récupérais concernaient des aliments qu'elle n'achetait jamais.)

Ce n'était pas une question de santé. (Elle me suppliait de boire du Coca.)

Ma grand-mère ne venait jamais à table aux dîners de famille.

Même lorsqu'il n'y avait plus rien à faire – pas de bols de soupe à remplir, pas de plats à touiller ni de four à surveiller –, elle restait dans la cuisine, comme un garde vigilant (ou un prisonnier) dans sa tour. Autant que j'aie pu en juger, le rassasiement que lui procurait la préparation de la nourriture la dispensait d'avoir à l'absorber.

Dans les forêts d'Europe, elle avait mangé pour survivre jusqu'à la prochaine occasion où elle pourrait manger pour survivre. En Amérique, cinquante ans plus tard, nous mangions ce qui nous plaisait. Nos placards étaient garnis d'aliments achetés sur un caprice, de la nourriture hors de prix pour bâfreurs, de la nourriture dont nous n'avions pas besoin. Et quand la date de péremption était dépassée, nous la jetions sans même la renifler. Manger était un acte totalement insouciant. C'est ma grand-mère qui nous avait permis de vivre ainsi. Mais elle-même était incapable de se défaire du désespoir.

Pendant toute notre enfance, mes frères et moi estimions que grand-mère était la plus grande cuisinière de tous les temps. C'est ce que nous lui récitions littéralement lorsque les plats arrivaient sur la table, et à nouveau après y avoir goûté, et une nouvelle fois à la fin du repas : « Tu es la plus grande cuisinière de tous les temps. » Pourtant nous étions des gosses suffisamment avisés pour savoir que La Plus Grande Cuisinière De Tous Les Temps ne se serait probablement pas limitée à une unique recette (le poulet aux carottes) et que la plupart des Grandes Recettes comprennent plus de deux ingrédients.

Et pourquoi ne la mettions-nous pas en question lorsqu'elle nous affirmait que la nourriture foncée était par nature plus saine que la claire, ou que la plupart des nutriments se trouvent dans la croûte ou la peau ? (Les sandwiches des week-ends que nous passions chez elle étaient confectionnés avec les quignons de miches de pain noir.) Les animaux plus gros que nous, nous enseignait-elle, sont excellents pour nous, les animaux plus petits sont très bons pour nous, les poissons (qui, disait-elle, ne sont pas des animaux) sont bons aussi, le thon (qui n'est pas un poisson) l'est aussi, tout comme les légumes, les fruits, les gâteaux, les biscuits et les sodas. Aucune nourriture n'est mauvaise. Les graisses sont bonnes – toutes les graisses, toujours, et quelle que soit leur quantité. Les sucres sont très bons pour la santé. Plus un enfant est gros, plus il se porte bien – surtout si c'est un garçon. Le déjeuner ne consiste pas en un seul repas, mais en trois, que l'on doit manger à 11 heures, 12 h 30 et 15 heures. On est toujours affamé.

En fait, son poulet aux carottes est probablement la chose la plus délicieuse que j'aie jamais mangée. Mais cela n'avait pas vraiment à voir avec la façon dont il était préparé, ni même avec le goût qu'il avait. Sa nourriture était délicieuse parce que nous étions *convaincus* qu'elle était délicieuse. Nous croyions en la cuisine de notre grand-mère avec plus de ferveur que nous croyions en Dieu. Ses prouesses culinaires étaient l'un des récits primitifs de notre famille, tout comme la débrouillardise du grand-père que je n'ai pas connu, ou l'unique querelle qui ait jamais entaché le mariage de mes parents. Nous nous cramponnions à ces histoires et comptions sur elles pour nous définir. Nous étions la famille qui choisissait ses combats avec sagesse, qui avait recours à l'intelligence pour se sortir des périodes difficiles, et qui adorait la cuisine de sa matriarche.

Il était une fois une personne dont la vie était si belle qu'il n'y avait aucune histoire à raconter à son sujet. On pourrait raconter plus d'histoires au sujet de ma grand-mère que sur toute autre personne que j'aie connue – son enfance dans une contrée lointaine, sa survie qui n'avait tenu qu'à un fil, la perte d'absolument tout ce qu'elle possédait, son arrivée en Amérique où elle avait perdu un peu plus encore, le triomphe et la tragédie de son assimilation – et même si j'essaierai un jour de les raconter à mes enfants, nous n'en parlions presque jamais entre nous. Pas plus que nous ne la gratifiions des surnoms les plus courants et les plus mérités. Nous l'appelions La Plus Grande Cuisinière.

Peut-être ses autres histoires étaient-elles plus difficiles à raconter. Ou peut-être se choisissait-elle son histoire, préférant qu'on lui sache gré de pourvoir à nos besoins plutôt qu'au fait d'avoir survécu. Ou peut-être sa survie dépendait-elle justement du fait de pourvoir à nos besoins : l'histoire de son rapport à la nourriture englobe toutes les autres histoires que l'on pourrait raconter à son sujet. Pour elle, la nourriture *n'est pas* de la nourriture. C'est un mélange de terreur, de dignité, de gratitude, de vengeance, de joie, d'humiliation, de religion, d'histoire et, bien entendu, d'amour. Comme si les fruits qu'elle nous offrait à chaque fois avaient été cueillis aux branches détruites de notre arbre généalogique.

À nouveau possible

Lorsque j'ai appris que j'allais être père, j'ai ressenti des pulsions inattendues. Je me suis mis à ranger la maison, à remplacer des ampoules grillées depuis des mois, à nettoyer les vitres et à classer des papiers. J'ai fait ajuster mes lunettes, acheté une douzaine de paires de chaussettes blanches, installé une galerie sur la voiture et une cloison à l'arrière pour séparer le chien des bagages, je me suis soumis à mon premier bilan médical depuis dix ans… et j'ai décidé d'écrire un livre sur le fait de manger des animaux.

C'est la paternité qui a donné l'élan initial au périple qu'allait devenir l'écriture de ce livre, mais je m'y étais en réalité préparé durant la plus grande partie de ma vie. Dans mon enfance, les héros de toutes les histoires qu'on me lisait le soir étaient des animaux. Alors que j'avais quatre ans, nous avons gardé en pension le chien d'un cousin pendant tout un été. Je lui donnais des coups de pied.

Mon père m'a dit qu'on ne donnait pas des coups de pied à un animal. À sept ans, j'ai pleuré la mort de mon poisson rouge. J'ai appris que mon père l'avait balancé dans les toilettes et avait tiré la chasse. J'ai dit à mon père – dans des termes plus fleuris – qu'on ne balançait pas les animaux dans une cuvette de W-C. À l'âge de neuf ans, j'étais gardé par une baby-sitter qui ne voulait faire de mal à personne. C'est exactement ce qu'elle m'a répondu quand je lui ai demandé pourquoi elle refusait de manger du poulet avec mon grand frère et moi.

« Je ne veux faire de mal à personne.

– Comment ça, *faire du mal*? me suis-je étonné.

– Tu sais bien que le poulet, c'est du poulet, non ? »

Frank m'a lancé un regard entendu : *Papa et maman ont confié leurs précieux petits chéris à cette idiote ?*

J'ignore si elle avait ou non l'intention de nous convertir au végétarisme – comme les conversations au sujet de la viande ont tendance à mettre les gens mal à l'aise, beaucoup de végétariens ne font pas de prosélytisme – mais étant adolescente, elle manquait de cette retenue qui empêche si souvent d'aller jusqu'au bout de ce sujet. Sans dramatisation ni rhétorique, elle partageait ce qu'elle savait.

Mon frère et moi nous sommes regardés, la bouche pleine de poulet à qui l'on avait fait du mal, et nous avons eu simultanément la même pensée : *Comment se fait-il que je n'aie jamais songé à ça jusqu'à présent et pourquoi donc personne ne m'en a jamais rien dit ?* J'ai posé ma fourchette. Frank a terminé son assiette et il est probablement en train de manger du poulet à l'heure où j'écris ces lignes.

Ce que nous avait dit notre baby-sitter m'avait interpellé, non seulement parce que cela avait tout l'air d'être vrai, mais aussi parce que cela étendait à la nourriture tout ce que mes parents m'avaient toujours enseigné. On ne fait pas de mal aux membres de la famille. On ne fait pas de mal aux amis ni aux inconnus. On ne fait même pas de mal aux meubles tapissés. Le fait que je n'aie jamais songé à inclure les animaux dans cette règle n'en faisait pas pour autant des exceptions. Cela faisait tout simplement de moi un enfant, ignorant des arcanes du monde. Mais un jour, j'ai perdu cette ignorance, et dès ce moment-là j'ai dû changer de vie.

Pas pour longtemps. Emphatique et rigide au début, mon végétarisme a duré quelques années, s'est étiolé et a fini par mourir. Je n'ai jamais découvert de réponse satisfaisante à la phrase codée de notre baby-sitter, mais j'ai trouvé des moyens de l'estomper, de l'émousser et de l'oublier. D'une manière générale, je ne faisais souffrir personne. D'une manière générale, je m'efforçais de faire ce qui était bien. D'une manière générale, ma conscience était tranquille. Passe-moi le poulet, je meurs de faim.

Mark Twain répétait souvent qu'arrêter de fumer était la chose la plus facile qui fût : lui-même le faisait constamment. Je placerais le végétarisme parmi les choses faciles. Au lycée, je suis devenu végétarien à d'innombrables reprises, le plus souvent pour tenter de me donner une identité dans un monde où les gens semblaient s'en forger sans le moindre effort. Je voulais un slogan lapidaire pour personnaliser la plaque arrière de la Volvo de ma mère, une cause facile pour occuper la demi-heure incommodante de la récréation à collecter des dons, une occasion de me rapprocher des seins des militantes. (Et je continuais à penser qu'il était mal de faire souffrir les animaux.) Cela ne voulait pas dire pour autant que je m'interdisais de manger de la viande, seulement que je m'abstenais de le faire en public. En famille, je ne cessais d'osciller. Au cours de ces années, de nombreux dîners débutaient par la question rituelle de mon père : « Dois-je m'attendre à de nouvelles restrictions alimentaires ce soir ? »

Après mon entrée à l'université, je me suis remis à manger de la viande de façon plus sérieuse. Sans « y croire » – quel que fût le sens de cette expression – mais en repoussant délibérément la question hors de mon esprit. À cette époque-là, je ne ressentais pas le besoin d'avoir une « identité ». Et comme personne parmi mes condisciples ne savait que j'étais végétarien, je n'avais pas à afficher une attitude hypocrite en public, ni même à expliquer pourquoi j'avais changé d'avis. En fait, c'est peut-être bien la prédominance du végétarisme sur le campus qui a découragé le mien – on donne moins volontiers une pièce à un musicien de rue dont la casquette déborde de billets.

Mais lorsque, à la fin de ma deuxième année, j'ai décroché ma licence de philosophie, je me suis mis prétentieusement à *réfléchir* et suis une fois de plus devenu végétarien. Le genre d'oubli délibéré auquel j'étais convaincu qu'il fallait se livrer pour manger de la viande semblait par trop paradoxal au vu de la vie intellectuelle que j'essayais de mener. J'estimais que la vie pouvait, aurait dû et devait absolument se conformer au moule de la raison. Vous pouvez imaginer à quel point cela me rendait agaçant.

Après avoir terminé mes études, je me suis remis à manger de la viande – beaucoup de viande de toutes sortes – pendant environ deux ans. Pourquoi ? Parce que j'aimais ça. Et parce que, dans la formation des habitudes, les histoires que nous nous racontons à nous-mêmes et entre nous prennent le pas sur la raison. Et je me racontais à moi-même une histoire qui me pardonnait.

Et puis on m'a contraint à me rendre à un « rendez-vous arrangé » avec la fille qui devait devenir ma femme. Et à peine deux semaines plus tard, nous nous sommes trouvés engagés dans des discussions sur deux sujets étonnants : le mariage et le végétarisme.

Son rapport à la viande était étonnamment semblable au mien : il y avait les choses auxquelles elle croyait lorsqu'elle était couchée dans son lit le soir, et les choix qu'elle faisait le lendemain matin à la table du petit-déjeuner. Elle était tourmentée (même si c'était de façon occasionnelle et généralement éphémère) à l'idée de participer à quelque chose de foncièrement mal, et en même temps acceptait à la fois la complexité inextricable du sujet et la faillibilité pardonnable de la nature humaine. Comme moi, elle avait des intuitions très fortes, mais apparemment pas suffisamment.

Les gens se marient pour de nombreuses raisons, mais une de celles qui ont déterminé notre décision de franchir ce pas a été la perspective de pouvoir prendre explicitement un nouveau départ. Les rites et le symbolisme juifs encouragent fortement cette idée d'opérer une rupture nette avec les choses telles qu'elles étaient jusque-là – l'exemple le plus connu étant le bris du verre au terme de la cérémonie de mariage. Avant, les choses étaient ce qu'elles étaient, mais désormais elles seront différentes. Elles iront mieux. Nous serons meilleurs.

Ça sonne drôlement bien et ça vous gonfle à bloc, mais comment devenir meilleur ? J'imaginais des milliers de façons de m'améliorer (apprendre des langues étrangères, être plus patient, travailler plus), mais j'avais déjà pris beaucoup trop de bonnes résolutions pour y croire encore. J'envisageais également un tas de moyens de « nous » rendre meilleurs, mais dans une relation, les choses importantes sur lesquelles on peut tomber d'accord et qu'on est en mesure de changer ne sont pas nombreuses. Dans la réalité, même dans ces moments où on a l'impression que tout est possible, c'est très peu le cas en vérité.

La consommation de viande, une question qui nous avait tous deux préoccupés et que nous avions tous deux oubliée, nous a paru un bon point de départ. Nous avions énormément d'intérêts communs dans ce domaine, et pouvions en tirer beaucoup de bienfaits. Au cours de la même semaine, nous nous sommes fiancés et sommes devenus végétariens.

Bien entendu, notre repas de mariage n'était pas végétarien car nous nous étions persuadés qu'il aurait été injuste de ne pas proposer de protéines animales à nos invités, dont certains étaient venus de très loin pour partager notre joie. (La logique vous paraît un peu tirée par les cheveux ?) Puis nous avons mangé du poisson durant notre lune de miel, mais nous étions au Japon, et quand on est au Japon… Et une fois de retour dans notre nouveau logement, il nous est arrivé, de temps en temps, de manger des hamburgers, du potage de poulet, du saumon fumé et des steaks de thon. Mais seulement de temps en temps. Seulement les jours où nous en avions envie.

Inutile de se tourmenter, pensais-je. Et je me disais que c'était très bien comme ça. Que nous nous en tiendrions désormais à ce régime d'incohérence consciencieuse. Pourquoi notre alimentation serait-elle différente des autres domaines éthiques de nos existences ? Nous étions des gens honnêtes qui, à l'occasion, racontaient des mensonges ; des amis attentionnés qui, à l'occasion, pouvaient agir avec maladresse. Nous étions des végétariens qui, à l'occasion, mangeaient de la viande.

Et je n'étais même pas sûr que mes intuitions étaient autre chose que des vestiges sentimentaux de mon enfance – et que si je creusais un peu plus profondément, je ne découvrirais pas d'indifférence. Je ne savais pas ce qu'*étaient* les animaux, je n'avais pas même une idée approximative de la façon dont ils étaient élevés et tués. Toutes ces considérations me mettaient mal à l'aise, mais cela n'impliquait pas que tout le monde devait se sentir embarrassé, ni moi d'ailleurs. Et je ne ressentais ni envie ni besoin d'éclaircir la question.

C'est alors que nous avons décidé d'avoir un enfant, et ça c'était une autre histoire qui nécessiterait une autre histoire.

Une demi-heure environ après la naissance de mon fils, je me suis rendu dans la salle d'attente pour annoncer la bonne nouvelle à la famille réunie.

« Tu as dit “il” ! C’est donc un garçon ?
– Comment vous allez l’appeler ?
– À qui est-ce qu’il ressemble ?
– Raconte-nous en détail ! »

J’ai répondu à leurs questions aussi vite que possible, puis je me suis retiré dans un coin et j’ai allumé mon téléphone portable.

« Grand-mère, ai-je dit. On a un bébé. »

Son unique téléphone se trouve dans la cuisine. Comme elle a décroché à la première sonnerie, j’en ai conclu qu’elle était restée assise à la table en attendant mon appel. Il était un peu plus de minuit. Était-elle en train de découper des coupons de réduction, de préparer un poulet aux carottes pour le congeler et le servir à quelqu’un pour un futur repas ? Je ne l’avais encore jamais vue ni entendue pleurer, mais j’ai senti les larmes dans sa voix quand elle a demandé : « Combien pèse-t-il ? »

Quelques jours après notre retour de l’hôpital, j’ai envoyé une lettre à un ami en y joignant une photo de mon fils et en lui faisant part de mes premières impressions sur la paternité. Il m’a simplement répondu : « Tout est à nouveau possible. » C’était la chose parfaite à dire, parce que c’est exactement mon sentiment. Nous pouvions raconter à nouveau nos histoires et les rendre meilleures, plus représentatives ou plus emplies d’aspirations. Ou bien nous pouvions choisir de raconter d’autres histoires. C’est le monde lui-même qui se voyait accorder une nouvelle chance.

Manger les animaux

Le premier désir, peut-être, que mon fils a ressenti, de façon muette et en dehors de tout raisonnement, c’est celui de manger. Quelques secondes après sa naissance, il tétait sa mère. Je l’ai observé avec une crainte que je n'avais jamais éprouvée de ma vie. Sans explication ni expérience, il savait ce qu'il fallait faire. Plusieurs millions d'années d'évolution avaient gravé en lui ce savoir, comme elles avaient encodé le mécanisme du battement dans son petit cœur, et incité à se contracter et se gonfler ses poumons qui venaient juste d'expulser leur liquide.

Ce sentiment d'ébahissement mêlé de respect était sans précédent dans ma vie, mais, à travers les générations, il me reliait à d'autres. J'ai vu les anneaux de croissance de mon arbre : mes parents me regardant manger, ma grand-mère regardant manger ma mère, mes arrière-grands-parents regardant ma grand-mère… Mon fils mangeait comme mangeaient les enfants des hommes des cavernes.

Alors qu'il entamait son existence et que je commençais à écrire ce livre, j'ai eu l'impression que presque tout ce qu'il faisait tournait autour de l'acte de manger. Il tétait, ou bien dormait après avoir tété, s'agitait avant de téter, ou recrachait le lait qu'il venait de téter. Au moment où je termine ce livre, il est capable de tenir des conversations très élaborées, et, de plus en plus, la nourriture qu'il absorbe est digérée en même temps que les histoires que nous racontons. Nourrir mon enfant n'est pas la même chose que me nourrir : c'est plus important. C'est important parce que la nourriture est importante (sa santé physique est importante, le plaisir de manger est important), et parce que les histoires que l'on sert en même temps que la nourriture sont importantes. Ces histoires resserrent les liens de notre famille, et relient notre famille aux autres. Quand on raconte des histoires sur la nourriture, on se raconte nous-mêmes – nos origines et nos valeurs. Dans la tradition juive de ma famille, j'ai peu à peu appris que la nourriture remplissait deux fonctions parallèles : elle nourrit et elle vous aide à vous souvenir. Manger et raconter des histoires sont deux choses inséparables – l'eau salée, ce sont aussi les larmes ; le miel n'est pas seulement sucré, il évoque la douceur ; le pain azyme est le pain de notre affliction.

Il existe des milliers d'aliments sur la planète, et il faut prendre le temps d'expliquer pour quelle raison nous n'en mangeons qu'une partie relativement minime. Il faut expliquer pourquoi le persil est utilisé pour décorer un plat, pourquoi on ne mange pas de pâtes au petit-déjeuner, pourquoi on mange les ailes mais pas les yeux, les vaches mais pas les chiens. Les histoires établissent des récits et les récits instaurent des règles.

À de nombreuses reprises au cours de ma vie, j'ai oublié que j'avais des histoires à raconter à propos de la nourriture. Je me contentais de manger ce que j'avais à portée de main ou que je trouvais bon, et cela me semblait naturel, sensé et sain – qu'y avait-il à expliquer ? Mais le genre de paternité que j'avais toujours envisagé d'exercer est incompatible avec une telle négligence.

Cette histoire n'a pas commencé sous forme de livre. Je voulais simplement comprendre – pour moi-même et ma famille – ce qu'*est* la viande. Je voulais le savoir le plus concrètement possible. D'où vient-elle ? Comment la produit-on ? Comment sont traités les animaux, et dans quelle mesure cela importe-t-il ? Quelles sont les conséquences économiques, sociales et environnementales qu'entraîne le fait de manger des animaux ? Ma quête personnelle n'est pas restée longtemps à ce seul niveau. À travers mes efforts en tant que parent, je me suis heurté à des réalités qu'en tant que citoyen je ne pouvais ignorer, et qu'en tant qu'auteur je ne pouvais pas garder pour moi. Mais se retrouver face à ces réalités et écrire de façon responsable à leur sujet sont deux choses bien distinctes.

Je voulais aborder ces questions de la façon le plus large possible. C'est pourquoi même si plus de 99 % des animaux consommés aux États-Unis proviennent de « fermes usines » – et je consacrerai une bonne partie de ce livre à expliquer ce que cela signifie et en quoi cela est important –, le 1 % restant du secteur de l'élevage constitue également une partie essentielle de cette histoire[2]. La place disproportionnée qu'occupe dans ce livre la description des meilleures fermes familiales d'élevage reflète le crédit que je leur accorde, mais en même temps, leur caractère insignifiant : elles confirment la règle.

Pour être tout à fait honnête (et au risque de perdre ma crédibilité dès la page 25), je suis parti, en commençant mes recherches, d'un principe : je savais ce que j'allais découvrir – pas dans le détail, mais d'une manière générale. D'autres sont partis du même principe. Presque toujours, quand je disais à quelqu'un que j'écrivais un livre sur la consommation des animaux, cette personne en concluait, sans même avoir la moindre idée de mes opinions, que ce serait un plaidoyer pour le végétarisme. C'est là un préjugé extrêmement révélateur, un *a priori* qui traduit non seulement la conviction qu'une enquête minutieuse sur l'élevage des animaux inciterait n'importe qui à renoncer à manger de la viande, mais aussi que la plupart des gens savent déjà que ce serait la seule conclusion à en tirer. (Qu'avez-vous vous-même conclu en découvrant le titre de ce livre ?)

Moi aussi je pensais que mon livre sur la consommation des animaux deviendrait un plaidoyer sans ambiguïté en faveur du végétarisme. Ce ne fut pas le cas. Cela vaudrait la peine d'écrire un plaidoyer en faveur du végétarisme, mais ce n'est pas ce que j'ai fait ici.

L'élevage des animaux est un sujet d'une extrême complexité. Il n'existe pas deux animaux, deux espèces animales, deux fermes, deux éleveurs ou deux consommateurs semblables. En considérant la montagne de documentation – lectures, interviews, observations de terrain – qui a été nécessaire avant même de commencer à réfléchir sérieusement à la question, je me suis demandé s'il était possible de raconter quoi que ce soit de cohérent et de significatif au sujet d'une pratique aussi diversifiée. Peut-être bien que la « viande » n'existe pas. Au lieu de cela, il y a *cet* animal-ci, élevé dans *cette* ferme, tué dans *cet* abattoir, vendu de *cette* manière-là, et mangé par *cette* personne-ci – chaque cas étant tellement spécifique qu'il est impossible de les assembler en une même mosaïque.

Et la consommation des animaux est un de ces problèmes, comme l'avortement, où il est impossible de définir avec précision certains points essentiels (à partir de quel moment un fœtus devient-il une personne, et non plus un être en puissance ? En quoi consiste exactement l'expérience animale ?), ce qui a pour conséquence de titiller nos malaises les plus enfouis, suscitant fréquemment une réaction de défense ou d'agression. C'est un sujet glissant, frustrant, un problème qui déclenche de profonds échos. Chaque question en soulève une autre, et il est facile de vous retrouver à défendre une position bien plus extrême que ce en quoi vous croyez ou que vous pourriez assumer. Ou, pire encore, vous pourriez découvrir qu'il n'existe aucune position qui vaille la peine d'être défendue ou assumée.

Et puis il y a la difficulté à discerner la différence entre l'impression que suscite une chose et ce qu'elle est réellement. Trop souvent, les arguments concernant le fait de manger des animaux ne sont pas des arguments mais des jugements de valeur. Et, là où il y a des faits – voici la quantité de porc que nous mangeons ; voici le nombre de mangroves qui ont été détruites par l'aquaculture ; voici de quelle façon une vache est tuée –, se pose aussitôt la question de ce que nous devons réellement en faire. Ont-ils une valeur morale ? Une valeur collective ? Une valeur légale ? Ou bien ne doit-on les considérer que comme de simples informations que chaque mangeur est libre de digérer comme il l'entend ?

Même si ce livre est le résultat d'une énorme accumulation de recherches, et s'il est aussi objectif que peut l'être un travail journalistique – j'ai utilisé les statistiques les plus prudentes (provenant presque toujours de sources officielles, ou bien de sources industrielles et universitaires validées par des pairs) et engagé deux personnes chargées de les corroborer –, je le considère comme une histoire. On y trouvera quantité de données, mais elles sont souvent minces et malléables. Les faits sont importants mais, par eux-mêmes, ils ne génèrent pas de sens – surtout lorsqu'ils sont liés à ce point à des choix linguistiques. Que signifie mesurer exactement la réaction de douleur chez un poulet ? Peut-on parler de douleur ? Que signifie la douleur ? Quoi que nous apprenions sur la physiologie de la douleur – combien de temps elle dure, les symptômes qu'elle produit, etc. –, nous ne saurons jamais rien de définitif à son sujet. Mais insérez les faits dans une histoire, une histoire de compassion ou de domination, ou peut-être des deux – insérez-les dans une histoire sur le monde dans lequel nous vivons, sur qui nous sommes et qui nous voulons être – et alors vous pourrez commencer à parler de façon significative du fait de manger les animaux.

Nous sommes faits d'histoires. Je repense à ces samedis après-midi à la table de la cuisine de ma grand-mère, juste nous deux – du pain noir dans le grille-pain rougeoyant, le ronronnement du réfrigérateur entièrement tapissé de photos de famille. Alors que je mangeais mes quignons de pain noir et buvais mon Coca, elle me racontait sa fuite hors d'Europe, la nourriture qu'elle avait dû manger et celle dont elle avait été privée. C'était l'histoire de sa vie – « Écoute-moi », me suppliait-elle – et je comprenais qu'une leçon fondamentale m'était transmise, même si j'ignorais, étant trop jeune, en quoi elle consistait.

Je sais, à présent, de quelle leçon il s'agissait. Et même si les circonstances ne pourraient être plus différentes, je m'efforce et m'efforcerai de la transmettre à mon fils. Ce livre représente ma tentative la plus sérieuse d'y parvenir. En le commençant, je ressens une intense excitation à l'idée de toutes les répercussions qu'il peut avoir. En mettant de côté, pour l'instant, les plus de dix milliards d'animaux terrestres abattus chaque année aux États-Unis pour la consommation humaine, en mettant de côté l'environnement et les employés du secteur, ainsi que les problèmes qui y sont directement liés tels que la famine dans le monde, les épidémies de grippe et la biodiversité, surgit aussi la question du jugement que nous portons sur nous-mêmes et sur les autres. Nous ne sommes pas seulement les conteurs de nos histoires, nous sommes les histoires elles-mêmes. Si ma femme et moi imposons à notre fils un régime végétarien, il ne mangera pas le plat unique de son arrière-grand-mère, il ne recevra jamais l'expression unique et directe de son amour, ne songera peut-être jamais à elle en tant que Plus Grande Cuisinière De Tous Les Temps. L'histoire primordiale de ma grand-mère, l'histoire primordiale de notre famille devra changer.

Les premiers mots de ma grand-mère le jour où elle a vu mon fils ont été : « Ma revanche. » Du nombre infini de phrases qu'elle aurait pu prononcer, c'est celle-là qu'elle a choisie, ou qui s'est imposée à elle.

Écoute-moi :

« Nous n'étions pas riches mais nous ne manquions jamais de rien. Le jeudi, nous faisions du pain, du *challah* et des roulés, et ils duraient toute la semaine. Le vendredi, nous avions des crêpes. Pour shabbat, il y avait toujours un poulet et un potage de nouilles. Tu allais chez le boucher pour lui demander un peu plus de gras. Le morceau le plus gras était le meilleur. Ce n'était pas comme aujourd'hui. Nous n'avions pas de réfrigérateur, mais nous avions du lait et du fromage. Nous ne trouvions pas toutes les sortes de légumes, mais celles que nous trouvions nous suffisaient. Tout ce que vous avez maintenant et que vous trouvez normal… Mais nous étions heureux. Nous ne connaissions rien d'autre. Et nous considérions ce que nous avions comme normal, nous aussi.

« Et puis tout a changé. Pendant la guerre, c'était l'enfer sur terre, et je n'avais rien. J'ai dû quitter ma famille, tu sais. J'étais toujours en train de fuir, jour et nuit, parce que les Allemands étaient constamment sur mes talons. Si tu t'arrêtais, tu étais mort. Il n'y avait jamais suffisamment à manger. Je suis devenue de plus en plus malade à force de ne pas manger, et je ne parle pas simplement de ma maigreur. J'avais des ulcères sur tout le corps. Les gestes les plus simples m'étaient difficiles. Je n'aimais pas trop fouiller dans les poubelles. Je mangeais les morceaux que les autres laissaient. Si tu te servais, tu pouvais survivre. Je prenais tout ce que je trouvais. J'ai mangé des choses dont je ne veux même pas te parler.

« Pourtant, même dans les pires moments, il y avait des gens prêts à t'aider. Quelqu'un m'a appris à nouer mes bas de pantalon de façon à pouvoir y stocker les patates que je pouvais chaparder. J'ai fait des kilomètres et des kilomètres comme ça, parce que tu ne savais jamais quand tu tomberais sur une autre occasion. Un jour on m'a donné un peu de riz et j'ai marché pendant deux jours pour aller à un marché où je l'ai échangé contre un bout de savon, puis j'ai été jusqu'à un autre marché où j'ai échangé le savon contre des haricots. Il fallait avoir de la chance et de l'intuition.

« Le pire, ça a été vers la fin de la guerre. Beaucoup de gens mouraient à ce moment-là et chaque jour je ne savais pas si j'aurais la force de survivre jusqu'au lendemain. Un fermier, un Russe, Dieu le bénisse, quand il m'a vue dans cet état, il est rentré chez lui chercher un morceau de viande qu'il m'a donné.

– Il t'a sauvé la vie.

– Je ne l'ai pas mangé.

– Tu ne l'as pas mangé ?

– C'était du porc. Je ne mange jamais de porc.

– Pourquoi ?

– Comment ça, pourquoi ?

– Quoi, parce que ce n'est pas casher ?
– Évidemment !
– Pas même si ça te sauvait la vie ?
– Si plus rien n'a d'importance, il n'y a rien à sauver. »

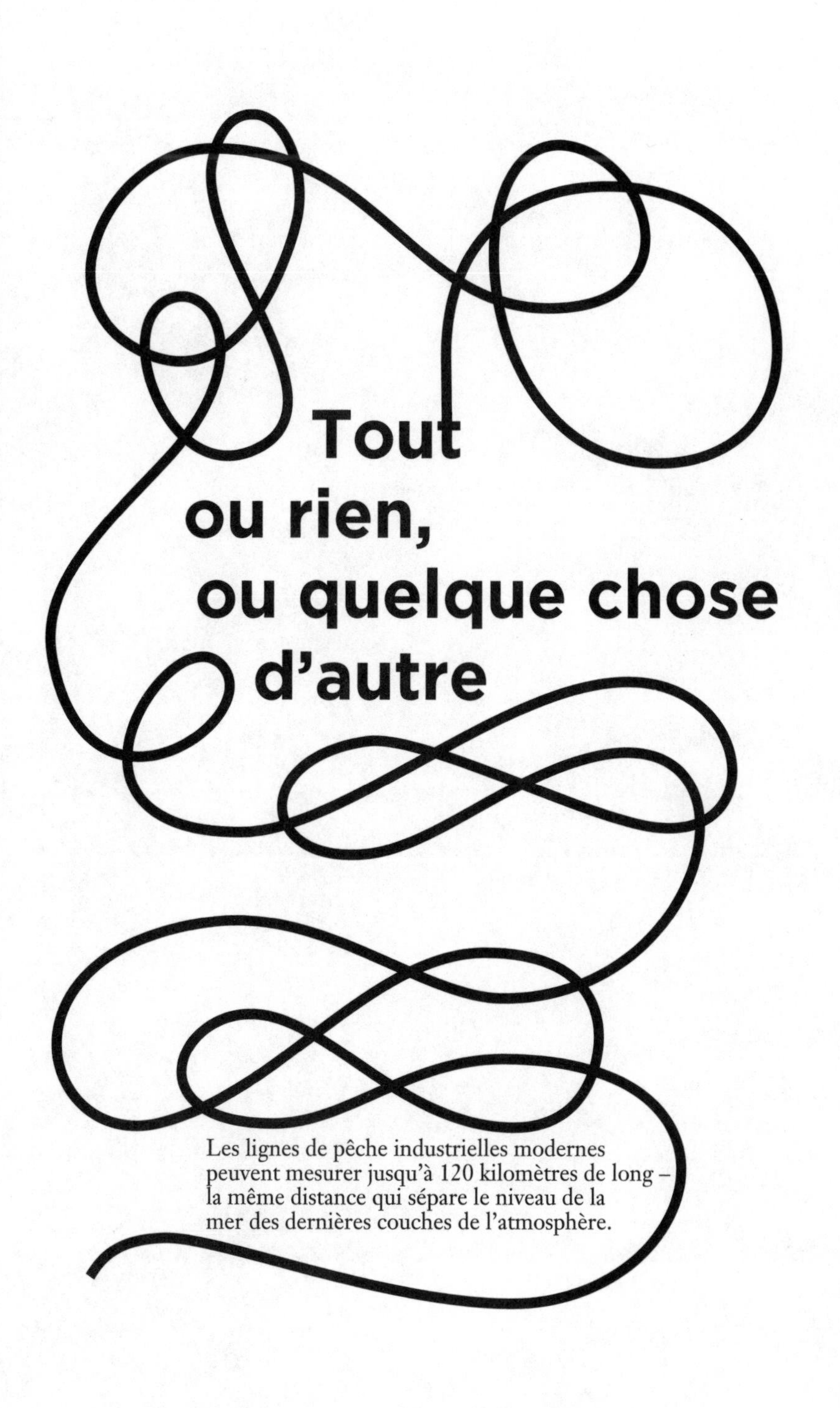

Tout ou rien, ou quelque chose d'autre

Les lignes de pêche industrielles modernes peuvent mesurer jusqu'à 120 kilomètres de long – la même distance qui sépare le niveau de la mer des dernières couches de l'atmosphère.

1.

George

J'ai passé les vingt-six premières années de ma vie à ne pas aimer les animaux. Je les trouvais gênants, sales, différents au point d'être inaccessibles, dangereusement imprévisibles et tout simplement inutiles. Je manquais particulièrement d'enthousiasme à l'égard des chiens – un sentiment lié à une peur héritée en grande partie de ma mère, qui la tenait elle-même de ma grand-mère. Quand j'étais enfant, je n'acceptais d'aller chez mes amis qu'à la condition qu'ils enferment leur chien dans une autre pièce. Quand un chien s'approchait de moi dans un parc, je devenais hystérique et ne me calmais que lorsque mon père me juchait sur ses épaules. Je n'aimais pas regarder les émissions télévisées qui montraient des chiens. Je ne comprenais pas – *je n'aimais pas* – les gens qui s'émerveillaient devant les chiens. J'ai même probablement développé un léger préjugé à l'encontre des aveugles.

Et puis un jour je me suis mis à adorer les chiens. Je suis devenu gaga des chiens.

George est arrivé je ne sais comment ni d'où. Ma femme et moi n'avions jamais discuté de l'éventualité d'avoir un chien, et encore moins de nous mettre à en chercher un. (Il n'y avait aucune raison : je n'aimais pas les chiens.) En ce domaine, le premier jour du reste de ma vie est tombé un samedi. Alors que nous nous baladions sur la Septième Avenue, dans notre quartier de Brooklyn, nous avons trouvé un minuscule chiot noir endormi sur le trottoir, lové comme un point d'interrogation dans un gilet portant l'inscription ADOPTEZ-MOI. Je ne crois ni aux coups de foudre ni au destin, et pourtant le sort a voulu que je tombe aussitôt raide dingue de ce foutu clébard. Même si je ne me suis pas risqué à le toucher.

Que je propose d'adopter ce chiot est sans doute la chose la plus inattendue que j'aie jamais faite, mais j'avais devant moi cette adorable boule de poils, le genre de chiot devant lequel même le plus endurci des caniphobes ne pourrait pas résister.

Bien sûr, les gens trouvent aussi de la beauté à des choses qui n'ont pas le museau humide. Mais il y a toujours quelque chose d'unique dans la façon dont nous tombons amoureux d'un animal. Chiens pataudset chiens minuscules, chiens à poils longs et chiens graciles, saint-bernard ronflants, carlins asthmatiques, shar-peis déroulant leurs plis, bassets à l'air déprimé – tous ont leurs fans dévoués. Les ornithologues passent des matinées glaciales à scruter le ciel pour apercevoir les objets emplumés de leur fascination. Les amoureux des chats vivent leur passion avec une ardeur qui manque – Dieu merci – à la plupart des relations humaines. Les livres pour enfants regorgent de lapins, de souris, d'ours et de chenilles, sans parler des araignées, des criquets et des alligators. Personne n'a jamais eu un rocher en peluche, et quand un philatéliste évoque son amour des timbres, il s'agit à l'évidence d'une affection très différente.

Nous avons ramené le chien à la maison. Au début je faisais mine de la – c'était une femelle – serrer dans mes bras mais en restant prudemment à l'autre bout de la pièce. Puis, comme elle m'avait donné quelque raison de penser que je n'allais pas y perdre un doigt, je suis passé à l'étape supérieure et l'ai laissée manger dans ma paume. Puis je l'ai autorisée à me lécher la main. Et puis le visage. Et puis je lui ai léché à mon tour le museau. Et aujourd'hui j'adore tous les chiens et je vivrai éternellement heureux.

63 % des foyers américains possèdent au moins un animal de compagnie. Ce phénomène est surtout impressionnant par sa

nouveauté. Avoir chez soi un animal n'est devenu chose courante qu'avec l'émergence de la classe moyenne et de l'urbanisation, peut-être en raison de la privation des contacts avec d'autres animaux, ou simplement parce que les animaux de compagnie coûtent de l'argent et sont donc un signe d'aisance (les Américains dépensent chaque année 34 milliards de dollars pour leurs compagnons à poils). L'historien d'Oxford, sir Keith Thomas, dont l'ouvrage encyclopédique *Dans le jardin de la nature* est désormais considéré comme un classique, affirme « Que la période moderne ait vu se répandre dans les classes moyennes des villes le goût des *pets*, c'est un phénomène qui a une véritable importance sur le plan social, sur le plan psychologique et, il faut le dire, sur le plan commercial. Mais il a aussi des conséquences intellectuelles. Il a encouragé les classes moyennes à former des conclusions optimistes sur l'intelligence animale ; il a donné naissance à d'innombrables anecdotes sur la sagacité des animaux ; il a incité à penser que l'animal peut avoir un caractère et une individualité propres ; et il a fourni des bases psychologiques à l'idée que certains animaux au moins ont droit à être considérés moralement[3]. »

Il ne serait pas juste de dire que ma relation avec George m'a révélé la « sagacité » des animaux. Au-delà de ses désirs les plus essentiels, je n'ai pas la moindre idée de ce qui se passe dans sa tête. (Même si je me suis convaincu peu à peu qu'en réalité il s'y passait des tas de choses au-delà de la manifestation de désirs basiques.) Je suis aussi souvent surpris par son intelligence que par son manque d'intelligence. Entre elle et moi, les différences sont toujours beaucoup plus présentes que les similitudes.

Mais George n'est pas un être fruste et docile qui ne souhaite que donner et recevoir de l'affection. En fait, elle se comporte très souvent en vraie emmerdeuse. Elle se masturbe compulsivement devant nos hôtes, déchiquette mes chaussures et les jouets de mon fils, se livre de manière obsessionnelle au génocide des écureuils, possède la capacité étonnante de toujours se trouver entre l'objectif et le sujet de toute photo prise dans sa proximité immédiate, bondit sur les skateurs et les hassidim, humilie les femmes qui ont leurs règles (elle est le pire cauchemar des Juives orthodoxes en période menstruelle), vient coller son derrière flatulent contre la personne qui lui manifeste le moins d'intérêt, déterre les jeunes plants, griffe les meubles neufs, lèche les plats juste avant qu'on les serve et à l'occasion se venge (mais *de quoi* ?) en faisant ses besoins dans la maison.

Nos différents combats – pour communiquer, pour reconnaître et s'accommoder de nos désirs respectifs, et simplement pour cohabiter – m'obligent à me confronter et à interagir avec quelque chose, ou plutôt quelqu'un de totalement autre. George peut réagir à quelques mots (comme ignorer un discours un peu plus long), mais notre relation se déroule presque entièrement en dehors du langage. Elle semble avoir des pensées et des émotions. Parfois je crois les comprendre, mais le plus souvent elles me demeurent opaques. Comme une photo, elle est incapable de me dire ce qu'elle me donne à voir. C'est un secret incarné. Et je dois sans doute lui apparaître comme une photographie.

Pas plus tard qu'hier soir, j'ai levé les yeux de ma lecture et vu George qui m'observait depuis l'autre bout de la pièce. « Depuis quand tu es là ? » lui ai-je demandé. Elle a baissé les yeux et s'est éloignée d'un pas traînant dans le couloir – moins une silhouette qu'une sorte d'espace en négatif, une forme découpée dans le décor domestique. En dépit de nos schémas de fonctionnement, qui sont plus réguliers que tous ceux que je peux partager avec une autre personne, elle me paraît toujours imprévisible. Et, en dépit de notre proximité, il m'arrive de tressaillir, et même d'être un peu effrayé devant son insondable étrangeté. Le fait d'avoir un enfant a considérablement accentué cette impression, car nous n'avions absolument aucune garantie – au-delà de celle que je ressentais intimement – qu'elle n'allait pas un jour mettre le bébé en charpie.

La liste de nos différences pourrait emplir un livre entier mais, comme moi, George craint la douleur, recherche le plaisir et ne désire pas seulement manger et s'amuser, mais avoir de la compagnie. Je n'ai pas besoin de connaître dans le détail ses humeurs et ses préférences pour savoir qu'elle en a. Nos psychologies ne sont ni identiques ni même similaires, mais chacun de nous a une perspective, une façon intrinsèque et unique de traiter et d'éprouver le monde.

Je ne mangerais pas George parce qu'elle m'appartient. Mais pourquoi ne mangerais-je pas un chien que je n'ai jamais vu de ma vie ? Ou, plus précisément encore, quelle justification puis-je fournir au fait d'épargner les chiens, mais de manger les autres animaux ?

Plaidoyer pour manger les chiens

Bien que la chose soit parfaitement légale dans quarante-quatre des cinquante États américains, manger « le meilleur ami de l'homme » est aussi tabou pour chacun de nous que l'idée de manger son meilleur ami. Même les carnivores les plus enthousiastes ne mangeront jamais de chien. Le chef, et animateur télé occasionnel, Gordon Ramsay peut parfois se montrer assez rude avec des bébés animaux quand il fait de la publicité pour un produit, mais vous ne verrez jamais un chiot pointer la tête hors d'une de ses marmites. Et même s'il a déclaré un jour qu'il électrocuterait ses enfants s'ils devenaient végétariens, je me demande quelle serait sa réaction si ses chers marmots passaient le cabot familial à la casserole[4].

Les chiens sont merveilleux et, sous bien des aspects, uniques. Mais ils sont remarquablement non remarquables sur le plan des capacités intellectuelles et expérientielles. Les porcs sont tout aussi intelligents et sensibles que les chiens, au sens le plus raisonnable de ces adjectifs. Certes ils ne peuvent pas bondir sur la banquette arrière d'une Volvo, mais ils sont capables d'aller chercher, de courir et de jouer, de se montrer espiègles et de rendre l'affection qu'on leur donne. Alors pourquoi n'ont-ils pas le droit de se lover près du feu ? Pourquoi ne leur épargne-t-on pas au moins de passer à la broche ?

Le tabou nous interdisant de manger les chiens révèle quelque chose à leur sujet, et nous en apprend beaucoup sur nous.

Les Français, qui adorent leurs chiens, mangent parfois leurs chevaux.

Les Espagnols, qui adorent leurs chevaux, mangent parfois leurs vaches.

Les Indiens, qui adorent leurs vaches, mangent parfois leurs chiens[5].

Quoique écrits dans un contexte très différent, les mots de George Orwell dans *La Ferme des animaux* peuvent s'appliquer ici : « Tous les animaux sont égaux, mais certains sont plus égaux que d'autres. » La protection apportée à tel ou tel animal n'est pas une loi de la nature ; elle découle des histoires que nous racontons sur la nature.

Alors qui est dans le vrai ? Quelles peuvent être les raisons conduisant à exclure la viande canine de nos menus ? Le carnivore sélectif répondra sans doute : *Ne mangez pas vos animaux de compagnie.* Mais les chiens ne sont pas considérés comme des compagnons dans les endroits où on les mange. Et qu'en est-il de nos voisins qui n'ont pas d'animaux chez eux ? Serions-nous en droit d'élever des objections s'ils mangeaient du chien au dîner ?

Entendu, alors dans ce cas : *Ne mangez pas les animaux ayant des capacités mentales significatives.* Si par « capacités mentales significatives » nous entendons le genre de capacités que possède un chien, alors c'est parfait pour les chiens. Mais une telle définition s'appliquerait aussi aux porcs, vaches, poulets et à de nombreuses espèces d'animaux marins. Sans compter qu'elle exclurait les êtres humains sévèrement handicapés.

Bon, dans ce cas : *Si les tabous éternels – ne tripotez pas votre merde, ne roulez pas une pelle à votre sœur, ne mangez pas vos amis – sont tabous, c'est qu'il y a de bonnes raisons. D'un point de vue évolutionnaire, ces choses-là ne sont pas bonnes pour nous.* Mais manger du chien n'a jamais été et n'est pas tabou dans des tas d'endroits, et ça n'est absolument pas nocif pour nous. Correctement cuisinée, la viande de chien ne présente pas un plus grand risque pour la santé que n'importe quelle autre viande, et ce mets fort nourrissant ne suscite guère d'objections de la part des composants physiques de nos gènes égoïstes.

Et la consommation de chien peut se targuer d'une longue histoire. Des tombes du IVe siècle ont révélé des scènes où l'on voit des chiens mis à mort avec d'autres animaux de boucherie[6]. C'était une habitude tellement ancrée qu'elle a influencé le langage lui-même : le caractère sino-coréen signifiant « juste et approprié » (*yeon*) se traduit littéralement par « comme est délicieuse la viande de chien cuisinée ». Hippocrate vantait la viande de chien comme source de vigueur. Les Romains mangeaient des « chiots de lait », les Indiens du Dakota se délectaient de foie de chien, et il n'y a pas si longtemps de cela, les Hawaïens mangeaient de la cervelle et du sang de chien. Le chien nu du Mexique (*xoloitzcuintle*) était *la principale espèce animale alimentaire* des Aztèques. Le capitaine Cook consommait du chien. On connaît l'anecdote célèbre de Roald Amundsen qui a mangé ses chiens de traîneau. (D'accord, il était *vraiment* affamé.) Aujourd'hui encore, on continue de manger du chien pour se prémunir contre le mauvais sort aux Philippines ; pour se soigner en Chine et en Corée ; pour augmenter la libido au Nigeria ; et en de nombreux endroits sur tous les continents on mange du chien parce que c'est bon. Depuis des siècles, les Chinois élèvent certaines races de chiens, comme le chow-chow, pour les manger, et dans de nombreux pays européens il existe toujours des lois concernant l'examen *post mortem* des chiens destinés à la consommation humaine.

Bien entendu, le fait que quelque chose ait été pratiqué à peu près partout et quasiment tout le temps ne saurait justifier que l'on continue à le faire. Mais, à la différence de la viande d'élevage, qui implique la conception et l'entretien des animaux, les chiens implorent quasiment qu'on les mange. Trois à quatre millions de chiens et chats sont euthanasiés chaque année. Cela revient à jeter à la poubelle plusieurs millions de kilos de viande. La simple destruction de ces chiens euthanasiés pose un énorme problème économique et écologique. Il serait insensé d'aller rafler les toutous dans les foyers. Mais manger ces chiens abandonnés, ces chiens perdus, ces chiens qui ne sont pas tout à fait assez mignons pour qu'on les adopte, ces chiens qui ne sont pas tout à fait assez bien élevés pour qu'on les garde, reviendrait à faire d'une pierre beaucoup de coups, et nourrirait pas mal de monde.

Dans un certain sens, c'est déjà ce que nous faisons. La transformation – qui consiste à convertir les protéines animales impropres à la consommation humaine en nourriture pour le bétail et les animaux de compagnie – permet à des centres de traitement de convertir tous ces chiens morts inutiles en maillons productifs de la chaîne alimentaire. En Amérique, les millions de chiens et de chats euthanasiés chaque année dans les refuges pour animaux servent à nourrir notre nourriture. (Les chiens et chats euthanasiés sont presque deux fois plus nombreux que les chiens et chats adoptés.) Aussi, pourquoi ne pas éliminer cette inefficace et bizarre étape intermédiaire ?

Nous n'aurons pas à déroger aux règles de notre civilité. Nous ne les ferons pas souffrir plus que nécessaire. Même si beaucoup sont persuadés que l'adrénaline améliore le goût de la viande de chien – d'où les méthodes traditionnelles de mise à mort consistant à les pendre, à les bouillir vivants, à les battre à mort –, nous pourrions nous mettre d'accord sur le fait que, si nous devons les manger, il nous est tout aussi possible de les tuer de façon rapide et indolore, non ? Par exemple la coutume hawaïenne consistant à ligoter le museau du chien – afin de conserver le sang – devra être considérée (socialement, sinon légalement) comme prohibée. Peut-être pourrions-nous faire bénéficier les chiens des dispositions prévues par le Humane Methods of Slaughter Act. Cette loi fédérale sur les méthodes humaines d'abattage ne garantit certes pas la façon dont ils devront être traités durant leur existence, et ne prévoit aucune méthode significative de contrôle ou de vérification, mais nous pouvons assurément compter sur l'industrie pour s'« autoréguler », ainsi que nous le faisons pour les autres animaux que nous mangeons.

Rares sont les gens qui prennent toute la mesure de la tâche colossale que représente le fait de nourrir un monde de plusieurs milliards d'omnivores qui exigent de la viande avec leurs patates. L'utilisation inefficace des chiens – dans des zones pourtant fortement peuplées (partisans d'une alimentation locale, prenez-en note) – devrait faire rougir de honte n'importe quel écologiste qui se respecte. On pourrait soutenir que nombre de ces groupes « protecteurs des animaux » font preuve en réalité de la pire des hypocrisies, puisqu'ils dépensent des sommes considérables et une énergie phénoménale à tenter en vain de réduire le nombre de chiens non désirés tout en continuant à propager le tabou irresponsable consistant à rayer la viande canine de nos menus. Si nous laissions les chiens être des chiens, et se reproduire sans aucune intervention humaine, nous créerions une source de viande durable, locale et peu gourmande en énergie qui ferait honte à la meilleure des fermes d'élevage traditionnelles. Il est temps que toutes les personnes soucieuses de l'environnement admettent que le chien représente une nourriture réaliste pour des écologistes réalistes.

Pourrons-nous surmonter notre sentimentalité ? Les chiens sont innombrables, bons pour la santé, faciles à cuisiner, savoureux, et il est infiniment plus raisonnable d'en manger que d'en passer par le processus laborieux consistant à les transformer en boulettes protéinées avec lesquelles nous nourrissons les autres espèces que nous consommons.

Pour ceux qui sont déjà convaincus, voici une recette classique des Philippines. Je ne l'ai pas essayée mais, parfois, il suffit de lire une recette pour savoir.

RAGOÛT DE CHIEN SPÉCIAL MARIAGE

Tout d'abord, tuez un chien de taille moyenne, puis brûlez les poils à la flamme. Ôtez soigneusement la peau pendant qu'il est encore chaud, et mettez-la de côté (on pourra l'utiliser pour d'autres recettes). Découpez la viande en cubes d'environ 2 cm. Faites mariner pendant deux heures dans un mélange de vinaigre, poivre en grains, sel et ail. Faites frire dans un grand wok au-dessus du feu, puis ajoutez oignons, ananas haché et pommes de terre sautées. Versez sauce tomate et eau bouillante, ajoutez du poivre vert, une feuille de laurier et du Tabasco. Couvrez et laissez mijoter sur la braise jusqu'à ce que la viande soit tendre. Ajoutez de la purée de foie de chien et laissez cuire de 5 à 7 minutes.

Un petit truc que connaissent tous les astronomes amateurs : si vous avez du mal à bien distinguer un objet, regardez juste à côté. Les parties de l'œil les plus sensibles à la lumière (celles qui nous servent à voir dans la pénombre) se trouvent à la périphérie de la zone que nous utilisons habituellement pour concentrer notre regard.

Manger les animaux comporte un aspect invisible. Réfléchir au sujet des chiens et à leurs relations avec les animaux que nous mangeons est une façon de regarder légèrement de côté et de rendre visible quelque chose d'invisible.

2.

Amis et ennemis

Chiens et poissons ne vont pas ensemble. Les chiens vont avec les chats, les enfants et les pompiers. Nous partageons avec eux notre nourriture et nos lits, les prenons avec nous dans l'avion et les emmenons chez le docteur, prenons plaisir à les voir heureux et pleurons leur mort. Les poissons, ça va dans des aquariums, avec de la sauce tartare, entre deux baguettes, et ils sont à l'extrême limite de la considération humaine. Ils sont séparés de nous par des surfaces et du silence.

Les différences entre chiens et poissons ne pourraient sembler plus grandes. Le terme « poisson » renvoie à une pluralité inimaginable de variétés, un océan de plus de 31 000 espèces différentes libéré par le langage chaque fois que nous utilisons ce mot[7]. Les chiens, au contraire, sont absolument singuliers : ils ne forment qu'une seule espèce et, bien souvent, ont des noms individuels, comme par exemple George. Je fais partie des 95 % de propriétaires masculins de chiens qui parlent à leur animal – sinon des 87 % qui sont persuadés que le chien leur répond[8]. Il est difficile en revanche d'imaginer à quoi ressemble l'expérience interne de perception d'un poisson, et encore plus difficile de tenter de communiquer avec lui. Les poissons sont extrêmement sensibles aux variations de pression de l'eau, réagissent à toute une série d'éléments chimiques dégagés par l'organisme d'autres animaux marins et perçoivent des sons émis à une distance allant jusqu'à plus de quinze kilomètres[9]. Les chiens, eux, sont *ici*, imprimant leurs empreintes boueuses sur la moquette du salon, ronflant sous nos bureaux. Les poissons évoluent dans un élément autre, silencieux et sans expression, sans pattes et le regard mort. Ils ont été créés, selon la Bible, un autre jour, et sont considérés comme un pas vraiment très ancien et peu flatteur dans la marche évolutionnaire vers l'humain.

De tout temps on a attrapé le thon – j'utiliserai le thon comme représentant de l'espèce, puisque c'est le poisson le plus consommé aux États-Unis – à l'aide de lignes et d'hameçons manipulés par des pêcheurs traditionnels. Un poisson pris à l'hameçon peut se vider de son sang ou se noyer (les poissons se noient quand ils ne peuvent plus bouger), avant d'être hissé à bord du bateau. Bien souvent, les gros poissons (ce qui inclut non seulement les thons mais aussi les espadons et les marlins) ne sont que blessés par l'hameçon, et, bien qu'affaiblis, peuvent résister à la traction de la ligne durant des heures, voire des jours. Leur puissance est telle qu'il faut parfois deux ou trois hommes pour ramener un seul animal. Des pics spéciaux appelés gaffes étaient (et sont toujours) utilisés pour hisser à bord un poisson capturé dès qu'il est à portée. Ficher la gaffe dans le flanc, la nageoire ou même l'œil d'un poisson procure une prise sanglante mais efficace pour le tirer sur le pont. Certains assurent que le plus efficace est de planter la gaffe sous l'arête dorsale. D'autres – comme les auteurs d'un manuel des Nations unies consacré à la pêche – conseillent, « si possible, d'enfoncer la gaffe dans la tête ».

Autrefois, les pêcheurs repéraient à grand-peine les bancs de thons et capturaient les poissons l'un après l'autre à l'aide de perches, de lignes et de gaffes. Le thon qui se retrouve aujourd'hui dans nos assiettes, cependant, n'est presque jamais capturé au moyen d'un équipement aussi simple, mais grâce à l'une des deux méthodes modernes, la senne tournante et la palangre. Comme je voulais connaître les techniques qui permettent d'approvisionner les marchés avec les animaux marins les plus consommés, mes recherches ont fini par m'amener à découvrir ces deux méthodes de pêche au thon – que je décrirai plus tard. Mais j'avais beaucoup d'autres choses à examiner au préalable.

Internet est submergé de vidéos de pêche. De l'infra-rock de bas étage accompagne des images d'hommes qui, après avoir hissé à bord un marlin ou un thon rouge épuisé, affichent la même fierté que s'ils venaient de sauver la vie d'un de leurs semblables. Il y a aussi le sous-genre constitué de séquences de femmes en bikini gaffant, de très jeunes enfants gaffant, de tas de gaffeurs débutants. Dans ces vidéos, au-delà de la bizarrerie du rituel, mon esprit ne cesse de revenir au poisson, au moment où la gaffe se trouve à mi-chemin entre la main du pêcheur et l'œil de l'animal…

Aucun lecteur de ce livre ne supporterait de voir quelqu'un planter une gaffe dans le museau d'un chien. La chose paraît tellement évidente qu'elle ne nécessite aucune explication. Un tel souci est-il moralement déplacé dès lors qu'il s'agit de poissons, ou bien serions-nous stupides de nous préoccuper à ce point de l'intégrité physique des chiens ? La souffrance d'une mort lente est-elle quelque chose qu'il est cruel d'infliger à tous les animaux susceptibles de l'endurer, ou à certains d'entre eux seulement ?

La familiarité que nous avons développée avec des animaux que nous en sommes venus à considérer comme des compagnons peut-elle nous servir de guide dans notre façon de percevoir les animaux que nous mangeons ? Les poissons (ou les vaches, les cochons, les poulets) sont-ils si éloignés de nous dans l'ordre de la vie ? En sommes-nous séparés par un abîme, ou par une simple branche sur l'arbre de l'évolution ? Proximité et éloignement sont-ils même des notions significatives ? Si nous devions un jour découvrir une forme de vie plus puissante et intelligente que nous, et qu'elle nous considère comme nous considérons les poissons, quelle serait notre argumentation contre le fait qu'on nous mange ?

La vie de milliards d'animaux chaque année et l'équilibre des plus vastes écosystèmes de notre planète reposent sur les réponses à peine réfléchies que nous apportons à ces questions. De telles préoccupations globales pourraient nous paraître abstraites, tant il est vrai que nous nous soucions avant tout de ce qui nous est proche, et oublions tout le reste avec une facilité déconcertante. Nous avons également une forte tendance à imiter ceux qui sont autour de nous, notamment en matière d'alimentation. Si l'éthique de la nourriture est si complexe, c'est que celle-ci relève à la fois des papilles gustatives et du *goût*, des biographies individuelles comme des histoires sociales. L'Occident moderne, obsédé par le choix, se montre probablement plus accommodant envers les gens qui choisissent de manger autrement que ne l'a été aucune autre culture dans l'histoire, mais paradoxalement, l'omnivore totalement non sélectif – « Je suis ouvert à tout ; je mangerais n'importe quoi » – passe pour plus sensé socialement que le citoyen qui s'efforce de manger sans nuire à la société. Les choix alimentaires sont déterminés par de nombreux facteurs, mais la raison (et même la conscience) ne figure que rarement en tête de liste.

Il y a quelque chose dans le fait de manger les animaux qui tend à polariser les avis : soit on n'en mange jamais, soit on ne se pose jamais de questions sincères à ce sujet ; soit on devient un activiste, soit on méprise les activistes. Ces positions antagonistes – tout comme le refus de prendre position, lui-même très révélateur – convergent pour indiquer que manger les animaux n'est pas une question sans importance. Le fait de consommer ou pas des animaux et la façon dont nous les mangeons touchent à quelque chose de profond. La viande est liée à ce que nous sommes et voulons être, depuis le livre de la Genèse jusqu'à la plus récente loi sur l'élevage. Elle soulève des questions philosophiques significatives et représente une industrie qui pèse plus de 140 milliards de dollars par an[10], occupe près du tiers des terres de la planète, modifie les écosystèmes océaniques[11] et pourrait bien déterminer l'avenir du climat terrestre[12]. Et pourtant il semble que nous soyons seulement capables de réfléchir au pourtour des arguments – aux extrêmes logiques plutôt qu'aux réalités pratiques. Ma grand-mère a proclamé qu'elle ne mangerait jamais de porc, y compris si cela devait lui éviter de mourir de faim, et même si le contexte de son histoire est aussi extrême que possible, beaucoup de gens semblent s'en tenir à ce schéma du tout ou rien lorsqu'ils discutent de leurs choix alimentaires quotidiens. C'est là un mode de pensée que nous n'appliquerions jamais à d'autres domaines éthiques. (Imaginez, par exemple, de toujours ou de ne jamais mentir.) Je ne saurais dire le nombre de fois où, ayant dit à quelqu'un que j'étais végétarien, mon interlocuteur ou interlocutrice a réagi en pointant une inconsistance dans mon style de vie ou en essayant de trouver une faille dans une argumentation que je n'avais pas développée. (J'ai souvent eu l'impression que mon végétarisme était plus important à leurs yeux qu'aux miens.)

Nous devons trouver une meilleure façon de parler du fait que nous mangeons des animaux. Il faut chercher un moyen de mettre la viande au centre du débat public, de la même façon qu'elle se retrouve bien souvent au centre de nos assiettes. Inutile de prétendre parvenir à un consensus. Quelle que soit la force de nos convictions concernant ce qui est bon pour nous à l'échelon individuel, et même collectif, nous savons tous par avance que nos positions se heurteront à celles de nos voisins. Que faire face à cette incontournable réalité ? Laisser tomber la discussion, ou trouver un moyen de la recadrer ?

Guerre

Sur dix thons, requins et autres grands prédateurs marins qui peuplaient nos océans il y a cinquante ou cent ans, il n'en reste plus qu'un aujourd'hui. De nombreux scientifiques prédisent l'extinction totale de toutes les espèces pêchées d'ici moins d'une cinquantaine d'années – tandis que d'intenses efforts sont déployés pour capturer, tuer et manger un nombre toujours plus grand d'animaux marins. La situation est si grave que les chercheurs du Fisheries Centre de l'université de Colombie-Britannique estiment que « nos interventions sur les ressources piscicoles ressemblent de plus en plus à des guerres d'extermination ».

Comme j'ai fini par le constater, le mot *guerre* est le terme exact pour évoquer notre rapport aux poissons – il décrit précisément les technologies et les méthodes mises en œuvre à leur égard, ainsi que l'esprit conquérant qu'elles traduisent. Plus mon expérience du monde de l'exploitation des animaux à des fins alimentaires s'est approfondie, plus il m'est apparu évident que les transformations radicales qu'a connues la pêche au cours de ces cinquante dernières années sont l'expression d'un phénomène beaucoup plus large. Nous avons déclaré la guerre, ou plutôt laissé mener la guerre contre tous les animaux que nous mangeons. Cette guerre est d'un type nouveau et porte un nom : l'élevage industriel.

Tout comme la pornographie, l'élevage industriel est malaisé à décrire mais facile à identifier. Dans son sens le plus étroit, il s'agit d'un système de production intensive et industrialisée dans lequel les animaux – souvent rassemblés par dizaines voire centaines de milliers – sont génétiquement manipulés, contraints à une mobilité réduite et nourris à l'aide d'aliments non naturels (qui comprennent presque toujours différents médicaments, comme les antimicrobiens). Dans le monde, ce sont environ 450 milliards d'animaux terrestres qui sont désormais élevés industriellement chaque année[13]. (On ne dispose d'aucune statistique concernant les poissons.) 99 % de tous les animaux terrestres consommés ou utilisés pour produire du lait et des œufs aux États-Unis sont élevés industriellement[14]. C'est pourquoi, même s'il existe des exceptions notables, parler de la consommation des animaux aujourd'hui équivaut à parler de l'élevage industriel.

Ce type d'élevage consiste moins en un ensemble de pratiques qu'il ne constitue une idéologie : réduire les coûts de production au strict minimum et systématiquement ignorer ou « externaliser » les coûts entraînés dans les domaines de la dégradation de l'environnement, des maladies humaines et de la souffrance animale. Pendant des millénaires, les fermiers éleveurs ont calqué leurs pratiques sur les processus naturels. L'élevage industriel considère la nature comme un obstacle qui doit être surmonté.

La pêche industrielle n'est pas exactement de l'agriculture industrielle, mais elle relève de la même catégorie et doit donc, en tant que telle, être intégrée au débat – elle participe du même coup d'État agricole. Cela est particulièrement évident en ce qui concerne l'aquaculture (des fermes dans lesquelles les poissons sont confinés dans des enclos avant d'être « récoltés ») mais c'est tout aussi vrai pour la pêche en haute mer, qui partage le même état d'esprit et fait un usage intensif de la technologie moderne.

Les capitaines des navires de pêche actuels tiennent plus de Kirk que d'Achab. Ils repèrent le poisson à partir de salles équipées de nombreux appareils électroniques et calculent le meilleur moment pour capturer des bancs entiers d'un seul coup. S'ils manquent leur coup, ils procèdent à une deuxième passe. Et ces pêcheurs ne sont pas seulement en mesure d'observer le poisson qui se trouve à proximité de leur bateau. Des dispositifs de concentration de poisson (DCP) couplés à des balises GPS sont déployés sur les océans. Les balises transmettent aux salles de contrôle des navires de pêche des informations sur la quantité de poissons détectée ainsi que la localisation exacte du DCP.

Une fois que l'on s'est fait une idée précise des moyens mis en œuvre – le 1,4 *milliard* d'hameçons installés chaque année sur les palangres (chaque hameçon étant appâté avec un morceau de chair de poisson, de calmar ou de dauphin)[15] ; les 1 200 filets, dont chacun mesure 50 kilomètres de long, qu'utilise chaque flottille pour capturer une seule espèce ; la capacité d'un seul navire de ramener à son bord 50 *tonnes* d'animaux marins en quelques minutes – il devient plus facile de considérer l'activité halieutique actuelle comme une véritable industrie.

Les technologies militaires ont été littéralement et systématiquement appliquées à la pêche. Radars, sonars (autrefois utilisés pour repérer les sous-marins ennemis), systèmes électroniques de navigation développés pour la marine de guerre et, depuis la dernière décennie du XXe siècle, localisation par satellites permettent désormais aux pêcheurs d'identifier les lieux de rassemblement des poissons et d'y retourner au moment opportun. Des images satellites des températures océanes sont également utilisées pour repérer les bancs de poissons.

Le succès de l'agriculture industrielle dépend des représentations nostalgiques que les consommateurs se font de la production de la nourriture – le pêcheur ramenant sa prise au moulinet, l'éleveur de porcs qui connaît chacun de ses cochons, l'éleveur de dindes observant un petit bec brisant la coquille de son œuf – parce que ces images correspondent à quelque chose que nous connaissons et en quoi nous avons confiance. Mais ces images persistantes sont également le pire cauchemar des éleveurs industriels : elles ont le pouvoir de rappeler au monde que ce qui représente aujourd'hui 99 % de la réalité de l'élevage n'en représentait que moins de 1 % il n'y a pas si longtemps encore. L'éviction des méthodes traditionnelles au profit de l'agriculture industrielle pourrait se voir remettre en cause.

Qu'est-ce qui pourrait amener un tel changement ? Rares sont les gens qui connaissent dans le détail le fonctionnement des industries actuelles de la viande et des produits de la mer, mais la plupart subodorent le fond du problème – du moins ils savent que quelque chose ne va pas. Les détails sont certes importants, mais ils ne réussiront pas, à eux seuls, à convaincre la majorité des gens de changer leurs habitudes. Il faut faire entrer autre chose en jeu.

3.

Honte[16]

Parmi tout ce que l'on pourrait dire au sujet de sa vaste exploration de la littérature, Walter Benjamin fut entre autres l'interprète le plus pénétrant des fables animales de Franz Kafka.

La honte est un élément crucial dans la lecture de Kafka que fait Benjamin, qui la considère comme une sensibilité morale particulière. La honte est à la fois intime – ressentie au plus profond de notre vie intérieure – et sociale – quelque chose que nous ne ressentons que devant les autres. Pour Kafka, la honte est une réaction et une responsabilité vis-à-vis d'invisibles autres – vis-à-vis de la « famille inconnue », pour reprendre une expression du *Procès*. C'est une expérience centrale de l'éthique.

Benjamin insiste sur le fait que les ancêtres de Kafka – sa *famille inconnue* – incluent des animaux. Les animaux font partie de la communauté devant laquelle Kafka pourrait être amené à rougir, ce qui est une façon de dire qu'ils font partie des préoccupations morales de Kafka. Benjamin nous dit aussi que les animaux de Kafka sont des « réceptacles de l'oubli », une remarque qui, au premier abord, apparaît déroutante.

Je mentionne ces quelques points afin d'établir le cadre d'une petite histoire où Kafka regarde des poissons dans un aquarium berlinois. L'anecdote est racontée par son grand ami Max Brod : « Il se mit à parler aux poissons dans leurs cages de verre : "Je puis maintenant vous regarder sans remords, je ne me nourris plus de votre chair." C'était à l'époque où il était devenu un strict végétarien. Lorsqu'on n'a pas soi-même entendu parler Kafka, on peut difficilement imaginer la simplicité de ses paroles dénuées de toute affectation et de toute grandiloquence[17]. »

Qu'est-ce qui a amené Kafka à devenir végétarien ? Et pourquoi est-ce une remarque au sujet des poissons que Brod rapporte pour évoquer le régime alimentaire de son ami ? Il ne fait pourtant aucun doute que Kafka avait aussi parlé des animaux terrestres lors de sa conversion au végétarisme.

Une réponse possible réside dans le lien qu'établit Benjamin entre, d'une part, les animaux et la honte, et, de l'autre, les animaux et l'oubli. La honte est le travail de la mémoire contre l'oubli. La honte est ce que nous ressentons lorsque nous oublions presque complètement – mais pas totalement – les attentes sociales et nos obligations envers les autres au profit de notre gratification immédiate. Pour Kafka, les poissons devaient être la chair même de l'oubli : leur vie est oubliée d'une manière beaucoup plus radicale que lorsque nous pensons aux animaux d'élevage terrestres.

Au-delà de cet oubli radical des animaux auquel nous procédons en les mangeant, les corps animaux étaient, pour Kafka, chargés de la négligence de toutes les parties de nous-mêmes que nous voulons oublier. Quand nous voulons désavouer une partie de notre nature, nous la disqualifions en disant qu'elle est notre « nature animale ». Aussi nous réprimons ou dissimulons cette nature, et pourtant, comme Kafka le savait mieux que quiconque, il nous arrive de nous réveiller et de constater que nous sommes restés de simples animaux. Et cela paraît juste. Nous ne rougissons pas de honte, pour ainsi dire, devant un poisson. Nous avons beau reconnaître des parts de nous-mêmes dans un poisson – l'épine dorsale, les nocicepteurs (récepteurs de la douleur), les endorphines (qui soulagent la douleur), toutes les réactions habituelles à la douleur –, cela ne nous empêche pas ensuite de nier que ces similitudes animales aient une quelconque importance, et donc de nier des parties importantes de notre humanité. Ce que nous oublions au sujet des animaux, nous commençons par l'oublier à propos de nous-mêmes.

Aujourd'hui, ce qui est en jeu dans le fait de manger les animaux n'est pas seulement notre capacité fondamentale à réagir à la vie sensible, mais aussi notre capacité à réagir à certaines parties de notre propre être (animal). La guerre ne se déroule pas seulement entre eux et nous, mais entre nous et nous. C'est une guerre aussi ancienne que le monde et plus déséquilibrée qu'à tout autre moment de l'Histoire. Comme l'a écrit le philosophe et critique social Jacques Derrida, il s'agit « d'une lutte inégale, d'une guerre en cours et dont l'inégalité pourrait un jour s'inverser, entre, d'une part, ceux qui violent non seulement la vie animale mais jusqu'à ce sentiment de compassion et, d'autre part, ceux qui en appellent au témoignage irrécusable de cette pitié. C'est une guerre au sujet de la pitié. Cette guerre n'a pas d'âge [...] mais [...] elle traverse une phase critique. Nous la traversons et nous sommes traversés par elle. Penser cette guerre dans laquelle nous sommes, ce n'est pas seulement un devoir, une responsabilité, une obligation, c'est aussi une nécessité, une contrainte à laquelle, bon gré ou mal gré, directement ou indirectement, nul ne saurait se soustraire. [...] L'animal nous regarde, et nous sommes nus devant lui[18]. »

En silence, l'animal attire notre attention. L'animal nous observe, et que nous détournions le regard (de l'animal, de notre assiette, de nos préoccupations, de nous-mêmes) ou non, nous voilà dévoilés. Que nous changions notre vie ou que nous ne fassions rien, nous avons réagi. Ne rien faire, c'est encore faire quelque chose.

Peut-être que l'innocence des jeunes enfants et leur liberté à l'égard de certaines responsabilités leur permettent d'absorber le silence d'un animal et de le regarder avec moins d'embarras qu'un adulte. Peut-être que nos enfants, au moins, n'ont pas pris parti dans notre guerre, peut-être n'en prennent-ils que le butin.

Au printemps 2007 je vivais avec ma famille à Berlin, et nous avons passé plusieurs après-midi à l'aquarium. Nous avons vu les cuves qu'avait observées Kafka, ou des cuves très semblables. J'ai été particulièrement captivé par les hippocampes – ces étranges créatures rappelant des cavaliers de jeu d'échecs qui sont un des animaux préférés de l'imaginaire populaire. Les hippocampes ne ressemblent pas tous à des pièces d'échecs, on en trouve aussi en forme de paille à soda ou de plante, et ils ont une taille qui va de deux ou trois à une trentaine de centimètres. Il est évident que je ne suis pas le seul à être fasciné par l'apparence toujours surprenante de ces poissons. (Nous désirons tellement les observer que des millions d'entre eux meurent dans les aquariums ou dans le commerce des souvenirs.) Et c'est uniquement en raison de cette étrange qualité esthétique que je vais m'étendre ici à leur sujet, alors que je négligerai quantité d'autres animaux pourtant plus proches de notre domaine de préoccupation. Car les hippocampes représentent l'extrême des extrêmes.

Plus que tout autre animal, les hippocampes suscitent l'émerveillement – ils nous font toucher du doigt les similitudes et les différences stupéfiantes existant entre chacune de ces créatures et toutes les autres. Ils sont capables de changer de couleur pour se confondre avec leur environnement et d'agiter leur nageoire dorsale presque aussi vite que des colibris battent des ailes. Du fait qu'ils ne possèdent ni dents ni estomac, la nourriture les traverse presque instantanément, ce qui les oblige à manger quasiment en permanence. (D'où certaines adaptations telles que des yeux qui bougent de façon indépendante, ce qui leur permet de chercher des proies sans avoir à tourner la tête.) Nageurs relativement médiocres, ils peuvent mourir d'épuisement lorsqu'ils se font prendre dans un courant même modéré, de sorte qu'ils préfèrent s'amarrer à une algue ou à des coraux, ou encore à un de leurs semblables – ils aiment évoluer par paires, reliés par leurs queues préhensiles. Les hippocampes exécutent des rituels de séduction compliqués et s'accouplent généralement lors d'une pleine lune en émettant des sons musicaux. Ils vivent très longtemps en couple avec le même partenaire. Mais ce qui est peut-être le plus atypique chez eux, c'est que c'est le mâle qui porte les petits durant une période pouvant aller jusqu'à six semaines. Les mâles tombent littéralement « enceints », et non seulement ils portent, mais ils fécondent et nourrissent les œufs en développement grâce à des sécrétions de fluide. L'image de mâles donnant naissance à des petits est un inépuisable sujet d'étonnement : un liquide turbide jaillit de la poche de gestation et, comme par magie, des hippocampes minuscules mais totalement formés émergent du nuage.

Mon fils n'a guère été impressionné. Alors que je m'attendais à ce qu'il adore l'aquarium, il en a été terrifié et a passé son temps à nous demander de rentrer à la maison. Peut-être avait-il décelé quelque chose dans ce qui, pour moi, n'était que les visages inexpressifs d'animaux marins. Mais il est plus probable qu'il ait été effrayé par la pénombre humide, par les bruits de raclement de gorge des tuyauteries ou par la foule des visiteurs. Je me suis dit que si nous y retournions suffisamment souvent, et y restions suffisamment longtemps, il finirait par réaliser – eurêka ! – qu'il se plaisait dans cet endroit. Mais ça n'a pas été le cas.

En tant qu'écrivain connaissant la fameuse anecdote de Kafka au sujet des poissons, j'en suis venu à ressentir une certaine honte devant les aquariums. Le reflet que me renvoyait la paroi des cuves n'était pas le visage de Kafka. C'était celui d'un écrivain qui, comparé à son héros, était grossièrement et honteusement déplacé. Et en tant que Juif à Berlin, je ressentais d'autres nuances de honte. Et puis il y avait aussi la honte d'être un touriste, et d'être un Américain au moment où la presse publiait les photos d'Abou Ghraïb. Et il y avait la honte d'être un humain : la honte de savoir que vingt des trente-cinq espèces d'hippocampes protégées dans le monde sont menacées d'extinction parce qu'elles sont tuées « non intentionnellement » dans le processus de production de nourriture d'origine marine. La honte d'un massacre systématique perpétré sans aucune raison nutritive, ni pour une quelconque raison politique, ni à cause d'une haine irrationnelle ou d'un conflit humain insoluble. Je ressentais de la honte devant ces morts que ma culture justifiait par une considération aussi dérisoire que le goût du thon en conserve (les hippocampes sont l'une des plus de cent espèces d'animaux marins tuées de façon « accessoire » par l'industrie moderne du thon) ou au motif que les crevettes constituent des hors-d'œuvre pratiques (le chalutage des crevettes dévaste les populations d'hippocampes plus que toute autre activité). Je ressentais de la honte à vivre dans un pays où règne une prospérité sans précédent – un pays dont la partie des revenus consacrée à la nourriture est la plus réduite de toutes les civilisations de l'histoire humaine – mais qui, au nom de la réduction des coûts, traite les animaux qu'il mange avec une telle cruauté qu'elle serait illégale si elle était infligée à un chien.

Et rien ne suscite plus la honte que le fait d'être parent. Les enfants nous mettent face à nos paradoxes et à nos hypocrisies, et nous sommes tout nus devant eux. Il vous faut trouver une réponse à chaque « pourquoi ? » – *Pourquoi faisons-nous ceci ? Pourquoi ne faisons-nous pas cela ?* – et il arrive souvent que vous n'ayez aucune bonne réponse. Alors vous vous contentez de dire : « Parce que. » Ou bien vous racontez une histoire dont vous savez pertinemment qu'elle est fausse. Et que votre visage s'empourpre ou pas, vous vous sentez honteux. La honte d'être parent – qui est une *bonne* honte – provient du fait que nous voulons que nos enfants soient plus accomplis que nous ne le sommes, et qu'ils obtiennent des réponses satisfaisantes. Mon fils ne m'a pas seulement incité à reconsidérer quel genre d'*animal mangeant* je suis, mais m'a obligé, par la honte qu'il a fait naître en moi, à procéder à ce réexamen.

Et puis il y a George, qui dort à mes pieds pendant que je tape ces lignes, le corps tout contorsionné pour s'adapter au rectangle que le soleil forme au sol. Elle agite les pattes en l'air, ce qui signifie probablement qu'elle rêve qu'elle est en train de courir : pourchasse-t-elle un écureuil ? Joue-t-elle avec un autre chien dans le parc ? Peut-être rêve-t-elle qu'elle nage. J'adorerais pouvoir pénétrer dans ce crâne oblong pour voir quel genre de bagage mental elle est en train d'essayer de trier ou de décharger. De temps en temps, quand elle rêve, elle laisse échapper un petit jappement – parfois assez sonore pour la réveiller, parfois suffisamment fort pour réveiller mon fils. (Elle, elle se rendort toujours ; lui, jamais.) Parfois elle émerge d'un rêve toute haletante, bondit sur ses pattes, vient se coller à moi – m'envoyant son haleine chaude sur le visage – et me regarde droit dans les yeux. Et entre nous, il y a… *quoi ?*

Mots

Significations

Le secteur de l'élevage industriel participe au réchauffement planétaire pour 40 % de plus que l'ensemble des transports dans le monde ; c'est la première cause du changement climatique.

ANIMAL*

Avant de visiter le moindre élevage, j'ai passé plus d'une année à potasser la documentation concernant la consommation des animaux : histoires de l'agriculture, rapports du secteur agroalimentaire et du département de l'Agriculture américain (USDA), brochures militantes, ouvrages philosophiques sur la question, et enfin les nombreux livres sur la nourriture qui abordent le sujet de la viande. Je me suis souvent senti perdu. Parfois cela résultait du sens insaisissable de termes tels que « souffrance », « joie » ou « cruauté ». Parfois j'avais l'impression qu'on voulait délibérément me déstabiliser. Le langage n'est jamais totalement fiable, mais dès lors qu'il est question de manger les animaux, les mots sont aussi souvent utilisés pour désorienter et camoufler que pour communiquer. Certains termes, comme « bovin », nous aident à oublier de quoi nous parlons au juste. D'autres, comme « plein air », peuvent fourvoyer ceux dont la conscience est en quête de clarification. Certains, comme « heureux », signifient le contraire de ce qu'ils semblent vouloir dire. Et certains, comme « naturel », sont pratiquement dépourvus de sens.

Rien ne pourrait paraître plus « naturel » que la distinction entre humains et animaux (*voir* : BARRIÈRE DES ESPÈCES). Il se trouve, cependant, que toutes les cultures ne possèdent même pas dans

* L'ordre alphabétique n'a pas été respecté pour privilégier l'ordre logique de la version originale. (*Toutes les notes de bas de page sont des traducteurs.*)

leur vocabulaire la catégorie « animal » ou un autre terme équivalent – la Bible, par exemple, ne comprend aucun vocable qui ait un sens identique à celui d'« animal ». Même si l'on se réfère à la définition du dictionnaire, les hommes sont et ne sont pas des animaux. Dans la première acception, les êtres humains font partie du règne animal. Mais le plus souvent, nous utilisons le terme « animal » pour désigner toutes les créatures – depuis l'orang-outan jusqu'au chien et à la crevette – sauf les humains. Au sein d'une même culture, et même au sein d'une même famille, les gens ont des compréhensions différentes de ce qu'est un animal. Et en chacun de nous coexistent probablement plusieurs compréhensions.

Qu'est-ce qu'un animal ? L'anthropologue Tim Ingold a posé la question à un groupe diversifié de savants œuvrant dans les domaines de l'anthropologie sociale et culturelle, l'archéologie, la biologie, la psychologie, la philosophie et la sémiotique[19]. Ils ont été dans l'incapacité de parvenir à un consensus sur la signification du mot. Il est toutefois révélateur qu'ils aient dégagé deux points d'accord : « Tout d'abord, il existe un fort courant émotionnel sous-jacent à nos idées sur l'animalité ; et ensuite, soumettre ces idées à un examen critique revient à dévoiler des aspects hautement sensibles et largement inexplorés de la compréhension de notre propre humanité. » Se demander : « Qu'est-ce qu'un animal ? » – ou, ajouterais-je, lire à un enfant une histoire de chien ou lutter pour les droits des animaux – touche inévitablement à la façon dont nous comprenons ce que cela signifie d'être nous et non eux. C'est se demander : « Qu'est-ce qu'un homme[20] ? »

ANTHROPOCENTRISME

Conviction selon laquelle l'être humain est le pinacle de l'évolution, l'étalon au regard duquel doit se mesurer la vie des autres animaux, et le propriétaire en droit de tout ce qui vit.

ANTHROPODÉNI[21]

Refus d'admettre la moindre similitude expérientielle significative entre les êtres humains et les autres animaux, comme lorsque mon fils demande si George va se sentir seule quand nous quittons la maison sans l'emmener, et que je lui réponds : « George ne peut pas se sentir seule. »

ANTHROPOMORPHISME

Tendance à projeter l'expérience humaine sur les autres animaux, comme lorsque mon fils me demande si George va se sentir seule.

La philosophe italienne Emanuela Cenami Spada a écrit : « L'anthropomorphisme est un risque que nous devons courir, car nous devons nous référer à nos propres expériences humaines afin de formuler des questions sur l'expérience animale. [...] Le seul "remède" disponible [contre l'anthropomorphisme] réside dans la critique incessante de nos méthodes de travail afin de fournir des réponses plus adéquates à nos questions, et à cet embarrassant problème que nous posent les animaux. » Quel est ce problème embarrassant ? Il réside dans le fait que nous ne faisons pas que projeter l'expérience humaine sur les animaux ; nous sommes (et ne sommes pas) des animaux.

CAGE DE BATTERIE

Est-ce de l'anthropomorphisme que d'essayer de s'imaginer dans la cage d'un animal d'élevage ? Est-ce de l'anthropodéni que de ne pas le faire ?

La cage standard pour une poule pondeuse alloue à chaque bête un espace au sol d'environ 430 cm^2 – soit beaucoup moins qu'une feuille A4 *[22]. Ces cages sont superposées sur trois à neuf

* La norme européenne en vigueur actuellement pour les poules pondeuses est de 550 cm^2. Elle passera à 750 cm^2 en 2012. Une feuille A4 fait un peu moins de 624 cm^2.

niveaux – c'est le Japon qui possède la plus haute batterie du monde, avec des cages empilées sur dix-huit niveaux – dans des hangars dépourvus de fenêtres.

Imaginez-vous dans un ascenseur bondé, si bondé que vous ne pouvez vous retourner sans bousculer (et énerver) votre voisin. On y est si serrés que parfois vos pieds ne touchent pas le sol. Ce qui est une sorte de bénédiction, car le plancher incliné des cages est fait d'un grillage métallique qui entaille les pattes.

Au bout de quelque temps, les individus confinés dans cet ascenseur vont perdre la capacité à œuvrer dans l'intérêt du groupe. Certains vont devenir violents, d'autres fous. Quelques-uns, faute de nourriture et d'espoir, deviendront cannibales.

Il n'y a aucun répit, aucun soulagement. Aucun réparateur ne se présente. Les portes s'ouvriront une seule fois, à la fin de votre vie, pour un trajet vers le seul endroit pire que celui-ci (*voir*: ABATTAGE).

POULETS DE CHAIR

Tous les poulets ne sont pas condamnés à endurer l'élevage en batterie. De ce point de vue-là, et de ce point de vue-là seulement, on pourrait dire que les poulets de chair – qui deviendront de la viande – ont de la chance par rapport aux poules pondeuses : ils ont droit à près de 1 000 cm² chacun[23].

Si vous n'êtes pas fermier, ce que je viens d'écrire doit probablement vous désorienter. Vous pensiez sans doute qu'un poulet était un poulet. Pourtant, depuis un demi-siècle, il existe deux sortes de volailles – poules pondeuses et poulets de chair – qui ont un code génétique distinct. En anglais, nous les appelons tous deux *chickens*, mais ils ont des corps et des métabolismes très différents, conçus en vue de « fonctions » bien différentes. Les poules pondent des œufs. (Leur production d'œufs a plus que doublé depuis les années 1930.) Les poulets de chair sont élevés pour leur viande. (Au cours de la même période, ceux-ci ont été manipulés pour atteindre une taille plus de deux fois supérieure en deux fois moins de temps. Autrefois les poulets avaient une espérance de vie allant de quinze à vingt ans, mais les poulets actuels sont généralement tués au bout de six semaines. Leur rythme de croissance journalière a augmenté d'environ 400 %[24].)

Cela soulève des tas de questions bizarres – des questions que, avant que j'apprenne l'existence de ces deux sortes de poulets, je n'avais jamais eu aucune raison de me poser – comme : *Que deviennent les poussins mâles des poules pondeuses ?* Si l'homme ne les a pas conçus pour faire de la viande, et si la nature, de toute évidence, ne les a pas conçus pour qu'ils pondent, quelle fonction remplissent-ils ?

Ils ne remplissent aucune fonction. Ce qui explique pourquoi les poussins mâles des poules pondeuses – la moitié des poussins nés aux États-Unis, soit plus de 250 millions chaque année – sont détruits.

Détruits ? Voilà un mot au sujet duquel il paraît intéressant d'en savoir plus.

La plupart des poussins mâles sont détruits après avoir été aspirés à travers une succession de tuyaux jusque sur une plaque électrisée. Les autres sont détruits de diverses façons, et il est impossible de dire si ceux-là ont plus ou moins de chance que les premiers. Certains sont balancés dans de grands conteneurs en plastique. Les plus faibles se font piétiner et finissent au fond, où ils étouffent lentement. Les plus forts suffoquent lentement, mais sur le dessus. D'autres jetés, pleinement conscients, dans des broyeurs (imaginez une déchiqueteuse à bois pleine de poussins).

Cruel ? Cela dépend de votre définition de la cruauté (*voir :* CRUAUTÉ).

BULLSHIT

1) La crotte d'un taureau (*voir aussi* : ÉCOLOGISME).

2) Langage et déclarations fausses ou mensongères comme :

BYCATCH

Exemple peut-être le plus parfait de *bullshit*, le *bycatch* (prise accessoire) désigne les créatures marines capturées accidentellement – sauf que ça n'est pas vraiment un « accident », puisque le *bycatch* a été sciemment intégré aux méthodes de pêche modernes. La pêche actuelle a tendance à avoir recours à de plus en plus de technologie et à de moins en moins de pêcheurs. Cette combinaison entraîne des prises massives accompagnées de quantités énormes de prises accessoires. Prenons les crevettes, par exemple. Une opération routinière de chalutage de crevettes rejette pardessus bord, morts ou agonisants, entre 80 et 90 % des animaux marins ramenés à chaque remontée du chalut. (Une bonne partie de ce *bycatch* est composée d'espèces menacées.) Les crevettes ne représentent en poids que 2 % de la quantité d'aliments marins consommés dans le monde, mais 33 % du *bycatch* mondial. Nous n'y pensons guère car nous n'en savons rien. Que se passerait-il si l'étiquetage d'un produit indiquait combien d'animaux ont été tués pour que celui que nous voulons manger se retrouve dans notre assiette ? Eh bien, pour ce qui concerne les crevettes d'Indonésie, par exemple, on pourrait lire sur l'emballage : POUR 500 GRAMMES DE CREVETTES, 13 KILOS D'AUTRES ANIMAUX MARINS ONT ÉTÉ TUÉS ET REJETÉS À LA MER.

Ou prenez le thon. Parmi les 145 espèces tuées de façon routinière – et gratuite – lorsqu'on pêche le thon on trouve : la raie manta, le diable de mer, la raie douce, le requin babosse, le requin cuivre, le requin des Galapagos, le requin gris, le requin de nuit, le requin taureau, le grand requin blanc, le requin-marteau, l'aiguillat commun, l'aiguillat cubain, le requin renard à gros yeux, le requin taupe bleu, le requin peau bleue, le wahoo, le marlin voilier, la bonite, le thazard barré, le thazard atlantique, le makaire bécune, le makaire blanc de l'Atlantique, l'espadon, la lanterne de Kroyer, le baliste cabri, l'aiguille, la castagnole, la carangue, le centrolophe noir, le coryphène, le *Cubiceps pauciradiatus*, le poisson porc-épic, la comète saumon, l'anchois, le mérou, le poisson volant, la morue, l'hippocampe, la calicagère blanche, le poisson royal, l'escolier noir, la liche, le triple queue, la baudroie, le poisson-lune, la murène, le poisson pilote, l'escolier à long nez, le cernier commun, le tassergal, l'otolithe, le tambour rouge, la sériole couronnée, la sériole, le pagre commun, le barracuda, le poisson globe, la tortue caouanne, la tortue verte, la tortue luth, la tortue imbriquée, la tortue de Kemp, l'albatros à bec jaune, le goéland d'Audouin, le puffin des Baléares, l'albatros à sourcils noirs, le goéland marin, le puffin majeur, le pétrel noir, le puffin gris, le goéland argenté, la mouette atricille, l'albatros royal, l'albatros à cape blanche, le puffin fuligineux, le fulmar antarctique, le puffin yelkouan, le goéland leucophée, le petit rorqual, le rorqual boréal, le rorqual commun, le dauphin commun, la baleine franche, le globicéphale, la baleine à bosse, la baleine à bec, l'orque, le marsouin commun, le grand cachalot, le dauphin bleu et blanc, le dauphin tacheté de l'Atlantique, le dauphin à long bec, le grand dauphin et la baleine à bec de Cuvier.

Imaginez que l'on vous serve une assiette de sushis. Si l'on devait y présenter également tous les animaux qui ont été tués pour que vous puissiez les déguster, votre assiette devrait mesurer un peu plus d'un mètre cinquante de diamètre.

CAFO

Une Concentrated Animal Feeding Operation (littéralement : site concentré de nourrissage animal) désigne une ferme industrielle. Il est révélateur que cette appellation ait été inventée non par l'industrie de la viande, mais par l'Agence de Protection de l'Environnement (*voir aussi* : ÉCOLOGISME). Toutes les CAFO infligent aux animaux des souffrances qui seraient illégales s'il existait ne serait-ce qu'un minimum de législation sur le bien-être animal. Ainsi :

CFE

Les Common Farming Exemptions (dispenses communes en matière d'élevage) rendent légale toute méthode d'élevage tant que celle-ci est une pratique courante du secteur. En d'autres termes les éleveurs – *compagnies commerciales* serait un terme plus approprié – ont le pouvoir de définir ce qu'est la cruauté. Si l'industrie adopte une pratique – celle de trancher sans analgésique tout appendice non souhaité, par exemple, mais vous pouvez laisser libre cours à votre imagination sur cette question –, celle-ci devient automatiquement légale.

Chaque État américain promulgue ses propres CFE, qui vont du troublant à l'absurde. Prenons l'exemple du Nevada. D'après ses CFE, les lois sur le bien-être des animaux en vigueur dans cet État ne peuvent s'appliquer « pour interdire ou interférer avec les méthodes établies de gestion des animaux, notamment en ce qui concerne l'élevage, la manutention, la nourriture, le logement et le transport du bétail et des animaux de ferme ». Bref, ce qui se passe au Nevada est du ressort exclusif du Nevada.

« Certains États ne s'exemptent pas de toutes les pratiques d'élevage courantes, mais seulement de certaines d'entre elles, expliquent les juristes David Wolfson et Mariann Sullivan qui sont des spécialistes de la question. L'Ohio dispense les animaux d'élevage des exigences d'"exercice sain et de changement d'air", tandis que le Vermont exclut les animaux d'élevage du champ d'application de ses dispositions criminelles contre la cruauté, lesquelles statuent qu'il est illégal d'"attacher, brider ou entraver" un animal d'une façon "inhumaine ou susceptible de porter atteinte à son bien-être". On ne peut donc s'empêcher de conclure que dans l'Ohio les animaux d'élevage sont privés d'exercice et de plein air, tandis que ceux élevés dans le Vermont sont attachés, bridés ou entravés de manière inhumaine. »

ALIMENTS-RÉCONFORT

Un soir, alors que mon fils n'avait que quatre semaines, il a eu une légère poussée de fièvre. Le lendemain matin, il avait des difficultés à respirer. Sur recommandation de notre pédiatre nous l'avons emmené aux urgences, où l'on a diagnostiqué un VRS (virus respiratoire syncytial), affection qui prend souvent chez l'adulte la forme d'un simple rhume, mais qui peut être extrêmement dangereuse, voire mortelle, chez un nouveau-né. Nous avons finalement passé une semaine dans l'unité pédiatrique de soins intensifs, ma femme et moi dormant à tour de rôle dans le fauteuil de la chambre où était installé notre fils, ou dans la chaise longue de la salle d'attente.

Les deuxième, troisième, quatrième et cinquième jours, nos amis Sam et Eleanor nous ont apporté de la nourriture. Quantité de nourriture, bien plus que ce que nous aurions pu avaler : salade de lentilles, truffes au chocolat, légumes grillés, noix et fruits rouges, risotto aux champignons, galettes de pommes de terre, haricots verts, nachos, riz sauvage, bouillie d'avoine, mangues séchées, pâtes aux légumes, chili – autrement dit, uniquement des aliments-réconfort. Nous aurions pourtant pu manger à la cafétéria ou nous faire livrer des plats, et nos amis auraient pu exprimer leur affection par des paroles gentilles ou des visites. Mais ils ont préféré nous apporter cette nourriture, ce qui était certes une petite chose, mais dont nous avions grand besoin. C'est pour cette raison plus que pour toute autre – et il y en a beaucoup d'autres – que ce livre leur est dédié.

ALIMENTS-RÉCONFORT, SUITE

Le sixième jour, ma femme et moi avons pu, pour la première fois depuis notre arrivée aux urgences, quitter l'hôpital ensemble. Notre fils était de toute évidence tiré d'affaire, et les médecins étaient d'avis que nous pourrions le ramener à la maison dès le lendemain matin. Nous avons senti le souffle du boulet s'éloigner de nous. Aussi, dès qu'il a été endormi (mes beaux-parents restant auprès de lui), nous avons pris l'ascenseur jusqu'au rez-de-chaussée et avons rejoint la civilisation.

Il neigeait. Les flocons étaient d'une grosseur surréaliste, aussi nets que ceux que les enfants découpent dans du papier blanc, et tombaient avec une lenteur délibérée. Nous avons longé la Deuxième Avenue tels des somnambules, sans but précis, et fini par échouer dans un restaurant polonais. De grandes baies faisaient face à la rue et les flocons y restaient collés plusieurs secondes avant de glisser vers le bas. Je ne me souviens pas de ce que nous avons commandé. Je ne me rappelle pas si la nourriture était bonne. Ce fut le meilleur repas de ma vie.

CRUAUTÉ

Est cruelle non seulement l'infliction délibérée et inutile de la souffrance, mais aussi l'indifférence à son égard. Il est beaucoup plus facile d'être cruel que ce que l'on pourrait croire.

On prétend souvent que la nature, « aux griffes et crocs sanguinolents* », est cruelle. Je l'ai entendu dire à d'innombrables reprises par des propriétaires de ranches qui tentaient de me convaincre qu'en fait ils protégeaient leurs animaux de ce qui se passait en dehors de leurs enclos. On ne peut pas dire que la nature soit un havre de paix. Et il est également vrai que les animaux élevés dans les meilleures fermes ont souvent une existence plus appréciable

* Lord Alfred Tennyson, *In Memoriam A. H. H.*

que s'ils vivaient à l'état sauvage. Mais la nature n'est pas cruelle. Pas plus que ne le sont les animaux qui tuent et, à l'occasion, se torturent même les uns les autres. La cruauté dépend de la compréhension qu'on en a, et de la capacité à choisir de ne pas l'exercer. Ou à choisir de l'ignorer.

DÉSESPOIR

Il y a trente kilos de farine dans le sous-sol de ma grand-mère. Lors d'un récent week-end où je lui rendais visite, je suis descendu y chercher une bouteille de Coca et j'ai découvert les paquets de cinq cents grammes alignés contre le mur comme des sacs de sable sur la berge d'une rivière en crue. Pourquoi une femme de quatre-vingt-dix ans aurait-elle besoin d'une telle quantité de farine ? Pourquoi stockerait-elle également plusieurs dizaines de bouteilles de Coca de deux litres, une pyramide de paquets d'Uncle Ben's, ou une muraille de pain noir au congélateur ?

« J'ai vu que tu avais une sacrée réserve de farine au sous-sol, lui ai-je dit en revenant dans la cuisine.

– Trente kilos. »

Je n'ai pas compris ce que signifiait le ton sur lequel elle m'a répondu. Était-ce de la fierté ? Une pointe de défi ? De la honte ?

« Je peux te demander pourquoi ? »

Elle a ouvert un placard et en a sorti une épaisse liasse de coupons de réduction, chacun proposant un paquet de farine gratuit pour l'achat de quatre paquets.

« Comment tu as eu tous ces coupons ? ai-je demandé.

– Très facile.

– Qu'est-ce que tu comptes faire avec toute cette farine ?

– Je ferai des gâteaux. »

J'ai tenté d'imaginer de quelle façon ma grand-mère, qui n'a jamais conduit une voiture de sa vie, était arrivée à trimballer tous ces paquets du supermarché à la maison. Bien entendu, comme d'habitude, quelqu'un l'avait accompagnée, mais avait-elle mis les soixante paquets d'un coup dans la voiture, ou avait-elle fait plusieurs voyages ? Connaissant ma grand-mère, elle avait dû calculer combien de sachets elle pourrait mettre dans la voiture sans trop importuner le conducteur, puis avait contacté le nombre nécessaire d'amis pour leur demander de l'accompagner au supermarché. Elle avait probablement transporté tous ses sachets dans la même journée. Était-ce cela qu'elle appelait de l'ingéniosité, quand elle me répétait que c'était sa chance et son ingéniosité qui lui avaient permis de survivre à l'Holocauste ?

J'ai été le complice de nombreuses missions d'acquisition de nourriture menées par ma grand-mère. Je me souviens d'une opération promotionnelle sur du germe de blé en paillettes dont les coupons spécifiaient qu'elle était limitée à trois boîtes par client. Après en avoir acheté trois boîtes, ma grand-mère nous a envoyés, mon frère et moi, en acheter trois boîtes chacun pendant qu'elle attendait dehors. Quelle impression ai-je dû faire à la caissière ? Un gamin de cinq ans tendant ses coupons pour acheter un lot de boîtes d'un aliment que même une personne mourant de faim aurait refusé d'avaler ? Nous y sommes retournés une heure après pour répéter l'opération.

Cette quantité de farine exigeait des réponses. Pour quelle population ma grand-mère avait-elle l'intention de préparer tous ces gâteaux ? Où cachait-elle les 1 400 boîtes d'œufs nécessaires ? Et surtout, comment avait-elle fait pour descendre tous ces paquets au sous-sol ? Je connais suffisamment ses chauffeurs souffreteux pour savoir qu'ils n'auraient jamais accompli une telle tâche.

« Un paquet à la fois », m'a-t-elle expliqué en essuyant la table de sa paume.

Un paquet à la fois. Ma grand-mère avait du mal à se rendre d'une traite de sa porte à la voiture. Elle a la respiration lente et laborieuse, et, à l'occasion d'une récente visite chez le médecin, on avait découvert qu'elle avait le rythme cardiaque d'une baleine bleue.

Son souhait permanent est de vivre jusqu'à la prochaine bar-mitsvah, mais je m'attends à ce qu'elle vive au moins une décennie de plus. Ce n'est pas le genre de personne à mourir. Pourtant, même si elle vivait jusqu'à cent vingt ans, elle pourrait utiliser au maximum la moitié de toute cette farine. Et elle doit le savoir.

ALIMENT D'INCONFORT

Partager la nourriture génère une agréable sensation et crée des liens sociaux. Michael Pollan, qui a écrit des choses extrêmement pertinentes sur l'alimentation, appelle cela la « camaraderie de table » et soutient que son importance, dont je reconnais qu'elle est significative, milite contre le végétarisme. À un certain niveau, il a raison.

Imaginons que vous soyez, comme Pollan, opposé à la viande d'élevage industriel. Quand vous êtes reçu quelque part, ça la fiche mal de ne pas manger la nourriture qui a été préparée pour vous, notamment (bien que Pollan n'approfondisse pas cet aspect) lorsque votre refus se fonde sur des principes éthiques. Mais jusqu'à quel point cela la fiche-t-il mal ? C'est le dilemme classique : quelle importance est-ce que j'accorde au fait de créer une situation sociale confortable, et quelle importance est-ce que j'accorde au fait d'agir de façon socialement responsable ? L'importance relative du manger éthique et de la camaraderie de table variera en fonction des situations (il y a une différence entre ne pas manger le poulet aux carottes de ma grand-mère et refuser des ailes de poulet grillées au micro-ondes).

Plus important cependant, et il est curieux que Pollan n'insiste pas sur ce point, le fait de tenter d'être un omnivore sélectif porte un coup beaucoup plus sévère à la camaraderie de table que le végétarisme. Imaginez qu'une connaissance vous invite à dîner.

Vous pourriez dire : « J'adorerais venir. Mais comme tu le sais, je suis végétarien. » Vous pourriez aussi dire : « J'adorerais venir. Mais je ne mange que de la viande provenant de fermes familiales. » Que faire dans ce dernier cas ? Si vous voulez que votre requête soit compréhensible, et sans même parler de la possibilité qu'elle puisse être satisfaite, vous devrez probablement envoyer à votre hôte un lien Internet ou la liste des boucheries locales. Cet effort est sans doute louable, mais il est certainement plus invasif que de demander de la nourriture végétarienne (ce qui, de nos jours, ne requiert aucune explication). L'ensemble du secteur de la restauration (restaurants, services de restauration des compagnies aériennes ou des universités, traiteurs) est organisé pour satisfaire les végétariens. Aucune infrastructure équivalente n'existe pour les omnivores sélectifs.

Et que se passe-t-il lorsque c'est vous qui recevez ? Les omnivores sélectifs mangent aussi des plats végétariens, mais l'inverse, bien entendu, n'est pas vrai. Quel choix favorise le mieux la camaraderie de table ?

Ce n'est d'ailleurs pas ce que l'on enfourne dans notre bouche qui fait la camaraderie, mais aussi ce qui en sort. Il est possible qu'une conversation sur nos convictions respectives génère une plus grande convivialité – même si nos convictions sont différentes – que n'importe quel plat que l'on pourrait nous servir.

DOWNER

1) Quelque chose ou quelqu'un de déprimant.

2) Un animal en mauvaise santé qui s'effondre et est incapable de se relever. De même que pour une personne qui fait une chute, cela ne signifie pas pour autant qu'elle soit victime d'une maladie grave. Certains animaux qui s'effondrent sont très malades ou gravement blessés, mais bien souvent il ne leur faudrait qu'un peu d'eau et de repos pour leur éviter une mort lente et douloureuse.

On ne dispose d'aucune statistique fiable concernant le nombre des *downers* (qui irait les signaler ?), mais d'après les estimations, il y aurait chaque année aux États-Unis 200 000 vaches qui s'effondreraient ainsi – soit à peu près deux vaches pour chacun des mots de ce livre. S'agissant du bien-être animal, le strict minimum absolu, le moins que l'on puisse faire, penserait-on, serait d'euthanasier ces animaux affaiblis. Mais cela coûterait de l'argent, et comme les *downers* ne servent à rien, ils ne méritent ni considération ni pitié. Dans la majorité des cinquante États américains, il est parfaitement légal (et parfaitement courant) de laisser ces *downers* agoniser de faim et de soif durant des jours, ou de les balancer, vivants, dans des bennes à ordures.

Ma première enquête de terrain pour ce livre m'a conduit à Farm Sanctuary à Watkins Glen, dans l'État de New York. Farm Sanctuary n'est pas une ferme. On n'y cultive et n'y élève rien. Créé en 1986 par Gene Baur et sa désormais ex-femme, Lorri Houston, l'endroit fut conçu pour que des animaux sauvés de leur élevage y achèvent leur existence non naturelle. (*Existence naturelle* serait une expression maladroite appliquée à des animaux conçus pour être abattus à leur adolescence. Les porcs d'élevage, par exemple, sont généralement tués lorsqu'ils ont atteint 130 kilos. Si on laisse vivre ces mutants génétiques, comme on le fait à Farm Sanctuary, ils peuvent dépasser les 400 kilos.)

Farm Sanctuary est devenu l'une des organisations de défense, d'éducation sur les animaux et de lobbying animal les plus importantes des États-Unis. Autrefois financé par la vente de hot-dogs végétariens préparés à bord d'un minibus Volkswagen à la sortie des concerts du Grateful Dead – tout jeu de mots sur les morts reconnaissants est ici inutile –, Farm Sanctuary occupe aujourd'hui une superficie de plus de 70 hectares dans l'État de New York et a créé un second sanctuaire de plus de 120 hectares dans le nord de la Californie. L'organisation compte plus de 200 000 membres, dispose d'un budget annuel d'environ 6 millions de dollars et est en mesure d'influencer la législation locale et nationale. Mais ce n'est pas pour ces raisons que j'ai choisi d'y commencer mon enquête. Je voulais seulement entrer en contact avec des animaux d'élevage. Durant les trente années de mon existence, les seuls cochons, vaches et poulets que j'avais jamais touchés étaient morts et découpés en tranches.

Tandis qu'il me faisait parcourir ses prés, Baur m'a expliqué que Farm Sanctuary avait moins été un rêve ou une grande idée que le résultat d'un événement fortuit.

« Je longeais le parc à bestiaux de Lancaster quand j'ai vu, à l'arrière, un tas de *downers*. Quand je me suis approché, une des brebis a tourné la tête. J'ai compris qu'elle était encore vivante et qu'on la laissait souffrir là. Je l'ai donc transportée dans ma camionnette. Je n'avais jamais fait une chose pareille de ma vie, mais il était hors de question que je laisse cette brebis dans cet état. Je l'ai emmenée chez le vétérinaire en pensant qu'il allait l'euthanasier. Or, après quelques manipulations, elle s'est remise debout. Nous l'avons d'abord prise avec nous dans notre maison de Wilmington, et ensuite, quand nous avons acheté la ferme, nous l'avons rapatriée là-bas. Elle a vécu dix ans. *Dix*. Des années heureuses. »

Je ne mentionne pas cette anecdote pour promouvoir la création de nouveaux sanctuaires pour animaux. Ceux-ci sont extrêmement bénéfiques, mais sur le plan éducatif (ils contribuent à éclairer des gens comme moi) et non pratique dans la mesure où ils ne permettent de sauver et de s'occuper que d'un nombre insignifiant d'animaux. Baur est d'ailleurs le premier à le reconnaître. Je ne relate cette histoire que pour montrer que les animaux qui n'ont plus la force de se tenir debout ne sont pas si malades que ça. Et tout animal dans cet état devrait être soit sauvé, soit tué de façon aussi rapide et indolore que possible.

ÉCOLOGISME

Doctrine visant à préserver et rétablir les ressources naturelles et les systèmes écologiques qui contribuent à maintenir la vie humaine. Je pourrais m'enthousiasmer pour des définitions plus ambitieuses, mais c'est généralement ce que l'on entend par ce terme, en tout cas pour le moment. Certains environnementalistes incluent les animaux parmi lesdites ressources. Ce que l'on désigne ici sous le terme d'*animaux* concerne généralement les espèces en danger ou victimes de la chasse, plutôt que les espèces les plus répandues sur terre et qui ont le plus besoin d'être préservées et rétablies.

Une étude récente de l'université de Chicago a montré que nos choix alimentaires contribuaient au moins autant au réchauffement climatique que nos choix en matière de transports[25]. Des enquêtes encore plus récentes effectuées par les Nations unies et la Pew Commission ont démontré sans ambiguïté qu'au niveau mondial, l'élevage des animaux contribue *plus* que les transports au changement climatique. Selon les Nations unies, le secteur de l'élevage est responsable de 18 % des émissions de gaz à effet de serre[26], soit environ 40 % de plus que la totalité du secteur des transports – automobiles, camions, avions, trains et navires[27]. L'élevage des animaux émet 37 % du méthane anthropogène, qui possède un Potentiel de Réchauffement Global (PRG) 23 fois plus élevé que celui du CO_2, ainsi que 65 % de protoxyde d'azote anthropogène, qui a un PRG 296 fois plus élevé que le CO_2. Les études les plus récentes quantifient même le rôle du régime alimentaire : les omnivores contribuent à émettre sept fois plus de gaz à effet de serre que les végétariens.

L'ONU résume les impacts environnementaux de l'industrie de la viande de la façon suivante : élever des animaux pour leur viande (que ce soit en élevage industriel ou dans des fermes traditionnelles) « est l'un des deux ou trois contributeurs les plus significatifs aux problèmes environnementaux les plus graves, et ce, à tous les échelons, depuis le local jusqu'au mondial. [...] [L'élevage des animaux de consommation] est un élément majeur qui devrait être pris en compte chaque fois que l'on traite des problèmes de dégradation des sols, de changement climatique et de pollution de l'air, de pénurie d'eau et de pollution de l'eau, ainsi que d'appauvrissement de la biodiversité. La contribution du bétail et des animaux de ferme aux problèmes environnementaux s'effectue sur une échelle massive». En d'autres termes, si l'on se préoccupe d'environnement, et si l'on accepte les conclusions scientifiques de sources telles que l'ONU (ou le Groupe d'experts intergouvernemental sur l'évolution du climat, ou le Center for Science in the Public Interest, ou la Pew Commission, ou l'Union of Concerned Scientists, ou le Worldwatch Institute, etc.), on ne peut que s'interroger sur la consommation de viande animale.

Pour le dire plus simplement, quelqu'un qui mange régulièrement des produits animaux issus de l'élevage industriel ne peut se dire écologiste sans séparer radicalement ce mot de son sens.

FERME INDUSTRIELLE

Ce terme est voué à disparaître au cours des prochaines générations, soit parce qu'il n'y aura plus de fermes industrielles, soit parce qu'il n'y aura plus de fermes familiales desquelles les distinguer.

FERME FAMILIALE

On appelle ferme familiale une ferme dans laquelle une même famille est propriétaire des animaux, gère les opérations et participe aux tâches quotidiennes. Il y a deux générations, pratiquement toutes les fermes étaient de type familial.

INDICE DE CONSOMMATION

Par nécessité, les éleveurs industriels comme familiaux veillent au ratio de viande animale, d'œufs ou de lait produits par unité de nourriture donnée aux animaux d'élevage. C'est la disparité de leurs préoccupations – et leurs nettes différences d'attitude quant à déterminer jusqu'où aller pour accroître la rentabilité – qui distingue les deux types d'éleveurs. Par exemple :

NOURRITURE ET LUMIÈRE

Les fermes d'élevage industriel manipulent de façon routinière la nourriture et la lumière pour augmenter la productivité, souvent aux dépens du bien-être de l'animal. Les producteurs d'œufs utilisent ce procédé pour réinitialiser les horloges internes des poules afin qu'elles pondent plus vite et, surtout, au même moment. Voici comment un de ces éleveurs m'a décrit cette méthode :

« Dès que les femelles parviennent à maturité – entre vingt-trois et vingt-six semaines par exemple dans l'industrie de la dinde, et de seize à vingt semaines pour les poules –, on les enferme dans des hangars et on baisse la lumière ; parfois elles restent dans l'obscurité totale vingt-quatre heures sur vingt-quatre et sept jours par semaine. Puis on les soumet à un régime à très faible teneur en protéines, presque un régime de famine. Cette période dure de deux à trois semaines. Ensuite on allume la lumière seize heures par jour, voire vingt dans le cas des poules, de sorte qu'elles croient que c'est le printemps, et on commence à leur donner une nourriture plus riche en protéines. Les poules se mettent aussitôt à pondre. Le procédé est aujourd'hui tellement maîtrisé qu'on peut à volonté interrompre le cycle, le reprendre, faire ce qu'on veut. Vous comprenez, dans la nature, quand arrive le printemps, les insectes pullulent, l'herbe pousse, les jours s'allongent – c'est une façon pour la nature de dire aux poules qu'il est temps de se mettre à pondre, parce que le printemps est là. L'homme est donc intervenu sur ce truc instinctif. Et en contrôlant la lumière, la nourriture et l'heure des repas, l'industrie est en mesure de forcer les volailles à pondre toute l'année. Et c'est ce qu'on fait. Une dinde pond aujourd'hui 120 œufs par an et une poule plus de 300. C'est deux ou trois fois plus que dans la nature. Au bout de cette première année, on les tue parce qu'elles ne pondront pas autant d'œufs l'année suivante – l'industrie a conclu que ça revenait moins cher de les tuer et de recommencer le cycle que de nourrir et loger des oiseaux qui pondent moins d'œufs. Ces pratiques expliquent en grande partie pourquoi la volaille est si peu coûteuse aujourd'hui, mais les oiseaux souffrent à cause de ça. »

Si la plupart des gens ont une vague idée de la cruauté des élevages industriels – les cages exiguës, la mise à mort violente –, certaines techniques largement utilisées restent inconnues du grand public. Je n'avais jamais entendu parler de privation de nourriture ou de lumière. Et après l'avoir appris, je n'ai plus voulu manger un seul œuf provenant de ce type d'élevage. Dieu merci, il y a l'élevage en plein air. Pas vrai ?

ÉLEVAGE EN PLEIN AIR

Appliqué à la viande, aux œufs, aux produits laitiers, et même, de temps en temps, au poisson (des thons élevés en plein air ?), le label « plein air » est du baratin. Il ne devrait pas plus rassurer que ceux de « 100 % naturel », « frais » ou « magique ».

Pour être considérés comme élevés en plein air, les poulets de chair doivent avoir « accès à l'extérieur », ce qui, si l'on prend ces mots de façon littérale, ne veut absolument rien dire. (Imaginez un hangar abritant trente mille poulets, avec, à une de ses extrémités, un petit portillon ouvrant sur un enclos de terre battue d'un mètre cinquante de côté – et ce portillon restant la plupart du temps fermé.)

L'USDA ne définit même pas ce qu'est le plein air pour les poules pondeuses, préférant se fier aux déclarations des producteurs pour confirmer qu'elles en bénéficient. Très souvent, les œufs de poules d'élevage industriel – des poules serrées les unes contre les autres dans de vastes hangars – sont étiquetés « de plein air ». (Le terme *cage-free*, censé indiquer que les poules ne sont pas enfermées dans des cages, ne veut dire ni plus ni moins que ce qu'il signifie – littéralement, ces poules ne sont en effet pas encagées.) On peut donc légitimement supposer que la plupart des poules pondeuses de « plein air » ou « *cage-free* » sont amputées de leur bec, droguées et cruellement tuées après « usage ». Je pourrais aménager un poulailler sous mon évier et dire que mes œufs sont de « plein air[28] ».

FRAIS

Encore du baratin. D'après l'USDA, la volaille « fraîche » n'a jamais connu une température interne inférieure à - 3 °C ni supérieure à 4,5 °C. Les poulets frais peuvent être congelés (d'où l'oxymore « congelé frais »), et aucune durée n'est associée à la fraîcheur de la viande. Des poulets infestés d'agents pathogènes et souillés d'excréments peuvent être déclarés frais, *cage-free* et de plein air, et vendus en toute légalité dans les supermarchés (il faudra simplement songer à les décrotter avant de les mettre en rayon).

HABITUDE (FORCE DE L')

Mon père, qui faisait presque toujours la cuisine à la maison, nous a habitués aux produits exotiques. Nous mangions du tofu avant que le tofu ne soit ce qu'il est. Non pas qu'il en aimait le goût, ni même qu'il en soupçonnait les bienfaits pour la santé qu'on vante tant aujourd'hui. C'est juste qu'il aimait manger quelque chose que personne d'autre ne mangeait. Et n'allez pas croire qu'il se contentait d'accommoder cette nourriture originale selon les recettes éprouvées. Non, il préparait des sticks aux champignons portobello, des falafels à la sauce tomate, des œufs brouillés au seitan.

Une bonne partie de la cuisine indéfinissable de mon père mettait en jeu une stratégie de substitution, parfois pour rassurer ma mère en remplaçant un aliment grossièrement non casher par un autre plus subtilement non casher (bacon > bacon de dinde), un aliment mauvais pour la santé par un autre plus subtilement pernicieux (bacon de dinde > bacon végétarien reconstitué), parfois encore uniquement pour prouver que c'était faisable (farine > blé noir). Certaines de ces substitutions semblaient n'être que des doigts d'honneur adressés à la nature elle-même.

Lors d'une visite récente chez mes parents, voici les aliments que j'ai trouvés dans leur réfrigérateur : faux burgers, nuggets et strips de poulet ; fausses saucisses et fausse farce ; substitut de beurre et d'œufs, burgers végétariens, kielbasa végétarien. On pourrait penser que quelqu'un qui stocke une douzaine d'imitations de produits animaux est végétarien, mais cela serait non seulement inexact – mon père mange sans arrêt de la viande –, mais aussi totalement à côté de la plaque. Mon père a toujours cuisiné à contre-courant. Sa cuisine est aussi existentielle que gastronomique.

Nous ne l'avons jamais remise en cause, et il est possible que nous l'ayons appréciée – même si nous refusions d'inviter nos amis à dîner. Nous avons peut-être même considéré notre père comme un Grand Cuisinier. Mais à l'instar de la cuisine de ma grand-mère, sa nourriture n'était pas de la nourriture. C'était une histoire : nous avions un père qui aimait prendre des risques calculés, qui nous encourageait à essayer ce qui était nouveau parce que c'était nouveau, qui aimait voir les gens s'esclaffer devant sa cuisine de savant fou, parce que leurs rires étaient plus précieux que n'aurait pu l'être le goût de n'importe quel plat.

Une chose que nous n'avons jamais connue, ce sont les desserts. J'ai vécu dix-huit ans avec mes parents et je ne me souviens pas d'un seul repas familial qui se soit terminé par une douceur. Mon père ne cherchait pas à protéger nos dents. (Je ne me souviens pas non plus qu'on m'ait beaucoup demandé de me brosser les dents au cours de ces années.) Il estimait tout simplement que les desserts ne sont pas nécessaires. Les plats goûteux leur étant nettement supérieurs, pourquoi aurions-nous gâché de l'espace stomacal ? Le plus incroyable, c'est que nous l'écoutions. Mes goûts – pas seulement mes idées sur la nourriture, mais mes désirs préconscients – ont été façonnés par ses leçons. Aujourd'hui encore, je bave moins devant un dessert que quiconque de ma connaissance, et je préférerai toujours une tranche de pain noir à une part de brioche.

Sur quelles leçons mon fils élaborera-t-il ses désirs ? Bien que mon goût pour la viande ait presque totalement disparu – je trouve souvent répugnante la simple vision d'une viande rouge –, le fumet d'un barbecue estival me fait toujours saliver. Quel effet produira-t-il chez mon fils ? Sera-t-il l'un des premiers d'une génération qui n'aura pas envie de viande parce qu'elle n'en aura jamais goûté ? Ou bien au contraire en aura-t-il encore plus envie ?

HUMAINS

Les humains sont les seuls animaux qui font délibérément des enfants, tissent des liens entre eux (ou pas), fêtent les anniversaires, gaspillent et perdent leur temps, se brossent les dents, éprouvent de la nostalgie, nettoient les taches, ont des religions, des partis politiques et des lois, portent des amulettes-souvenirs, s'excusent des années après avoir offensé autrui, chuchotent, ont peur d'eux-mêmes, interprètent les rêves, dissimulent leurs organes sexuels, se rasent, enterrent des capsules témoins et peuvent choisir de ne pas manger quelque chose pour des raisons de conscience. Les justifications pour manger et ne pas manger les animaux sont souvent les mêmes : nous ne sommes pas des animaux.

INSTINCT

La plupart d'entre nous connaissent les remarquables facultés d'orientation des oiseaux migrateurs, qui sont capables de retrouver, d'un continent à l'autre, le chemin de leurs zones de nidification. Quand j'ai appris cela, on m'a dit que c'était de l'« instinct ». (L'« instinct » continue d'être l'explication favorite chaque fois que le comportement animal implique trop d'intelligence [*voir* : INTELLIGENCE].) Pourtant l'instinct n'est guère à même d'expliquer comment les pigeons utilisent les axes routiers humains pour s'orienter. Les pigeons suivent en effet les autoroutes et empruntent certaines sorties, probablement en fonction des mêmes repères géographiques que les automobilistes au ras du sol[29].

Autrefois l'intelligence était strictement définie comme étant une capacité intellectuelle (la connaissance livresque) ; nous savons aujourd'hui qu'il existe de multiples formes d'intelligence comme l'intelligence visuelle spatiale, interpersonnelle, émotionnelle ou musicale. Un guépard n'est pas intelligent parce qu'il court vite. Mais sa capacité impressionnante à cartographier l'espace – trouver les hypoténuses, anticiper et contrer les mouvements de ses proies – représente un travail mental qui n'est pas négligeable. Qualifier benoîtement cela d'instinct est à peu près aussi futé que d'affirmer que le mouvement réflexe de votre jambe lorsque le marteau du médecin heurte votre genou prouve votre capacité à marquer un penalty dans un match de foot.

INTELLIGENCE

Les fermiers savent depuis des générations que certains porcs peuvent apprendre à ouvrir le loquet de leur porcherie. Le naturaliste britannique Gilbert White a décrit en 1789 le comportement d'une truie qui, après avoir ouvert son propre loquet, « ouvrait ensuite toutes les barrières qu'elle rencontrait pour se rendre dans une ferme éloignée où était enfermé un mâle, et qui, une fois son objectif atteint [quelle magnifique manière d'exprimer la chose !], s'en revenait de la même façon dans son enclos ».

Les scientifiques ont mis en lumière une sorte de langage porcin[30]. Les cochons répondent quand on les appelle (que ce soit un homme ou un de leurs congénères)[31], s'amusent avec des jouets (et ont leurs jouets préférés)[32] et l'on a observé qu'ils portaient secours à d'autres porcs en détresse[33]. Le Dr Stanley Curtis, scientifique spécialiste des animaux très bien disposé à l'égard de l'industrie de la viande, a évalué de façon empirique les capacités cognitives des porcs en leur apprenant à jouer à un jeu vidéo à l'aide d'une manette modifiée pour s'adapter à un groin. Non seulement ils apprennent à jouer, mais ils y parviennent plus vite qu'un chimpanzé, démontrant une capacité surprenante à la représentation abstraite. Et l'histoire de cochons ouvrant leur enclos se vérifie. Un collègue du Dr Curtis, le Dr Ken Kephart, non seulement confirme la capacité des cochons à soulever un loquet, mais ajoute qu'ils travaillent souvent en duo, récidivent fréquemment et dans certains cas ouvrent aussi les portes des autres porcs. Si l'intelligence porcine appartient au folklore paysan américain, ce même folklore a toujours considéré les poissons et les poulets comme particulièrement stupides. Le sont-ils ?

INTELLIGENCE ?

En 1992, 70 articles sur les capacités d'apprentissage des poissons seulement avaient paru dans les revues scientifiques – une décennie plus tard, il y en avait 500 (aujourd'hui, on a dépassé les 640)[34]. Il n'y a pas d'autre exemple d'animal dont notre connaissance ait aussi rapidement et radicalement évolué. Le meilleur expert au monde en matière de capacités mentales des poissons dans les années 1990 passerait aujourd'hui pour un simple novice.

Les poissons édifient des nids complexes[35], entretiennent des relations monogames[36], chassent en collaboration avec d'autres espèces et se servent d'outils[37]. Ils se reconnaissent mutuellement en tant qu'individus (et se souviennent de ceux à qui ils peuvent faire confiance ou non). Ils prennent des décisions individuelles[38], sont conscients du prestige social et rivalisent pour une meilleure position (pour reprendre les termes de la revue spécialisée *Fish and Fisheries*, ils utilisent « des stratégies machiavéliques de manipulation, de punition et de réconciliation »). Ils ont une mémoire à long terme significative[39], sont experts dans la transmission mutuelle du savoir par le biais de réseaux sociaux et sont capables de perpétuer ce savoir d'une génération à l'autre. Ils possèdent même ce que la littérature scientifique appelle « de vieilles "traditions culturelles" concernant les trajets vers les sites de nourriture, de formation des bancs, de repos ou d'accouplement ».

Et les poulets ? Ici aussi on a assisté à une révolution dans la compréhension scientifique que l'on avait d'eux. L'éminente physiologiste animalière Lesley Rogers a mis en évidence la latéralisation du cerveau aviaire – la séparation du cerveau en un hémisphère droit et un hémisphère gauche dotés chacun de spécialités distinctes – à une époque où l'on pensait que c'était une caractéristique exclusivement humaine. (Les scientifiques admettent aujourd'hui que la latéralisation est présente dans l'ensemble du règne animal.) Se fondant sur quarante années de recherche, le Dr Rogers déclare que notre connaissance actuelle du cerveau aviaire « prouve que les oiseaux possèdent des capacités cognitives équivalentes à celles des mammifères, et même à celles des primates[40] ». Elle affirme qu'ils possèdent une mémoire sophistiquée qui « est transcrite selon une sorte de séquence chronologique qui finit par constituer une autobiographie unique ». Comme les poissons, les poulets peuvent se transmettre un savoir de génération en génération[41]. Ils sont également capables de tromperie[42] et peuvent retarder l'assouvissement d'un désir s'ils savent pouvoir obtenir plus tard une satisfaction plus grande[43].

Ces recherches ont à ce point modifié notre compréhension du cerveau des oiseaux que, en 2005, des experts scientifiques du monde entier se sont réunis pour entreprendre de rebaptiser les différentes parties du cerveau aviaire. Ils entendaient ainsi remplacer les termes anciens renvoyant à des fonctions « primitives » par d'autres prenant en compte le fait que nous savons désormais que le cerveau aviaire traite l'information d'une manière analogue à (mais différente de) celle du cortex cérébral humain.

L'image de scientifiques chevronnés examinant des diagrammes de cerveaux et discutant d'une nouvelle nomenclature fait écho à un autre événement de même nature. Songez au commencement de l'histoire du commencement de tout : Adam (sans Ève et sans contrôle divin) nommant les animaux. Prolongeant son œuvre, nous traitons les gens stupides de cervelles d'oiseau, les lâches de poules mouillées, les imbéciles de dindons de la farce. Ces qualificatifs sont-ils vraiment pertinents ? Si nous sommes capables de revenir sur l'idée selon laquelle la femme est issue de la côte d'Adam, ne pouvons-nous pas revoir notre catégorisation des animaux qui, enrobés de sauce barbecue, finissent dans nos assiettes en côtelettes – ou en Kentucky Fried Chicken ?

KFC

Désignant autrefois le Kentucky Fried Chicken, mais ne signifiant plus rien aujourd'hui, KFC est sans doute la compagnie qui a augmenté plus que toute autre la somme totale de souffrances dans le monde. KFC achète près d'un milliard de poulets chaque année[44] – si vous entassiez ensemble tous ces poulets, ils couvriraient Manhattan de l'Hudson à l'East River et déborderaient des fenêtres des derniers étages des gratte-ciel –, de sorte que ses pratiques ont, par ricochet, des conséquences dans tous les secteurs de l'industrie de la volaille.

KFC insiste sur le fait qu'il est « attentif au bien-être et au traitement humain des poulets[45] ». Quel crédit accorder à ces déclarations ? Dans un abattoir de Virginie-Occidentale fournissant KFC, il a été établi que les employés arrachaient la tête de poulets vivants, leur crachaient du tabac dans les yeux, leur coloraient la tête à la bombe à peinture et les piétinaient violemment. Ces actes ont été constatés des dizaines de fois. Cet abattoir n'était pourtant pas une « brebis galeuse », mais au contraire un « fournisseur de l'année ». Imaginez ce qui se passe à l'abri des regards dans les abattoirs qui n'ont pas été primés.

Sur son site Web, KFC affirme : « Nous contrôlons nos fournisseurs de manière permanente afin de nous assurer qu'ils utilisent des procédures humaines dans les soins et le traitement des animaux qu'ils nous livrent. Nous avons pour objectif de ne traiter qu'avec des fournisseurs qui promettent de respecter les normes élevées que nous avons établies et qui partagent notre engagement en faveur du bien-être animal. » Ceci est une demi-vérité. KFC traite en effet avec les fournisseurs qui *promettent* de veiller au bien-être des volailles. Ce que ne vous dit pas KFC, c'est que tout ce que pratiquent les fournisseurs est automatiquement considéré comme respectant le bien-être animal (*voir* : CFE).

L'autre demi-vérité consiste à dire que KFC mène des audits concernant le respect des animaux dans les centres d'abattage de ses fournisseurs (le « contrôle » évoqué plus haut). Ce que l'on ne nous dit pas, c'est que ces visites d'inspection sont *annoncées*. En avertissant d'une inspection visant (du moins en théorie) à constater des comportements illicites, KFC laisse tout le temps nécessaire aux directeurs des centres de camoufler ce qu'ils ne veulent pas montrer. De surcroît, les normes de fonctionnement que doivent vérifier les inspecteurs n'incluent pas une seule des recommandations faites récemment par les propres (et désormais ex-) membres du conseil pour le bien-être animal de KFC, dont cinq ont démissionné par frustration. Une de ces membres, Adele Douglass, a déclaré au *Chicago Tribune* que KFC « n'organisait jamais la moindre réunion. Ils ne sollicitaient jamais aucun avis, et ensuite ils se targuaient devant la presse d'avoir mis sur pied cette commission sur le bien-être animal. J'ai eu l'impression que l'on se servait de moi ». Ian Duncan, professeur émérite en bien-être animal à l'université de Guelph, autre ancien membre du conseil chez KFC et l'un des spécialistes les plus écoutés d'Amérique du Nord sur le bien-être des oiseaux, a pour sa part souligné que « les progrès étaient extrêmement lents, raison pour laquelle j'ai présenté ma démission. Les choses allaient toujours se faire plus tard. En fait, ils reportaient sans arrêt la mise en place des normes. [...] Je soupçonne la direction de ne pas juger important le bien-être animal ».

Par qui ont été remplacés les cinq membres démissionnaires ? L'Animal Welfare Council (Conseil pour le bien-être animal) de KFC comprend désormais un vice-président de Pilgrim's Pride, la compagnie qui possède le sinistre abattoir désigné « fournisseur de l'année » dont nous avons parlé plus haut ; un directeur de Tyson Foods, qui abat 2,2 milliards de poulets chaque année et au sujet duquel de multiples enquêtes ont montré que certains employés mutilaient des poulets vivants (et, d'après l'une des enquêtes, urinaient sur la chaîne d'abattage)[46] ; enfin, des « cadres et autres employés » de KFC qui siègent régulièrement au conseil. Pour résumer, KFC affirme que ses conseillers ont conçu des programmes à l'intention de ses fournisseurs, alors même que ses conseillers sont ses fournisseurs.

Comme son sigle, l'engagement de KFC en faveur du bien-être animal ne signifie rien du tout.

CASHER[47] ?

Telles qu'on me les a enseignées à l'école hébraïque et à la maison, les règles alimentaires juives ont été conçues comme un compromis : si les hommes doivent absolument manger les animaux, nous devons le faire de manière humaine, avec humilité et dans le respect des autres créatures terrestres. N'infligez pas de souffrances inutiles, que ce soit durant leur existence ou lors de leur mise à mort, aux animaux que vous mangez. C'est une façon de penser qui, enfant, m'a rendu fier d'être juif et qui continue aujourd'hui de faire ma fierté.

C'est pourquoi lorsqu'on a vu, sur des vidéos filmées à l'abattoir Agriprocessors de Postville, dans l'Iowa, qui était alors le plus gros abattoir casher du monde, des animaux de bétail auxquels on tranchait la gorge pour leur arracher la trachée et l'œsophage, en les laissant agoniser plusieurs minutes en raison d'une mise à mort bâclée, ou qu'on tuait par des chocs électriques en pleine tête, cela m'a perturbé encore plus que les innombrables fois où j'avais entendu parler de telles choses dans les abattoirs conventionnels.

À mon soulagement, la communauté juive a massivement dénoncé les pratiques de cet abattoir. Le rabbin Perry Raphael Rank, président de l'Assemblée rabbinique qui regroupe les rabbins traditionalistes, dans un message adressé à l'ensemble de ses rabbins, a déclaré : « Lorsqu'une compagnie s'affirmant casher viole l'interdiction du *tza'ar ba'alei hayyim* en infligeant de la douleur à une créature de Dieu, cette compagnie doit en répondre devant la communauté juive et, en dernier ressort, devant Dieu. » Le président orthodoxe du département d'étude du Talmud de l'université israélienne Bar Ilan a également protesté, et de manière fort éloquente : « Il se pourrait bien que tout établissement se livrant à un tel type [d'abattage casher] soit coupable de *hillul hashem* – désacralisation du nom de Dieu –, car penser que Dieu se préoccupe uniquement du respect de Sa loi rituelle et non de celui de Sa loi morale revient à désacraliser Son Nom. » Et dans un communiqué conjoint, une cinquantaine de rabbins influents, dont le président de la Reform Central Conference of American Rabbis et le recteur de la Ziegler School of Rabbinic Studies, ont déclaré que « la forte tradition judaïque d'enseignement de la compassion envers les animaux a été violée par ces abus systématiques et doit être réaffirmée ».

Nous n'avons aucune raison de croire que la cruauté constatée à l'abattoir Agriprocessors ait été éliminée de l'industrie casher. Cela est impossible tant que l'élevage industriel continuera à prédominer.

Cela soulève une question délicate, que je pose non en tant qu'expérience de pensée, mais de façon directe : dans *notre* monde – pas le monde biblique de troupeaux et de bergers, mais le monde surpeuplé qui est le nôtre et dans lequel les animaux sont traités juridiquement et socialement comme des marchandises – est-il même possible de manger de la viande sans « infliger de la souffrance à une créature de Dieu » et d'éviter (même avec de grands et sincères efforts) de « désacraliser le nom de Dieu » ? Le concept même de viande casher est-il devenu une contradiction dans les termes ?

BIOLOGIQUE

Que signifie la qualification « biologique » ? Sans doute pas rien, mais bien moins que ce qu'on serait en droit d'en attendre. Pour la viande, le lait et les œufs étiquetés « bio », l'USDA exige que les animaux soient : 1) nourris aux aliments biologiques (c'est-à-dire avec des produits cultivés sans la plupart des pesticides et engrais chimiques en usage) ; 2) qu'ils puissent être tracés tout au long de leur cycle de vie (c'est-à-dire qu'il y en ait une trace écrite) ; 3) qu'ils ne reçoivent pas d'antibiotiques ni d'hormones de croissance ; et 4) qu'ils bénéficient d'un « accès à l'extérieur ». Ce dernier critère a hélas été pratiquement vidé de son sens – dans certains cas, l'« accès à l'extérieur » se résume pour l'animal à pouvoir regarder dehors à travers une fenêtre grillagée.

Les aliments biologiques sont certainement bien plus sains, génèrent souvent une empreinte écologique plus discrète et ont une meilleure valeur nutritive. Mais ils ne sont pas nécessairement plus « humains ». Le label « biologique » signale en effet un plus grand bien-être pour ce qui concerne les poules pondeuses ou le bétail. Il *peut* signifier la même chose concernant les porcs, mais cela est moins sûr. Pour les poulets de chair et les dindes, en revanche, « biologique » n'a pas nécessairement de sens en termes de bien-être animal. Vous pouvez très bien qualifier votre dinde de biologique et la torturer tous les jours.

PETA

Acronyme se prononçant comme le pain pita, mais beaucoup plus connu que ce dernier parmi les éleveurs que j'ai eu l'occasion de rencontrer, le groupe People for the Ethical Treatment of Animals est la plus importante organisation de défense des droits des animaux au monde. Elle compte plus de deux millions de membres.

Les gens de PETA sont prêts à employer à peu près tous les moyens légaux pour promouvoir leurs campagnes, quel que soit leur aspect parfois repoussant (ce qui est impressionnant) et qui ils insultent (ce qui l'est moins). Il leur arrive de distribuer aux jeunes enfants des « *unhappy meals* » avec des Ronald McDonald sanguinolents brandissant des hachoirs. Ils impriment des autocollants qui ont la même forme que ceux que l'on trouve sur les tomates et qui proclament : « Lancez-moi sur une porteuse de fourrure. » Ils ont balancé un cadavre de raton laveur sur la table du Four Seasons où déjeunait la directrice de *Vogue* Anna Wintour (et expédié à son bureau un paquet d'entrailles grouillantes d'asticots), aspergé de peinture des présidents et membres de familles royales, distribué à la sortie des écoles des tracts intitulés : « Ton papa tue des animaux ! » et demandé au groupe Pet Shop Boys (Boys de l'animalerie) de changer de nom pour s'appeler Rescue Shelter Boys (Boys de la SPA). Le groupe a refusé, tout en reconnaissant qu'il y avait des problèmes qui valaient la peine d'être débattus. Il est difficile de ne pas à la fois admirer et moquer l'énergie opiniâtre de ces militants, et facile de comprendre pourquoi personne n'aimerait en être la cible.

Quoi que l'on en pense, aucune organisation n'inspire plus de crainte parmi le secteur de l'élevage et ses alliés que PETA. Ses militants sont efficaces. Lorsque PETA a mis dans son collimateur les compagnies de fast-food, la plus célèbre et la plus puissante spécialiste du bien-être animal du pays, Temple Grandin (qui a conçu plus de la moitié des abattoirs du pays) a reconnu qu'elle avait vu plus d'améliorations intervenir en une année que durant ses trente années de carrière. L'homme qui sans doute déteste le plus au monde PETA, Steve Kopperud (qui travaille comme consultant auprès de l'industrie de la viande et donne des conférences anti-PETA depuis plus d'une décennie), a déclaré : « Aujourd'hui l'industrie est suffisamment consciente de ce dont est capable PETA pour instiller la crainte de Dieu chez beaucoup de ses responsables[48]. » Je n'ai pas été autrement surpris d'apprendre que des compagnies de toutes sortes négocient régulièrement avec PETA et modifient discrètement leur politique concernant le bien-être animal afin de ne pas essuyer les attaques publiques de l'organisation.

On accuse parfois PETA de recourir à des stratégies cyniques pour attirer l'attention, et ce n'est pas entièrement faux. On accuse aussi le groupe de lutter pour que les humains et les animaux soient traités sur un pied d'égalité, ce qui est inexact. (D'ailleurs, qu'est-ce que cela signifierait ? Faire voter les vaches ?) Les membres de PETA n'agissent pas sans réfléchir ; ils sont au contraire hyperrationnels, et déterminés à réaliser leur austère idéal – « Les animaux ne sont pas faits pour que nous les mangions, les portions comme vêtements, procédions à des expériences sur eux ou les utilisions pour notre distraction » – aussi célèbre que Pamela Anderson en bikini. Cela en surprend plus d'un, mais PETA est favorable à l'euthanasie : si, dans le cas d'un chien, le choix se pose entre le voir vivre toute sa vie dans un chenil ou être euthanasié, PETA non seulement opte pour la seconde solution, mais la recommande. Il ne s'oppose pas à la mise à mort, mais à la prolongation des souffrances. Les gens de PETA adorent leurs chiens et leurs chats – on en rencontre beaucoup dans les bureaux du groupe – mais ils ne sont pas particulièrement sensibles à l'éthique du soyez-gentil-avec-nos-amies-les-bêtes. Ce qu'ils veulent, c'est une révolution.

Ils appellent cette révolution « droits des animaux », mais les changements que PETA a obtenus au profit des animaux d'élevage (leur première préoccupation), s'ils sont nombreux, constituent moins des victoires sur le plan des droits des animaux que sur celui de leur bien-être : moins d'animaux par cage, abattage mieux réglementé, transport moins étouffant, etc. Les techniques de PETA sont souvent dignes d'un vaudeville (et d'un extrême mauvais goût), mais cette approche parfois extravagante a entraîné des améliorations modestes dont la plupart des gens diraient qu'elles ne vont pas assez loin. (Qui pourrait se dire opposé à une meilleure réglementation de l'abattage et à des conditions de parcage et de transport veillant à ce que les animaux soient moins entassés ?) En définitive, l'origine des controverses qui entourent PETA est peut-être moins à rechercher du côté de l'organisation que du côté de ceux d'entre nous qui se permettent de juger cette organisation – en se rendant compte de manière désagréable que « ces gens de PETA » se battent pour des valeurs que nous sommes trop lâches ou trop négligents pour défendre nous-mêmes.

ABATTAGE

Mise à mort et découpe. Même les gens qui estiment que nous n'avons guère d'obligations envers les animaux d'élevage pendant leur existence estiment qu'ils méritent une « bonne » mort. Le gardien de ranch le plus macho, le plus adepte du marquage au fer rouge et le plus favorable à l'élevage de veaux en batterie tombera d'accord avec le militant végétariste lorsqu'il sera question de la nécessité de tuer de façon humaine. Est-ce le seul point d'accord auquel on puisse parvenir ?

RADICAL

Pratiquement tout le monde reconnaît que les animaux peuvent souffrir d'une manière que l'on ne peut écarter d'un revers de manche, même si l'on n'est pas d'accord sur ce en quoi consiste cette souffrance ou le niveau qu'elle atteint. Quand on les interroge, 96 % des Américains disent que les animaux méritent une protection légale, 76 % affirment que le bien-être animal est plus important pour eux que le bas prix de la viande, et près des deux tiers voudraient voir adopter non seulement des lois, mais des « lois strictes » concernant le traitement des animaux d'élevage. On aurait du mal à trouver d'autres questions sur lesquelles tant de gens expriment la même opinion.

Une autre chose à propos de laquelle les gens sont d'accord, c'est que l'environnement est important. Que l'on soit ou non partisan du forage offshore, que l'on « croie » ou pas au réchauffement climatique, que l'on revendique son Hummer ou que l'on vive dans une marginalité autarcique, chacun doit reconnaître que l'air qu'il respire et l'eau qu'il boit sont des choses importantes. Et qu'elles continueront de l'être pour ses enfants et ses petits-enfants. Même ceux qui persistent à nier que l'environnement est en danger conviendraient que ce serait une mauvaise chose qu'il le soit.

Aux États-Unis, les animaux d'élevage représentent plus de 99 % de tous les animaux avec lesquels les humains interagissent[49]. Dans la gamme des effets que nous avons sur le « monde animal » – que ce soit à travers la souffrance des animaux ou les questions de biodiversité et de l'interdépendance d'espèces que l'évolution a mis des millions d'années à faire coexister dans l'équilibre vivable que nous connaissons –, aucun n'est plus massif que celui qui découle de nos choix alimentaires. De même que rien de ce que nous faisons ne possède le potentiel direct de causer autant de souffrance animale que le fait de manger de la viande, aucun de nos choix quotidiens n'a un plus grand impact sur l'environnement.

Nous vivons une situation étrange. Nous sommes pratiquement tous d'accord pour dire que la façon dont nous traitons les animaux et l'environnement est importante, et pourtant rares sont ceux parmi nous qui prêtent une grande attention à notre principale relation aux animaux et à l'environnement. Plus étrange encore, ceux qui choisissent d'agir en accord avec ces principes – pourtant non sujets à controverse – en refusant de manger des animaux (ce qui, tout le monde en convient, réduirait à la fois le nombre d'animaux maltraités et notre empreinte écologique) sont souvent considérés comme des marginaux, voire des extrémistes.

SENTIMENTALITÉ

Tendance à accorder aux sentiments une plus grande attention qu'à la réalité. La sentimentalité est généralement considérée comme une attitude irréaliste, une preuve de faiblesse. Très souvent, ceux qui expriment leurs préoccupations (ou même un simple intérêt) à l'égard des conditions dans lesquelles les animaux de boucherie sont élevés se voient traiter de sentimentalistes. Pourtant il vaut la peine de prendre un peu de recul et de se demander qui est le sentimentaliste et qui est le réaliste.

Vouloir se renseigner sur le traitement des animaux d'élevage traduit-il une volonté de confrontation avec les faits relatifs aux animaux et à nous-même, ou bien est-ce une façon de les fuir ? Soutenir qu'on devrait accorder plus de valeur à un sentiment de compassion qu'au fait de pouvoir obtenir un hamburger moins cher (ou même que de manger un hamburger) est-il l'expression d'une émotion ou d'une réaction impulsive, ou bien le résultat d'une confrontation avec la réalité et avec nos intuitions morales ?

Deux amis se retrouvent au restaurant pour déjeuner. L'un dit : « J'ai bien envie d'un hamburger » et il en commande un. L'autre déclare : « J'ai bien envie d'un hamburger », mais, en réfléchissant, il se dit qu'il y a des choses plus importantes pour lui que ses envies du moment et commande autre chose. Qui est le sentimentaliste ?

BARRIÈRE DES ESPÈCES

Avec environ 1 400 espèces, le Zoologischer Garten de Berlin est le zoo qui abrite le plus grand nombre d'espèces animales au monde. Ouvert en 1844, il fut le premier zoo allemand – les premiers animaux à y être présentés provenaient de la ménagerie de Frédéric-Guillaume IV – et, avec ses 2,6 millions de visiteurs annuels, c'est le plus fréquenté d'Europe. Les raids aériens alliés de 1942 détruisirent pratiquement tous les bâtiments, et seuls quatre-vingt-onze animaux survécurent. (Il est d'ailleurs stupéfiant que, dans une ville où les gens abattaient les arbres des jardins publics pour se chauffer, des animaux aient pu survivre.) Aujourd'hui, le zoo compte environ quinze mille animaux. Mais la plupart des gens ne s'intéressent qu'à un seul d'entre eux.

Knut, le premier ours blanc à naître au zoo depuis trente ans, est venu au monde le 5 décembre 2006. Il a été rejeté par sa mère, Tosca, une ourse de cirque allemand à la retraite âgée de vingt ans, et son frère jumeau est mort quatre jours plus tard. C'est un début prometteur pour un mauvais téléfilm, mais pas dans la vie. L'ourson Knut a passé ses quarante-quatre premiers jours en couveuse. Son gardien, Thomas Dörflein, dormait au zoo afin de pouvoir lui prodiguer des soins vingt-quatre heures sur vingt-quatre. Dörflein donnait le biberon à Knut toutes les deux heures, lui jouait « Devil in Disguise » d'Elvis à la guitare au moment de son coucher et avait le corps couvert d'ecchymoses et de griffures dues à ses fréquentes bagarres avec l'ourson. Knut pesait un petit kilo à sa naissance, mais à l'époque où je l'ai vu, soit environ trois mois plus tard, son poids avait plus que doublé. Si tout se passe bien, il devrait un jour atteindre environ deux cents fois ce poids.

Dire que Berlin adorait Knut serait largement en dessous de la vérité. Le maire Klaus Wowereit consultait la presse chaque matin pour y trouver les dernières photos de l'ourson. L'équipe de hockey de la ville, les Eisbären (Ours polaires), a demandé au zoo si elle pouvait l'adopter comme mascotte. De nombreux blogs – dont celui du *Tagesspiegel*, le journal le plus lu à Berlin – rendaient compte heure par heure des faits et gestes de Knut. Il avait ses propres podcasts et webcams. Il avait même remplacé la traditionnelle fille dénudée dans plusieurs quotidiens.

Quatre cents journalistes se sont pressés à la première apparition publique de Knut, événement qui a éclipsé le sommet de l'Union européenne qui se tenait au même moment. On trouvait des nœuds papillon Knut, des sacs à dos Knut, des plaques commémoratives Knut, des pyjamas Knut, des figurines Knut, et probablement, mais je ne l'ai pas vérifié, des slips Knut. Knut a un parrain, Sigmar Gabriel, le ministre allemand de l'Environnement. Autre pensionnaire du zoo, la femelle panda Yan Yan a été littéralement *tuée* par la popularité de Knut. Les responsables du zoo pensent en effet que les trente mille personnes qui ont afflué ce jour-là au zoo pour voir Knut ont causé la mort de Yan Yan – soit en la surexcitant, soit en la déprimant à mort (cela n'a jamais été très clair). Et en parlant de mort, lorsqu'un groupe de défense des droits des animaux a émis – à titre purement hypothétique, ont affirmé plus tard ses responsables – l'argument selon lequel il valait mieux euthanasier un animal plutôt que de l'élever dans de telles conditions, les écoliers ont manifesté dans la rue en criant « Knut doit vivre ! » Certains supporters sportifs scandaient des slogans en l'honneur de Knut plutôt que pour leur équipe.

Si vous allez voir Knut et que la faim vous vienne, vous trouverez à quelques mètres de son enclos un petit stand proposant des « Wurst de Knut », des saucisses de viande provenant de porcs d'élevage industriel, lesquels sont des animaux au moins aussi intelligents que Knut et qui mériteraient une considération équivalente. C'est cela, la barrière des espèces.

STRESS

Terme utilisé par l'industrie pour camoufler ce dont il est question, à savoir :

SOUFFRANCE

Qu'est-ce que la souffrance ? La question implique l'existence d'un sujet qui souffre. Les objections sérieuses à l'idée selon laquelle les animaux souffrent tendent à admettre qu'ils « ressentent de la douleur » à un certain niveau, mais refusent d'y voir un degré de conscience – le monde mental-émotionnel au sens large, ou « subjectivité » – qui rendrait cette souffrance significativement analogue à la nôtre. Je pense que cette objection touche à quelque chose de très réel et de très vif aux yeux de beaucoup de gens, à savoir le sentiment que la souffrance animale est tout simplement d'un ordre différent, et par conséquent n'est pas vraiment importante (même si elle est regrettable).

Nous avons tous de très fortes intuitions au sujet de ce que signifie le fait de souffrir, mais elles peuvent être extrêmement difficiles à formuler. Enfants, nous apprenons la signification de la souffrance en interagissant avec d'autres êtres vivants – aussi bien des humains, notamment les membres de notre famille, que des animaux. Le terme de *souffrance* implique l'intuition d'une expérience partagée avec d'autres – un drame partagé. Bien entendu, il existe des sortes particulières de souffrances humaines – le rêve non réalisé, l'expérience du racisme, la honte corporelle, etc. – mais cela devrait-il nous conduire à affirmer que la souffrance des animaux n'est « pas vraiment » de la souffrance ?

La part la plus importante des définitions de la souffrance ou d'autres réflexions à ce sujet ne réside pas dans ce qu'elles nous disent à propos de la souffrance – sur les circuits neuronaux, les nocicepteurs, les prostaglandines, les récepteurs opioïdes de la membrane neuronale – mais sur qui souffre et dans quelle mesure cette souffrance doit être prise en compte. Il est fort possible qu'il existe des façons philosophiquement cohérentes d'imaginer le monde et la signification de la souffrance permettant d'aboutir à une définition de celle-ci qui ne s'appliquerait pas aux animaux. Bien entendu, cela irait à l'encontre du bon sens, mais j'imagine que cela doit être possible. Par conséquent, si ceux qui soutiennent que les animaux ne souffrent pas vraiment et ceux qui affirment qu'ils souffrent sont capables les uns et les autres de proposer une compréhension logique et d'avancer des preuves convaincantes, devrions-nous persister à douter de la souffrance animale ? Devrions-nous admettre que les animaux ne souffrent *pas vraiment* – pas de la façon dont nous l'entendons couramment ?

Comme vous vous en doutez, ma réponse serait négative, mais je ne vais pas argumenter là-dessus. Je pense plutôt que le point essentiel est simplement de réaliser l'ampleur de ce qui est en jeu lorsque nous posons la question : « Qu'est-ce que souffrir ? »

Qu'est-ce que la souffrance ? Moi-même je ne suis pas très sûr de ce que cela signifie, mais je sais que la souffrance est le nom que l'on donne à l'origine de tous les soupirs, hurlements et grognements – petits et grands, simples et multiformes – qui nous préoccupent. Le mot définit notre façon d'aborder l'objet encore plus que l'objet lui-même.

Cacher / Chercher[50]

Dans les batteries d'élevage des poules pondeuses, chaque volaille dispose d'un espace d'un peu plus de 430 cm^2 – soit une surface équivalente à ce rectangle. Pratiquement toutes les volailles dites *cage-free* bénéficient d'à peu près le même espace.

1.

Je ne suis pas le genre de type à m'introduire subrepticement dans une ferme inconnue en pleine nuit

Je suis vêtu de noir au milieu de la nuit et au milieu de nulle part. Je porte des protections stériles par-dessus mes chaussures jetables et des gants de latex sur mes mains tremblantes. Je me palpe de haut en bas, vérifiant pour la cinquième fois que j'ai tout ce qu'il me faut : torche à filtre rouge, carte d'identité, 40 dollars en liquide, caméra vidéo, photocopie de l'article 597e du code pénal californien, bouteille d'eau (pas pour moi), téléphone mobile en mode vibreur, mégaphone. Nous coupons le contact et parcourons en roue libre la trentaine de mètres qui nous séparent de l'endroit que nous avons repéré plus tôt dans la journée lors de la demi-douzaine de passages que nous avons effectués. Mais ce n'est pas encore la partie effrayante.

Je me trouve ce soir-là en compagnie d'une militante de la cause animale, C. Ce n'est qu'au moment de la choisir parmi ses compagnons que je me suis rendu compte que je cherchais quelqu'un qui inspirait confiance. C. est petite et maigre. Elle porte des lunettes d'aviateur, des tongs et un appareil dentaire.

« Tu as beaucoup de voitures, observé-je alors que nous partons de chez elle.

– C'est la maison de mes parents. Je vis encore chez eux. »

Tandis que nous roulons sur la route que les gens du coin appellent Blood Run autant à cause de la fréquence des accidents qui s'y produisent que du nombre de camions qui l'empruntent pour transporter leurs chargements d'animaux à l'abattoir local, C. m'explique qu'il n'est parfois pas plus difficile de pénétrer que si le portail était ouvert, même si cela devient de plus en plus rare en raison des craintes liées à la biosécurité et aux « fauteurs de troubles ». Le plus souvent, désormais, il faut escalader les grilles. Quelquefois, des projecteurs s'allument et des alarmes se déclenchent. De temps en temps, il y a des chiens, et ils ne sont pas toujours attachés. Un jour C. est tombée nez à nez avec un taureau qui paissait près des hangars, attendant l'occasion d'empaler les végétariens trop curieux.

« Un taureau, répété-je distraitement, sur un ton à peine interrogatif, sans intention linguistique particulière.

– Une vache mâle, précise-t-elle brusquement en farfouillant dans un sac qui semble contenir des accessoires dentaires.

– Et si toi et moi, ce soir, on tombait nez à nez avec un taureau ?

– Ça n'arrivera pas. »

Le type qui me talonne m'empêche de dépasser un camion chargé de poulets en route pour l'abattoir.

« Admettons que ça arrive.

– Dans ce cas, il faut rester immobile, réplique C. Je ne pense pas qu'ils distinguent les objets statiques. »

Si la question est de savoir si les choses ont jamais tourné mal au cours d'une des visites nocturnes de C., la réponse est oui. Une nuit elle est tombée dans une fosse à purin avec un lapin agonisant sous chaque bras, et s'est retrouvée, dans tous les sens du terme, dans la merde jusqu'au cou. Une autre fois, s'étant enfermée par mégarde dans un hangar, elle a dû passer la nuit dans l'obscurité totale au milieu des odeurs de vingt mille malheureuses volailles. Une autre fois encore, un de ses acolytes a attrapé une infection à Campylobacter presque fatale après avoir manipulé un poulet.

Des plumes se collent au pare-brise. J'actionne les essuie-glaces.

« Qu'est-ce que tu transportes dans ce sac ? lui demandé-je.
– Le nécessaire au cas où on devrait procéder à un sauvetage. »

Je ne vois pas à quoi elle fait allusion et je n'aime pas ça du tout.

« Écoute, tu me dis que tu *penses* que les taureaux ne voient pas les objets statiques. Tu ne crois pas que c'est une chose que tu devrais savoir avec certitude ? Je ne voudrais pas pinailler là-dessus, mais... »

... mais dans quoi suis-je donc allé me fourrer ? Je ne suis ni journaliste engagé, ni vétérinaire, ni avocat, ni philosophe – comme le sont, d'après ce que je comprends, ceux qui entreprennent des actions comme celle de ce soir. Je n'ai rien à démontrer. Et je ne suis pas du genre à pouvoir me figer devant un taureau de garde.

La voiture en roue libre fait crisser le gravier à l'endroit prévu et nous attendons que nos montres synchronisées marquent 3 heures, le moment dont nous sommes convenus. Aucun signe du chien que nous avons aperçu dans la journée, mais cela n'est pas d'un très grand réconfort. Je sors le bout de papier de ma poche et le relis une dernière fois : « Dans le cas où un animal domestique quel qu'il soit serait [...] enfermé et laissé sans la nourriture ni l'eau nécessaires pendant une durée de plus de douze heures consécutives, il est légal pour toute personne, de temps à autre, si elle l'estime nécessaire, d'entrer dans le local où est enfermé ledit animal et de lui procurer l'eau et la nourriture nécessaires, à condition qu'il soit maintenu dans les lieux. Cette personne ne peut être poursuivie pour avoir pénétré... » – ce qui, même s'il s'agit de la loi de l'État, est à peu près aussi rassurant que le silence de Cujo dans le livre de Stephen King. Je m'imagine un fermier peu soucieux du respect des lois réveillé de son sommeil paradoxal, fusil en main, qui me surprendrait en train d'inspecter les conditions de vie de ses dindes. Il arme les chiens de son double canon, mon sphincter se relâche, et puis quoi ? Je lui sors l'article 597e du code pénal de Californie ? Cela va-t-il accentuer ou apaiser la démangeaison de son doigt sur la détente ?

C'est l'heure.

Nous échangeons théâtralement des gestes de la main alors que nous aurions aussi bien pu communiquer en chuchotant. Mais nous avons fait vœu de silence : pas un mot avant que tout soit terminé et que nous soyons sur le chemin du retour. Faire tournoyer un index gainé de latex veut dire : *Allons-y !*

« Passe devant », ne puis-je m'empêcher de laisser échapper.

Maintenant commence la partie angoissante.

Merci infiniment de votre attention soutenue

Aux personnes concernées de l'entreprise Tyson Foods :

Suite à mes précédents courriers des 10 janvier, 27 février, 15 mars, 20 avril, 15 mai et 7 juin, je vous informe à nouveau que je suis un jeune père désireux d'obtenir le plus d'informations possible sur l'industrie de la viande afin de pouvoir décider en toute connaissance de cause ce que je dois donner à manger à mon fils. Tyson Foods étant la plus grosse entreprise de production et de commercialisation de viande de poulet, de bœuf et de porc du monde, il m'a paru logique de commencer par m'adresser à vous. Je souhaiterais visiter quelques-uns de vos élevages et m'entretenir avec des représentants de votre entreprise de différents sujets, depuis la façon dont vos élevages fonctionnent jusqu'aux problèmes de bien-être animal et aux questions environnementales. J'aimerais, si possible, pouvoir également parler à quelques-uns de vos éleveurs. Je peux me rendre disponible à peu près à n'importe quel moment, et relativement rapidement, et ne verrai aucune objection à me déplacer, même pour de longs trajets.

Au regard de votre « philosophie orientée famille » et de

votre récente campagne publicitaire sous le slogan : « C'est ce que mérite votre famille », je suis sûr que vous apprécierez mon désir de me rendre compte par moi-même d'où provient la nourriture que je donne à mon fils.

Avec tous mes remerciements pour l'attention soutenue que vous me témoignez.

Cordialement,
Jonathan Safran Foer

Un bien triste business

Nous nous garons à plusieurs centaines de mètres de la ferme car C. a repéré sur une photo satellite qu'il est possible de s'approcher des hangars sous le couvert d'un verger d'abricotiers adjacent. Nous marchons en silence en frôlant les branches. Il est 6 heures du matin à Brooklyn, ce qui veut dire que mon fils ne va pas tarder à se réveiller. Il va gigoter quelques minutes dans son berceau, puis pousser un cri – après s'être mis debout sans savoir comment se rallonger –, puis ma femme le prendra dans ses bras, ira s'asseoir dans le rocking-chair, le serrera contre elle et lui donnera le sein. Tout cela – ce voyage en Californie, ces mots que je tape à New York, les élevages que j'ai visités dans l'Iowa, le Kansas ou à Puget Sound – m'affecte d'une façon qu'il serait plus facile d'oublier ou d'ignorer si je n'étais pas un père, un fils ou un petit-fils – si, comme ça n'a jamais été le cas pour personne, j'étais le seul à manger.

Au bout d'une vingtaine de minutes, C. effectue un virage à angle droit. Je ne sais absolument pas comment elle sait qu'il faut tourner ici, devant cet arbre parfaitement identique aux centaines d'autres devant lesquels nous venons de passer. Nous faisons encore une quinzaine de mètres à travers les abricotiers, puis, tels des kayakistes s'approchant d'une chute, nous nous arrêtons sous les dernières branches, entre lesquelles nous apercevons, à une petite dizaine de mètres, une clôture de barbelés et, au-delà, les bâtiments de l'élevage.

La ferme se compose de sept hangars mesurant 15 mètres de large sur 150 de long, chacun renfermant environ 25 000 volailles – même si, en vérité, je ne connais pas encore ces chiffres[51].

À côté des hangars se dresse un immense silo à grain qui paraît plus sortir de *Blade Runner* que de *La Petite Maison dans la prairie.* Une toile d'araignée de tuyauteries métalliques enserre l'installation, on entend cliqueter les énormes ventilateurs qui dépassent ici et là, et des projecteurs découpent dans la nuit d'étranges poches de lumière. Tout le monde se fait sa propre image mentale d'une ferme, et, pour la plupart des gens, elle comporte champs, granges, tracteurs et animaux, ou au moins un de ces éléments. Je doute qu'il y ait sur terre une seule personne ne connaissant rien à l'élevage qui soit capable d'imaginer quelque chose de semblable à ce que je suis en train d'observer. Et pourtant ce que j'ai devant moi appartient au genre de fermes qui produisent environ 99 % des animaux consommés aux États-Unis.

Avec ses gants d'astronaute, C. écarte les fils barbelés afin que je puisse me faufiler de l'autre côté. J'accroche et déchire mon pantalon, mais c'est un pantalon jetable acheté spécialement pour l'occasion. C. me passe les gants et j'écarte à mon tour les fils pour la faire entrer.

Nous nous retrouvons dans un espace quasiment lunaire. À chaque pas, mes chaussures s'enfoncent dans une épaisse couche de fientes, de poussière et de matières indéterminées qui ont été déversées à proximité des hangars. Je dois recroqueviller mes orteils pour que mes chaussures ne restent pas engluées dans cette cochonnerie visqueuse. Je marche plié en deux pour ne pas me faire remarquer, les mains serrées contre mes poches pour empêcher les objets qui s'y trouvent de bringuebaler. Nous traversons rapidement et sans bruit l'espace à découvert et nous glissons entre les bâtiments où nous pourrons nous déplacer avec moins de précautions. Des batteries d'énormes ventilateurs – chacune formée d'une dizaine d'engins de plus d'un mètre de diamètre – se déclenchent et s'arrêtent par intermittence.

Nous nous approchons du premier hangar. Un rai de lumière filtre sous la porte. C'est à la fois une bonne et une mauvaise nouvelle : bonne parce que nous n'aurons pas à utiliser nos torches, ce qui, m'a précisé C., effraie les animaux et peut, au pire, faire glousser et s'agiter l'ensemble du hangar ; et mauvaise car, si quelqu'un entrait pour une inspection de routine, il nous serait impossible de nous cacher. Je me pose une question : pourquoi un hangar empli d'animaux reste-t-il brillamment éclairé en pleine nuit ?

J'entends bouger à l'intérieur : le ronronnement des machines se mêle à ce qui ressemble au brouhaha étouffé d'un auditoire ou au bruit que produirait un magasin de lustres lors d'une légère secousse tellurique. C. tente en vain d'ouvrir la porte et me fait signe que nous devons essayer le hangar suivant.

Nous passons ainsi plusieurs minutes à chercher une porte qui ne soit pas verrouillée.

Nouvelle question : pourquoi un paysan enferme-t-il ses dindes à clé ?

Ce n'est certainement pas parce qu'il a peur qu'on lui vole son matériel ou ses volailles. Il n'y a aucun matériel à voler dans les hangars, et les animaux ne valent pas les efforts herculéens qu'il faudrait déployer pour en emmener de manière illicite un nombre significatif. Un éleveur ne verrouille pas ses portes par crainte que ses volailles ne s'échappent. (Les dindes sont incapables de tourner une poignée.) Et malgré les panonceaux, ce n'est pas non plus pour des raisons de biosécurité. (Les barbelés suffisent à tenir les fouineurs à distance.) Alors pourquoi ?

Durant les trois années que durera mon immersion dans le monde de l'élevage, rien ne me mettra plus mal à l'aise que ces portes verrouillées. Rien n'exprimera avec autant de force le triste business qu'est l'élevage industriel. Et rien ne m'incitera plus fortement à écrire ce livre.

En réalité, on s'aperçoit vite que les portes verrouillées sont l'aspect le plus mineur de l'affaire. Je n'ai jamais obtenu la moindre réponse de la part de Tyson Foods ni d'aucune des entreprises auxquelles j'ai écrit. (On vous envoie un courrier standard pour vous dire non, un autre pour ne rien vous dire du tout.) Même les organismes de recherche dotés de personnel rémunéré se heurtent systématiquement à la politique du secret entretenue par le secteur de l'élevage. Lorsque la prestigieuse Pew Commission, qui dispose pourtant de gros moyens, a décidé de financer une étude de deux années sur l'impact de l'élevage industriel, elle déclara s'être « heurtée à de sérieux obstacles pour achever son étude et définir des recommandations consensuelles. [...] En fait, tandis que certains représentants de l'agriculture industrielle recommandaient des auteurs pour rédiger les rapports techniques devant être portés à la connaissance des membres de la commission, d'autres représentants de l'agriculture industrielle dissuadaient ces mêmes auteurs de nous aider en menaçant d'interrompre le financement de la recherche dans leur faculté ou leur université. Nous avons constaté une influence significative de l'industrie à tous les niveaux : dans la recherche universitaire, dans le développement de la politique agricole, dans la réglementation gouvernementale et dans le contrôle de l'application des règlements ».

Les barons de l'élevage industriel savent que leur modèle d'activité repose sur l'impossibilité pour les consommateurs de voir (ou d'apprendre) ce qu'ils font.

Le sauvetage

Des voix masculines nous parviennent du silo à grain. Comment se fait-il qu'ils travaillent à 3 h 30 du matin ? Des machines se mettent en route. Quel genre de machines ? On est au beau milieu de la nuit et des choses se passent. Quel genre de choses ?

« J'ai trouvé », me chuchote C.

Elle fait coulisser la lourde porte de bois, qui projette à l'extérieur un parallélogramme de lumière, et entre. Je la suis et referme la porte derrière moi. La première chose qui attire mon attention est l'alignement de masques à gaz suspendus au mur. Pourquoi trouverait-on des masques à gaz dans un hangar d'élevage ?

Nous nous faufilons au milieu de dizaines de milliers de poussins de dinde. Ils sont gros comme des poings fermés, et avec leur plumage jaunâtre, ils sont presque invisibles sur le sol recouvert de sciure de bois. Les poussins sont serrés en groupes, endormis sous les lampes à chaleur installées pour remplacer celle que leur auraient procurée leurs mères. D'ailleurs où sont-elles, les mères ?

Il y a une orchestration mathématique dans la densité. Je détache un instant mes yeux des poussins pour observer le bâtiment lui-même : éclairages, mangeoires automatiques, ventilateurs et lampes chauffantes régulièrement espacées dans un jour artificiel parfaitement calibré. En dehors des animaux eux-mêmes, il n'existe aucun élément que l'on pourrait qualifier de « naturel » – pas un centimètre carré de terre, aucune fenêtre laissant entrer la clarté de la lune. Je suis surpris de la facilité avec laquelle, oubliant la vie anonyme qui nous entoure, on en vient tout simplement à admirer la symphonie technologique qui régule avec une telle précision ce petit monde clos, à constater l'efficacité et la maîtrise de la machine, puis à considérer les volailles comme de simples extensions ou de vulgaires rouages de cette machine – non pas des êtres vivants, mais des pièces détachées. Voir tout cela autrement exige un effort.

J'observe un poussin qui, rejeté à la périphérie du tas que forment ses congénères sous la lampe, s'efforce d'en regagner le centre. Puis j'en remarque un autre, placé directement sous la lampe, apparemment aussi satisfait qu'un chien étendu dans un carré de soleil. Et un autre encore, qui ne bouge pas du tout, même pas sous l'effet de sa propre respiration.

Au début, la situation ne paraît pas si terrible. L'endroit est bondé, mais les poussins semblent plutôt heureux. (Et puis on garde aussi les bébés humains dans des nurseries bondées, pas vrai ?) Et ils sont mignons. Heureux de voir ce que je suis venu voir et de me trouver au milieu de tous ces bébés animaux, je me sens plutôt bien.

Comme C. est occupée à donner à boire à des poussins mal en point dans une autre partie du hangar, je me mets à explorer les lieux sur la pointe des pieds, laissant de vagues empreintes dans la sciure. Je commence à me sentir plus à l'aise avec les dindes, j'ai envie de me rapprocher d'elles, sinon de les prendre entre mes mains. (Le premier commandement de C. est de ne jamais les toucher.) Plus je regarde, plus je perçois les détails. L'extrémité des becs des poussins est noircie, tout comme leurs griffes. Certains ont des points rouges au sommet du crâne.

Du fait qu'ils sont si nombreux, il me faut un moment avant de me rendre compte de la quantité de cadavres. Certains sont couverts de sang, d'autres de plaies. Certains semblent avoir été déchiquetés à coups de bec ; d'autres, desséchés, forment comme de petits tas de feuilles mortes. Certains sont déformés. Les morts sont l'exception, mais il est difficile de regarder quelque part sans en voir au moins un.

Je rejoins C. – nous avons épuisé nos dix minutes prévues, et je n'ai pas vraiment envie d'en voir trop. Elle est agenouillée au-dessus de quelque chose. Je m'approche et m'accroupis à côté d'elle. Un poussin couché sur le flanc, les pattes retournées vers l'extérieur, les yeux encroûtés, est agité de tremblements. Des endroits déplumés sont marqués d'escarres. Le bec entrouvert, la jeune dinde agite la tête d'avant en arrière. Quel âge a-t-elle ? Une semaine ? Deux ? Est-elle dans cet état depuis sa venue au monde, ou bien quelque chose lui est-il arrivé ? Qu'a-t-il pu lui arriver ?

C. sait ce qu'il faut faire, me dis-je. Et c'est le cas, en effet. Elle ouvre son sac et en sort un couteau. Posant une main sur la tête du poussin – pour le maintenir immobile ou pour lui couvrir les yeux ? –, elle lui tranche le cou afin de le délivrer.

2.

Je suis le genre de fille à m'introduire subrepticement dans une ferme inconnue en pleine nuit

Ce poussin que j'ai euthanasié lors de notre mission de sauvetage, ça a été dur. J'ai travaillé il y a longtemps dans un abattoir à volailles. J'étais une « backup killer *», une tueuse d'appoint, c'est-à-dire que je devais égorger les poulets auxquels le dispositif automatique d'abattage n'avait pas coupé la tête. J'ai tué comme ça des milliers de volailles. Peut-être plusieurs dizaines de milliers. Peut-être des centaines de milliers. Dans ce contexte, vous perdez conscience de tout : de l'endroit où vous êtes, de ce que vous faites, depuis combien de temps vous le faites, de ce que sont les animaux, de ce que vous êtes. C'est un mécanisme de survie qui vous permet de ne pas devenir fou. Mais c'est cela même qui est une folie.*

Mon travail sur la chaîne d'abattage m'a appris à connaître l'anatomie du cou et je savais exactement comment tuer instantanément ce poussin. Et chaque atome de mon corps savait que c'était la meilleure chose à faire pour lui épargner de nouvelles souffrances. Mais ça a été dur, parce que ce poussin ne se trouvait pas dans une ligne de milliers de poulets à abattre. C'était un individu. Tout est dur dans ce cas-là.

Je ne suis pas une extrémiste. Par bien des aspects, je suis une personne tout à fait ordinaire. Je ne porte pas de piercings. Je n'ai pas de coupe de cheveux bizarre. Je ne consomme par de drogues. Politiquement, je suis plutôt de gauche sur certaines questions et conservatrice sur d'autres. Mais, justement, l'élevage industriel est un problème banal – un problème sur lequel la plupart des gens tomberaient d'accord s'ils connaissaient la vérité.

J'ai grandi dans le Wisconsin et au Texas, dans une famille typique : mon père aimait (et aime toujours) la chasse ; tous mes oncles posaient des pièges et allaient à la pêche. Ma mère préparait un rôti tous les lundis soir, du poulet le mardi, etc. Mon frère pratiquait deux disciplines sportives au niveau national.

La première fois où j'ai été confrontée aux problèmes de l'élevage, c'est lorsqu'un ami m'a montré des films sur l'abattage des vaches. Nous étions adolescents, c'étaient des trucs dégoûtants ressemblant aux scènes de Faces of Death *. *Mon ami n'était pas végétarien – personne ne l'était, à l'époque – et il n'essayait pas de me pousser à le devenir. C'était juste pour rigoler. Ce soir-là au dîner, il y avait des pilons de poulet. Je n'ai pas pu en manger. Quand j'ai pris l'os entre mes doigts, je n'ai pas eu l'impression que c'était « du » poulet, mais « un » poulet. Je suppose que j'avais toujours su que je mangeais un individu, mais cela ne m'avait jamais mise mal à l'aise auparavant. Mon père m'a demandé ce qui n'allait pas, et je lui ai parlé de la vidéo.*

* *Face à la mort* est un film de 1978 aux scènes choc d'exécutions, d'accidents de la route et autres catastrophes.

À cette époque de ma vie, tout ce qu'il me disait était parole d'Évangile et j'étais convaincue qu'il allait pouvoir me donner une explication. Mais tout ce qu'il a trouvé à dire, c'est quelque chose comme : « C'est un truc pas très ragoûtant. » S'il s'en était tenu là, je ne serais probablement pas en train de vous parler. Mais il a poursuivi en lâchant une plaisanterie à ce sujet. La blague classique. Je l'avais entendue des millions de fois. Il a fait mine d'être un animal pleurnichant. Ça a été pour moi la révélation, et ça m'a rendue furieuse. J'ai décidé dans l'instant de ne jamais devenir une personne qui balance une plaisanterie quand toute explication est impossible.

J'ai voulu savoir si ce que montrait cette vidéo était exceptionnel. Je suppose que je cherchais un moyen de ne pas avoir à changer de vie. J'ai donc écrit à toutes les grandes entreprises d'élevage en leur demandant si je pouvais visiter leurs installations. Honnêtement, l'éventualité qu'elles refusent ou ne me répondent pas ne m'avait même pas traversé l'esprit. Voyant que cela ne marchait pas, j'ai commencé à me balader un peu partout et à demander à tous les éleveurs que je rencontrais s'il était possible de jeter un œil à leurs installations. Tous avançaient des tas de raisons pour dire non. Étant donné ce qu'ils font, je ne peux guère leur reprocher de refuser que les gens y assistent. Mais vu le voile de mystère qui pèse sur une question aussi importante, qui aurait pu me reprocher d'éprouver le besoin de faire les choses à ma façon ?

La première ferme dans laquelle je suis entrée de nuit était un élevage de poules pondeuses qui abritait peut-être un million de bêtes. Elles étaient entassées dans des cages empilées sur plusieurs niveaux. J'ai ressenti des brûlures aux yeux et aux poumons pendant plusieurs jours après ça. C'était moins violent et sanglant que ce que j'avais vu sur la vidéo, mais ça m'a encore plus affectée. Me rendre compte qu'une vie épouvantable était pire qu'une mort épouvantable m'a profondément transformée.

Cet endroit était si immonde que je me suis dit que ça devait être un cas exceptionnel. Je n'arrivais pas à croire qu'on puisse laisser de telles choses se dérouler sur une si grande échelle. Je me suis donc introduite dans un autre élevage, de dindes cette fois. Le hasard a voulu que j'y entre quelques jours avant l'abattage : les dindes avaient atteint leur poids maximal et étaient serrées les unes contre les autres. On ne voyait pas le sol entre elles. Elles étaient complètement dingues : elles battaient des ailes, gloussaient, se querellaient à coups de bec. Il y avait partout des cadavres et des animaux à moitié morts. C'était triste. Ce n'est pas moi qui les avais mises là, mais j'ai eu honte d'appartenir à l'espèce humaine. J'ai essayé de me convaincre que c'était encore un cas exceptionnel. Alors je me suis introduite dans un autre élevage. Puis un autre. Et encore un autre.

Il est possible qu'à un certain niveau, j'aie continué à faire ça parce que je ne voulais pas croire que ce que j'avais vu était représentatif de l'ensemble de l'activité. Mais quiconque prend la peine de se renseigner sait qu'il n'existe quasiment plus que des fermes industrielles. La plupart des gens ne sont pas en mesure de voir ces élevages de leurs propres yeux, mais ils peuvent le faire à travers les miens. J'ai filmé des élevages de poulets et de poules pondeuses, des usines à dindes, un ou deux élevages de porcs (mais il est devenu pratiquement impossible d'y pénétrer), des élevages de lapins, des laiteries, des élevages géants de bovins, des ventes aux enchères de bétail, et j'ai même réalisé des vidéos dans des camions de transport. J'ai travaillé dans plusieurs abattoirs. Certaines de mes images passent parfois au journal télévisé ou sont publiées dans la presse. Il est arrivé plusieurs fois qu'elles soient utilisées dans des procédures pour cruauté envers des animaux.

C'est pour cela que j'ai accepté de t'aider. Je ne te connais pas bien. J'ignore quel genre de livre tu vas écrire. Mais si une partie au moins de ce que tu écriras permet de faire savoir au monde extérieur ce qui se passe dans ces élevages, ça ne peut être qu'une bonne chose. La vérité dans ce domaine est si puissante que l'angle sous lequel tu abordes la question n'a aucune importance.

En tout cas, quand tu rédigeras ton livre, j'espère que tu ne me feras pas passer pour quelqu'un qui tue sans arrêt des animaux. Je l'ai fait quatre fois, uniquement dans des cas où il n'y avait pas d'autre solution. En général, j'emmène les animaux les plus malades chez un vétérinaire. Mais ce poussin était trop mal en point pour être transporté. Et il souffrait trop pour que je le laisse dans cet état. Sache que je suis contre l'avortement. Je crois en Dieu, je crois au ciel et à l'enfer. Mais je n'ai aucune vénération à l'égard de la souffrance. Ces éleveurs industriels calculent la façon de maintenir ces animaux aussi près de la mort que possible sans les tuer. C'est ça, leur modèle d'activité. Ils déterminent comment les engraisser le plus rapidement possible, le nombre maximum qu'ils peuvent mettre dans une cage, la quantité minimum de nourriture dont ils ont besoin, jusqu'à quel point on peut les laisser malades sans qu'ils meurent.

Il ne s'agit pas d'expérimentation animale, dont on peut escompter un bien qui équilibre en quelque sorte les souffrances. Il s'agit de ce que nous sommes disposés à manger. Laisse-moi te poser une question : pourquoi le goût, qui est le plus grossier de nos sens, est-il exempté des règles éthiques qui gouvernent nos autres sens ? Si tu prends la peine d'y réfléchir une seconde, c'est tout simplement dingue. Pourquoi un homme en rut aurait-il moins le droit de violer un animal qu'une personne affamée d'en tuer un pour le manger ? Il est facile d'écarter cette question, mais très dur d'y répondre. Ou bien comment jugerais-tu un artiste qui mutilerait des animaux dans une galerie sous prétexte que c'est visuellement captivant ? À quel point les hurlements d'un animal torturé devraient-ils être fascinants pour que tu aies vraiment envie de les entendre ? Essaie d'imaginer un objectif autre que celui de les déguster pour lequel il serait justifiable de faire ce que nous faisons aux animaux d'élevage.

Si je détourne le logo d'une entreprise, je risque la prison ; si une entreprise maltraite un milliard de volailles, la loi protégera non pas les animaux, mais le droit de cette entreprise à faire ce qui lui chante.

C'est ce à quoi on aboutit quand on refuse de reconnaître les droits des animaux. Ce qui est dingue, c'est que l'idée que les animaux puissent avoir des droits paraisse dingue aux yeux de la plupart. Nous vivons dans un monde où il est considéré normal de traiter un animal comme un bout de bois, et extrémiste de traiter un animal comme un animal.

Avant que l'on vote des lois sur le travail des enfants, il y avait des entreprises qui traitaient correctement leurs employés de dix ans. La société n'a pas interdit le travail des enfants au motif qu'il est impossible d'imaginer que des enfants travaillent dans un bon environnement, mais parce que accorder un tel droit à des entreprises sur des individus sans pouvoir est malhonnête. Quand nous nous convainquons que nous avons un plus grand droit à manger un animal qu'un animal à vivre sans souffrir, c'est malhonnête. Je ne suis pas en train de me livrer à de quelconques spéculations. C'est notre réalité. Réfléchis à ce qu'est l'élevage industriel. Regarde ce qu'en tant que société nous avons fait aux animaux dès que nous en avons eu la capacité technologique. Regarde ce qui se pratique réellement en matière de « bien-être animal » et de « conditions humaines d'élevage », et ensuite tu décideras si tu penses pouvoir continuer sans problème à manger de la viande.

3.

Je suis éleveur industriel[52]

Quand on me demande ce que je fais, je dis que je suis fermier à la retraite. J'ai commencé à traire les vaches à l'âge de six ans. Nous vivions dans le Wisconsin. Mon père possédait un petit troupeau – une cinquantaine de têtes –, ce qui était assez courant à l'époque. J'ai travaillé chaque jour jusqu'à ce que je quitte la ferme de mes parents, et le travail était dur. Quand je suis parti, j'en avais vraiment assez. Je me suis dit qu'il devait y avoir un meilleur moyen de gagner sa vie.

Après le lycée, j'ai décroché un diplôme en science animale et j'ai été embauché dans une entreprise de volailles. Je travaillais à l'entretien, la gestion et la conception d'élevages de dindes. Après quoi j'ai été embauché dans plusieurs entreprises intégrées. Je gérais de gros élevages, avec parfois un million de volailles. Je me suis occupé de la gestion des maladies, de la gestion des troupeaux. J'étais chargé de résoudre les problèmes, si vous voulez. L'élevage consiste bien souvent à résoudre des problèmes. Aujourd'hui je suis spécialisé dans l'alimentation et la santé des poulets. Je suis dans l'agrobusiness. Certaines personnes parlent d'élevage industriel, mais je n'aime pas beaucoup ce terme.

C'est un monde différent de celui dans lequel j'ai grandi. Le prix de la nourriture n'a pas augmenté depuis trente ans. Par rapport à d'autres dépenses, le prix de la protéine est resté stable. Pour survivre – je ne parle pas de devenir riche, mais de simplement pouvoir nourrir sa famille, envoyer ses enfants à l'école, acheter une voiture neuve quand on en a besoin –, le fermier doit produire de plus en plus. C'est une simple question d'arithmétique. Comme je vous disais, mon père possédait une cinquantaine de vaches. Aujourd'hui le modèle pour une laiterie viable est de mille deux cents vaches. C'est le minimum pour pouvoir s'en sortir. Il est clair qu'une famille ne peut traire douze cents vaches tous les jours, donc vous devez avoir quatre ou cinq employés, chacun chargé d'un travail spécifique : traite, gestion des maladies, contrôle des récoltes. C'est efficace, bien sûr, et vous arrivez à gagner votre vie, mais beaucoup de gens devenaient fermiers parce qu'ils appréciaient la variété du travail agricole. Or cela n'existe plus.

Une autre conséquence de la pression économique, c'est le fait qu'aujourd'hui vos animaux doivent produire plus à un coût moindre. Donc vous devez obtenir une croissance plus rapide et un meilleur indice de consommation. Tant que la nourriture continuera à être de moins en moins chère par rapport à tout le reste, le fermier n'aura pas d'autre choix que de produire de la nourriture pour un coût toujours plus bas, et, génétiquement, on va se diriger vers un animal qui répond à cet objectif, ce qui peut naturellement affecter son bien-être. Le taux de perte fait partie intégrante du système. On part du principe que si on a cinquante mille poulets dans un hangar, plusieurs milliers mourront au cours des premières semaines. Mon père ne pouvait pas se permettre de perdre un seul animal. Aujourd'hui, dès le départ vous savez que vous perdrez aux alentours de 4 % de vos bêtes[53].

Je vous parle des aspects négatifs parce que je veux être franc avec vous. Mais en fait nous avons un système formidable. Est-il parfait ? Non, aucun système n'est parfait. Et si quelqu'un vous affirme qu'il connaît un moyen parfait pour nourrir des milliards et des milliards d'individus, ma foi, vous feriez bien de vous méfier. On vous parle de poules élevées en plein air, de bétail nourri à l'herbe, tout ça c'est très bien. Je pense que c'est une bonne direction à prendre. Mais ça ne pourra pas nourrir la planète. Jamais. Il est tout simplement impossible de nourrir des milliards d'hommes avec des œufs de poules élevées en plein air. Quant aux gens qui recommandent un modèle d'agriculture à petite échelle, j'appelle ça le syndrome de Marie-Antoinette : si vous n'avez pas les moyens d'acheter du pain, mangez de la brioche. L'agriculture à haut rendement a permis que tout le monde mange à sa faim. Réfléchissez bien à ça. Si nous abandonnons ce modèle, ça améliorera peut-être le bien-être animal, ce sera même peut-être meilleur pour l'environnement, mais je n'ai aucune envie d'en revenir à la Chine de 1918. Je n'ai pas envie que des gens crèvent de faim.

Bien sûr, on pourrait recommander à la population de manger un peu moins de viande, mais je vais vous dire une chose : elle n'en a pas envie. Vous pourriez dire, comme PETA, que les gens vont se réveiller un beau matin en se rendant compte qu'ils adorent les animaux et qu'ils ne veulent plus les manger, mais l'histoire démontre que les hommes sont parfaitement capables d'aimer les animaux et de les manger. Il est puéril, je dirais même immoral, de fantasmer à propos d'un monde végétarien quand on a eu tant de mal à faire fonctionner celui qu'on a.

Vous savez, le fermier américain a nourri le monde. On lui a demandé de le faire après la Seconde Guerre mondiale et il l'a fait. Jamais le monde n'a pu se nourrir comme il le fait aujourd'hui. Les protéines n'ont jamais été meilleur marché. Mes animaux sont protégés des éléments, ils ont toute la nourriture nécessaire et ont une bonne croissance. Il y a des bêtes qui tombent malades. Il y en a qui meurent. Mais que croyez-vous qu'il arrive aux animaux dans la nature ? Vous croyez qu'ils meurent de cause naturelle ? Vous pensez qu'on les endort avant de les tuer ? Dans la nature, les animaux meurent de faim ou sont dévorés par d'autres animaux. C'est comme ça qu'ils meurent.

Les gens n'ont plus la moindre idée de la provenance de ce qu'ils mangent. La nourriture n'est pas synthétique, on ne la fabrique pas en laboratoire, il faut qu'on la fasse pousser ou qu'on l'élève. Ce que je déteste, c'est quand les consommateurs font comme si c'étaient les fermiers qui voulaient que ça se passe ainsi, alors que ce sont les consommateurs qui disent aux fermiers ce qu'ils doivent produire. Ils veulent de la nourriture bon marché ? Nous la leur fournissons. S'ils veulent des œufs de plein air, ils vont devoir les payer beaucoup plus cher. Parce que c'est plus économique de produire les œufs dans d'immenses élevages avec des poules en cage. C'est plus efficace, et donc plus durable, même si je sais que ce mot est souvent utilisé contre l'industrie. De la Chine à l'Inde et au Brésil, la demande de produits animaux est en augmentation – et en augmentation rapide. Vous croyez que de petites fermes familiales pourraient nourrir dix milliards d'hommes ?

Un ami à moi a vécu une drôle d'expérience il y a quelques années, quand deux jeunes types sont venus lui demander s'ils pouvaient filmer quelques scènes pour un documentaire sur le fonctionnement d'un élevage. Comme ils avaient l'air sympathique, il a accepté. Mais ensuite ils ont monté les images de façon à donner l'impression que les volailles étaient maltraitées. Ils ont prétendu que les employés violaient les dindes. Je connais cet élevage. J'y ai été des tas de fois et je peux vous dire que ces dindes y sont traitées de manière suffisamment correcte pour survivre et être productives. C'est facile d'extraire les choses de leur contexte. Et les gens qui n'y connaissent rien ne comprennent pas toujours ce qu'ils voient. Ce business n'est pas toujours joli joli, mais c'est une grave erreur de confondre quelque chose de désagréable avec quelque chose d'immoral. Le premier gamin venu avec une caméra vidéo se prend pour un scientifique animalier, il croit qu'il est né en sachant ce que d'autres mettent des années et des années à apprendre. Je sais qu'il est parfois nécessaire de donner dans le sensationnel pour sensibiliser les gens, mais je préfère m'en tenir à la vérité.

Dans les années 1980, les responsables du secteur de l'élevage industriel ont essayé de communiquer avec les groupes de défense des animaux, mais ça ne nous a attiré que des ennuis. Alors les éleveurs de dindes ont décidé que c'était terminé. Nous avons dressé un mur et mis un terme aux échanges. Nous refusons de parler, nous interdisons l'accès aux élevages. Nous appliquons la procédure standard. PETA ne veut pas parler d'élevage. Il veut en finir avec les élevages. Ils n'ont pas la moindre idée de la façon dont le monde fonctionne réellement. Au moment où je vous parle, j'ai l'impression d'être en train de parler à l'ennemi.

Mais je crois à ce que je vous dis. Et c'est une histoire importante à raconter, une histoire qui est en train d'être étouffée par les braillements des extrémistes. Je vous ai demandé de ne pas citer mon nom, mais je n'ai rien à me reprocher. Absolument rien. Vous devez seulement comprendre que tout cela se déroule dans un contexte beaucoup plus large. Et que j'ai des patrons. Et que moi aussi je dois nourrir ma famille.

Puis-je vous faire une suggestion ? Avant de vous précipiter pour essayer d'en voir le plus possible, commencez par vous renseigner. Ne vous fiez pas à ce que vous voyez. Faites confiance à votre cerveau.

Renseignez-vous sur les animaux, renseignez-vous sur l'élevage et l'économie de l'alimentation, étudiez l'histoire. Commencez par le commencement.

4.

Le premier poulet

Ta progéniture sera connue sous le nom de *Gallus domesticus*, *poulet*, *coq*, *poule*, *volaille*, *The Chicken of Tomorrow**, *poulet à rôtir*, *poule pondeuse*, *Mr McDonald*[54] et bien d'autres appellations. Chaque nom raconte une histoire, mais aucune histoire n'a encore été racontée, aucun nom ne t'a encore été attribué ni à toi ni à aucun autre animal.

Comme tous les animaux en ces temps d'avant le commencement, tu te reproduis en fonction de tes préférences et de tes instincts. Tu n'es ni nourri, ni contraint à travailler, ni protégé. Tu ne portes aucune marque ni aucune étiquette indiquant que tu es la propriété de quelqu'un. Personne n'a même jamais pensé que tu pouvais devenir la propriété d'autrui.

En tant que *coq sauvage*, tu surveilles les alentours, avertis tes congénères de la présence d'un intrus par des appels complexes et défends tes femelles à coups de bec et de griffe. En tant que *poule sauvage*, tu commences à communiquer avec tes petits avant même qu'ils aient percé leur coquille, réagissant à leurs petits cris de détresse en déplaçant le poids de ton corps. L'image de ta protection et de ton attention maternelles sera utilisée dans le deuxième verset de la Genèse pour décrire le souffle de Dieu sur la

* *The Chicken of Tomorrow* est le titre d'un documentaire américain de 1948 sur les progrès en matière d'élevage de poulets et de production d'œufs.

première eau. Jésus t'invoquera comme l'image de l'amour protecteur : « J'ai voulu rassembler tes enfants comme la poule rassemble ses poussins sous ses ailes[55]. » Mais la Genèse n'a pas encore été écrite, et Jésus n'est pas encore né.

Le premier homme

Toute la nourriture que tu manges est celle que tu t'es procurée par tes propres moyens. Pour l'essentiel, tu ne vis pas à proximité immédiate des animaux que tu tues. Tu ne partages ni ne rivalises avec eux pour la possession de la terre, tu dois aller les pourchasser. Quand tu les traques, tu tues généralement des animaux que tu ne connais pas en tant qu'individus, sauf durant la brève période de la chasse elle-même, et tu considères les animaux que tu chasses comme des sortes d'égaux. Pas sur tous les plans, bien entendu, mais les animaux que tu connais sont doués de pouvoirs : ils ont des capacités dont les hommes sont dépourvus, ils peuvent être dangereux, ils peuvent procurer la vie, ils signifient des choses qui signifient quelque chose. Quand tu crées des rites et des traditions, tu le fais avec des animaux. Tu les dessines sur le sable, dans la terre et sur les parois des cavernes[56] – pas seulement des représentations d'animaux existants, mais aussi des créatures hybrides qui mêlent formes humaines et animales. Les animaux sont ce que tu es et n'es pas. Tu entretiens une relation complexe et, en un certain sens, égalitaire avec eux. Cela ne va pas tarder à changer.

Le premier problème

Nous sommes en l'an 8000 av. J.-C. Autrefois oiseau sauvage de la jungle, le poulet est désormais domestiqué, tout comme les chèvres et les bovins. Cela entraîne une intimité nouvelle avec les humains – de nouvelles formes d'attention et de nouvelles formes de violence.

Un trope, ancien et moderne, décrit la domestication comme un processus de coévolution entre l'homme et les autres espèces. En d'autres termes, les humains auraient conclu un marché avec les animaux que nous avons appelés poulets, vaches, cochons et autres : nous vous protégerons, nous vous procurerons de la nourriture, etc., et en échange nous vous ferons travailler sous le joug, nous vous prendrons vos œufs et votre lait, et, de temps à autre, nous vous tuerons et vous mangerons. Vu que la vie sauvage n'est pas une partie de plaisir – la nature est cruelle –, le marché, selon cette logique, est équitable. Et les animaux, à leur manière, y ont consenti. Michael Pollan relate cette histoire dans *The Omnivore's Dilemma* :

« La domestication est un développement plus évolutionnaire que politique. Ce n'est certainement pas un régime que les hommes auraient en quelque sorte imposé aux animaux il y a une dizaine de milliers d'années. La domestication est en fait intervenue lorsqu'une poignée d'espèces particulièrement opportunistes se sont rendu compte, en regard du processus darwinien d'essais et d'erreurs, qu'elles avaient plus de chances de survivre et de prospérer en s'alliant avec les hommes plutôt qu'en restant indépendantes. Les hommes procuraient aux animaux nourriture et protection, en échange de quoi les animaux leur fournissaient leur lait, leurs œufs et – oui – leur chair. [...] Du point de vue de l'animal, le marché conclu avec l'humanité s'est révélé une formidable réussite, du moins jusqu'à notre époque. »

C'est la version postdarwinienne du vieux *mythe du consentement animal.* C'est lui qu'invoquent les propriétaires de ranch pour justifier la violence inhérente à leur profession, et qui resurgit de temps à autre dans les cours d'enseignement agricole. À l'appui de ce point de vue, on trouve l'idée selon laquelle les intérêts de l'espèce et ceux de l'individu sont souvent conflictuels, mais que, s'il n'y avait pas d'espèces, il n'y aurait pas d'individus. Si l'espèce humaine devenait végétarienne, poursuit cette logique, il n'y aurait plus d'animaux d'élevage (ce qui n'est pas tout à fait exact, car il existe d'ores et déjà plusieurs dizaines d'espèces de poulets et de cochons « ornementaux », ou élevés pour devenir des animaux de compagnie, et que l'on en garderait d'autres pour engraisser les cultures). Les animaux, soutient-on, *veulent* que nous les élevions. Ils préfèrent qu'il en soit ainsi. Des employés de ranch m'ont raconté qu'il leur était arrivé à plusieurs reprises d'oublier de fermer les enclos, et qu'aucune de leurs bêtes ne s'était échappée.

Dans la Grèce antique, le mythe du consentement animal était incarné lors des consultations de l'oracle de Delphes. On aspergeait la tête des animaux que l'on s'apprêtait à sacrifier. Quand un animal secouait la tête pour se débarrasser de l'eau, l'oracle l'interprétait comme un consentement de l'animal au sacrifice et déclarait : « En vertu de cet acquiescement [...] je déclare que vous pouvez procéder au sacrifice. » Une formule traditionnelle chez les chasseurs yakoutes de Russie dit : « Tu es venu à moi, seigneur Ours, tu *souhaites* que je te tue. » Dans l'ancienne tradition israélite, la génisse rousse que l'on sacrifie pour l'expiation d'Israël doit se diriger de son plein gré vers l'autel, faute de quoi le rituel n'est pas valide. Le mythe du consentement se présente sous de nombreuses versions, mais toutes impliquent un « marché équitable » et, au moins sur le plan métaphorique, la complicité de l'animal dans sa propre domestication et sa mise à mort.

Le mythe du mythe

Mais les espèces n'opèrent pas de choix, ce sont les individus qui les font. Et même si d'aventure, les espèces le pouvaient, impliquer qu'elles préféreraient opter en faveur de leur propre perpétuation plutôt que pour le bien-être individuel de leurs membres est difficile à appliquer de façon générale. En vertu de cette logique, réduire en esclavage un groupe d'êtres humains serait acceptable si la seule alternative était leur non-existence. (Au lieu de *Vivre libre ou mourir*, la devise que nous appliquons à nos animaux de boucherie est : *Mourir esclave mais vivre.*) Plus évident encore, la plupart des animaux, même au niveau individuel, sont bien incapables de prendre la mesure d'un tel arrangement. Les poulets sont aptes à bon nombre de choses, mais pas à conclure des marchés sophistiqués avec les hommes.

Cela dit, ces objections pourraient bien passer à côté du problème. En vérité, la plupart des gens ont parfaitement conscience de ce qu'est un traitement juste ou injuste à l'égard, par exemple, du chat ou du chien de la famille. Et nous pouvons imaginer des méthodes d'élevage auxquelles les animaux pourraient, en toute hypothèse, « consentir ». (Il est parfaitement possible de concevoir qu'un chien auquel on accorderait plusieurs années de nourriture savoureuse, de longs séjours en plein air avec d'autres chiens et tout l'espace qu'il souhaite consente en échange à être un jour mangé.)

Nous sommes capables d'imaginer de telles choses, nous le faisons et l'avons toujours fait. La persistance de l'histoire du consentement animal à l'époque contemporaine dénote une conscience humaine des enjeux et un désir de faire ce qu'il convient.

Il n'est pas surprenant que, d'un point de vue historique, la majorité des gens semble avoir accepté le fait de manger les animaux comme un acte banal de l'existence. La viande rassasie, dégage un fumet appétissant et a bon goût pour la plupart d'entre nous. (Il n'est pas non plus surprenant que, durant quasiment toute l'histoire humaine, certains hommes aient réduit d'autres hommes en esclavage.) Mais aussi loin que remontent les documents historiques, les hommes ont toujours exprimé de l'ambivalence à l'égard de la violence et de la mise à mort inséparablement liées au fait de manger les animaux. C'est pour cela que nous avons inventé des histoires.

Le premier oubli

Nous voyons si rarement des animaux d'élevage aujourd'hui qu'il est facile d'oublier tout cela. Les anciennes générations étaient plus habituées que nous tant à la personnalité des animaux d'élevage qu'à la violence qu'on leur infligeait. Nos aînés savaient que les porcs sont joueurs, intelligents et curieux (« Comme les chiens », dirions-nous), et qu'ils ont des relations sociales complexes (« Comme les primates », dirions-nous). Ils connaissaient l'aspect et le comportement d'un cochon enfermé, tout comme les couinements de nouveau-né d'un porc qu'on castre ou qu'on égorge.

N'avoir que de très rares contacts avec les animaux permet d'écarter plus facilement les questions concernant la mesure dans laquelle nos actes peuvent avoir une influence sur la façon dont ils sont traités. Le problème posé par la viande a pris une dimension abstraite : il n'y a plus d'animal individuel, plus d'expression singulière de contentement ou de souffrance, plus de queue qui s'agite, et plus de cris. La philosophe Elaine Scarry a observé que « la beauté survient toujours dans le particulier ». La cruauté, quant à elle, préfère l'abstraction.

Certains ont tenté de combler ce fossé en chassant ou en abattant eux-mêmes un animal, comme si cette expérience pouvait en quelque sorte légitimer le fait de manger les animaux. C'est extrêmement stupide. Assassiner quelqu'un prouverait sans doute que vous êtes capable de tuer, mais ce ne serait certainement pas le moyen le plus raisonnable pour comprendre pourquoi vous devriez ou ne devriez pas le faire.

Tuer soi-même un animal est le plus souvent une façon d'oublier le problème tout en prétendant l'avoir à l'esprit. Ce qui est peut-être plus dommageable encore que l'ignorance. Il est toujours possible de réveiller quelqu'un qui dort, mais aucun vacarme ne réveillera quelqu'un qui fait mine de dormir.

La première éthique animale[57]

Autrefois, il y a bien longtemps, l'éthique dominante à l'égard des animaux domestiques, plongeant ses racines dans les exigences de l'élevage et répondant au problème fondamental de la vie se nourrissant de vie sensible, ne consistait pas (bien entendu) à dire *N'en mangez pas*, mais pas non plus à recommander *N'y prêtez pas attention.* C'était plutôt d'affirmer : *Mangez de façon responsable.*

L'*attention* envers les animaux domestiques exigée par l'éthique du *manger responsable* ne correspondait pas nécessairement à une quelconque morale officielle : c'était inutile, puisque cette éthique était fondée sur la nécessité économique d'élever des animaux domestiques. La nature même de la relation entre humains et animaux domestiques exigeait un certain niveau d'attention, en ce sens qu'il fallait procurer de la nourriture et un environnement sûr à son troupeau. Prodiguer de l'attention à ses bêtes était, dans une certaine mesure, une manière raisonnable de gérer ses affaires. Mais cette garantie d'être protégé par des chiens et de bénéficier d'une eau (relativement) propre avait un prix : castration, labeur épuisant, prélèvement de sang ou de chair sur des animaux vivants, marquage au fer rouge, séparation des petits d'avec leurs mères et, bien entendu, abattage contribuaient aussi à la bonne marche des affaires. On assurait la protection policière des animaux en échange de leur sacrifice au profit de ces mêmes policiers : protéger et servir *.

L'éthique du *manger responsable* s'est perpétuée et a évolué durant des milliers d'années. Elle s'est fondue en de nombreux systèmes éthiques différents adaptés aux cultures variées dans lesquelles elle est apparue : en Inde elle a motivé l'interdiction de manger les vaches, dans l'islam et le judaïsme elle s'est traduite par l'obligation d'un abattage rapide, dans la toundra russe elle a conduit les Yakoutes à affirmer que les animaux désiraient être tués. Mais cela ne devait pas durer.

L'éthique du *manger responsable* n'est pas devenue obsolète au fil du temps, elle est morte brusquement. En fait, elle a été tuée.

Le premier ouvrier à la chaîne

Nées à Cincinnati puis répandues à Chicago à la fin des années 1920 et au cours de la décennie suivante, les premières installations de « traitement » industriel (autrement dit des abattoirs) ont remplacé le savoir qualifié des bouchers par des équipes d'hommes chargés d'accomplir une série coordonnée de tâches qui leur engourdissaient le cerveau, les muscles et les articulations. Entre autres on trouvait (parmi de nombreuses spécialités) des tueurs, des pointeurs-saigneurs, des coupeurs de queues, coupeurs de pattes, découpeurs de cuisses, désosseurs de côtes, écorcheurs et pareurs de têtes, videurs d'entrailles et dépeceurs de longes. Henry Ford lui-même a reconnu avoir été impressionné par l'efficacité de ces

* La devise de la police américaine.

chaînes d'abattage, dont il a ensuite transféré le modèle dans l'industrie automobile, ce qui a entraîné une révolution dans les procédés manufacturiers. (Assembler une voiture n'est rien d'autre qu'un dépeçage de bœuf à l'envers.)

La pression en vue d'améliorer l'efficacité de l'abattage et de la transformation est née en partie des avancées réalisées en matière de transport ferroviaire, comme par exemple l'invention en 1879 du wagon frigorifique, qui a permis de rassembler, à partir de régions toujours plus éloignées, des quantités beaucoup plus importantes de têtes de bétail. Aujourd'hui il n'est pas rare que la viande soit transportée sur une distance équivalente à la moitié du globe avant de se retrouver sur les étals des supermarchés. Le trajet moyen effectué par notre viande quotidienne est d'environ deux mille cinq cents kilomètres. C'est comme si je prenais ma voiture à Brooklyn pour aller manger un steak au Texas.

En 1908, des systèmes de transporteurs à bande furent introduits sur les chaînes de découpe, de sorte que la vitesse des chaînes fut dès lors contrôlée par des surveillants et non plus par les ouvriers. Cette vitesse a progressivement augmenté au cours des quatre-vingts années suivantes – doublant, voire triplant en de nombreux cas –, ce qui entraîna, ceci n'est guère surprenant, une augmentation des mises à mort ratées et du nombre de blessures occasionnées aux employés.

Cependant à l'orée du XXe siècle, et à côté des évolutions du processus de transformation, les animaux étaient encore en grande partie élevés dans des fermes et des ranches, à peu près de la façon dont ils l'avaient toujours été – et selon la conception que s'en font aujourd'hui encore la plupart des gens. L'idée n'était pas encore venue aux éleveurs de traiter les animaux vivants comme des animaux morts.

Le premier éleveur industriel

En 1923, dans ce qu'on appelle la « péninsule Delmarva » (Delaware-Maryland-Virginie), il arriva à une ménagère d'Oceanview, Celia Steele, un petit incident presque comique qui, au bout du compte, lança l'industrie moderne du poulet et favorisa l'émergence de l'élevage industriel. Un beau jour, en effet, Celia, qui gérait le modeste élevage de poulets familial, reçut par la poste cinq cents poussins au lieu des cinquante qu'elle avait commandés. Plutôt que de s'en débarrasser, elle décida de tenter une expérience en gardant les volailles à l'intérieur pendant l'hiver. Grâce aux compléments alimentaires que l'on commençait à trouver sur le marché, les poussins survécurent et Celia poursuivit ses expérimentations. En 1926, elle exploitait 10 000 volailles ; en 1935, leur nombre était passé à 250 000. (En 1930, le nombre moyen de poulets par basse-cour aux États-Unis n'était encore que de 23.)

Dix ans à peine après la découverte de Celia Steele, la péninsule Delmarva était devenue la capitale mondiale de la volaille. Le comté de Sussex, dans le Delaware, produit aujourd'hui plus de 250 millions de poulets de chair chaque année, soit près de deux fois plus que tout autre comté américain. La production de volaille est la première activité économique de la région, dont elle constitue également la principale source de pollution. (Les nitrates contaminent un tiers des nappes phréatiques des zones agricoles de la Delmarva.)

Entassés les uns sur les autres et privés pendant plusieurs mois d'exercice et de lumière naturelle, les poussins de Celia Steele n'auraient pas survécu si elle n'avait pas ajouté à leur alimentation des doses de vitamines A et D, produits qui venaient d'être mis au point[58]. Celia n'aurait pas non plus été en mesure de commander ses volailles sans l'apparition récente de nurseries de poussins dotées d'incubateurs artificiels. Des forces multiples – plusieurs générations de technologies accumulées – convergeaient et s'amplifiaient mutuellement.

En 1928, le président Herbert Hoover promettait « une poule dans chaque marmite ». La promesse serait non seulement tenue mais dépassée, mais d'une façon que personne n'avait prévue. Au début des années 1930, plusieurs architectes des nouvelles formes d'élevage industriel, tels Arthur Perdue et John Tyson, commencèrent à s'intéresser à l'industrie du poulet. Leur contribution à la science naissante de l'agriculture industrielle moderne se traduisit par l'introduction, à la veille de la Seconde Guerre mondiale, d'une série d'« innovations » dans la production des volailles. Produit avec le soutien de subventions gouvernementales, le maïs hybride fournit une nourriture bon marché qui, bientôt, fut distribuée aux volailles dans des mangeoires automatiques. Peu de temps après son invention, l'ablation du bec – généralement opérée en cautérisant le bec des poussins à l'aide d'une lame chauffée à blanc – fut à son tour automatisée (le bec est le principal outil d'exploration d'un poulet). Éclairage et ventilation automatiques permirent ensuite d'augmenter les densités de population, ouvrant la voie à la manipulation aujourd'hui banale des cycles de croissance grâce au contrôle de l'éclairage.

Le moindre aspect de l'existence des poulets avait été adapté pour produire toujours plus de nourriture à un coût toujours plus bas. Le moment d'une nouvelle avancée était venu.

Le premier poulet de demain

En 1946, l'industrie de la volaille tourna son attention vers la génétique et, avec l'aide du département américain de l'Agriculture, lança le concours du « Poulet de demain » afin de créer une volaille qui, tout en étant moins nourrie, produirait une plus grande quantité de viande de filet. Le lieu d'habitation du vainqueur constitua une surprise : Charles Vantress, l'heureux élu, résidait en effet à Marysville en Californie. (Jusqu'alors, c'est la Nouvelle-Angleterre qui était la principale région d'élevage sélectif.) Le croisement entre le coq de Cornouailles à plumage roux et le poulet du New Hampshire opéré par Vantress permit d'introduire le sang de Cornouailles, qui conférait, d'après une revue professionnelle du secteur, « cette largeur pectorale dont la demande par les consommateurs ne cessera d'augmenter avec l'émergence du marketing après la guerre ».

Lors des années 1940, on assista également à l'introduction, dans l'alimentation des poulets, de sulfamides et antibiotiques, qui stimulent la croissance et permettent de réduire les maladies dues au confinement. Les régimes alimentaires et médicamenteux furent de plus en plus souvent appliqués aux « poulets de demain » récemment sélectionnés, et dès les années 1950, il n'existait plus une seule sorte de poulet, mais deux volailles distinctes : une pour la viande, l'autre pour les œufs.

Tout comme leur nourriture et leur environnement, le code génétique même des volailles était désormais manipulé de façon intense afin de produire soit une très grosse quantité d'œufs (poules pondeuses), soit beaucoup de viande, notamment des filets (poulets de chair). Entre 1935 et 1995, le poids moyen des poulets de chair a augmenté de 65 %, tandis que la durée de leur croissance maximale chutait de 60 % et leurs besoins en nourriture de 57 %. Pour se faire une idée du caractère radical de ce changement, il faut imaginer des enfants atteignant 150 kilos à l'âge de dix ans tout en ne mangeant que des barres de céréales et des gélules de compléments vitaminés.

Ces modifications du code génétique des poulets n'étaient pas de simples changements anodins : ils dictèrent la façon dont les volailles pouvaient être élevées.

Avec ces modifications, les médicaments et le confinement n'étaient plus seulement utilisés pour améliorer la rentabilité, mais aussi parce que, sans eux, les volailles ne pouvaient plus être considérées comme en « bonne santé », ni même, dans bien des cas, simplement capables de survivre.

Pire encore, ces volatiles génétiquement grotesques ne représentaient plus un simple segment de la filière – ils étaient désormais quasiment la seule espèce de poulet élevée pour la consommation humaine. On trouvait autrefois aux États-Unis plusieurs dizaines d'espèces de poulets différentes (comme le Jersey Giant, le New Hampshire, le Plymouth Rock), chacune adaptée à l'environnement particulier de sa région. Aujourd'hui il n'y a plus que des poulets industriels.

Dans les années 1950 et 1960, les entreprises de volailles parvinrent à réaliser une intégration verticale totale. Elles étaient propriétaires de la ressource génétique (aujourd'hui deux entreprises possèdent les trois quarts du matériel génétique des poulets de chair dans le monde), des volailles elles-mêmes (les éleveurs ne faisaient que les encadrer, comme les moniteurs le font avec les enfants d'une colonie de vacances), des médicaments nécessaires, de la nourriture, des ateliers d'abattage et de découpe, et enfin des marques commerciales. Ce ne sont pas seulement les techniques qui avaient changé : la biodiversité avait cédé la place à l'uniformité génétique, les départements universitaires d'élevage animal étaient devenus des départements de science animale – domaine autrefois dominé par les femmes mais désormais investi par les hommes – et les fermiers expérimentés se voyaient remplacés par des salariés et des employés sous contrat. Personne ne tira de coup de pistolet pour donner le signal du départ de la course vers le bas. La Terre se contenta de basculer sur son axe et tout le monde glissa dans le trou.

Le premier élevage industriel

La ferme industrielle fut moins une innovation que le résultat mécanique de ces découvertes et avancées. Les terrains nus grillagés remplacèrent les verts pâturages, des systèmes de confinement intensif à plusieurs niveaux furent construits aux endroits où s'élevaient autrefois des granges, et des animaux génétiquement manipulés – volailles incapables de voler, porcs incapables de survivre à l'extérieur, dindes ne pouvant se reproduire de façon naturelle – remplacèrent les traditionnels animaux de la ferme.

Que signifiaient et que signifient ces changements ? Jacques Derrida fait partie d'une petite poignée de philosophes contemporains à s'être posé cette question dérangeante. « De quelque façon qu'on l'interprète, quelque conséquence pratique, technique, scientifique, juridique, éthique, ou politique qu'on en tire, personne aujourd'hui ne peut nier cet événement, à savoir les proportions *sans précédent* de cet assujettissement de l'animal. [...] Personne ne peut plus nier sérieusement et longtemps que les hommes font tout ce qu'ils peuvent pour dissimuler ou pour se dissimuler cette cruauté, pour organiser à l'échelle mondiale l'oubli ou la méconnaissance de cette violence. »

Seuls ou en collaboration avec le gouvernement et la communauté scientifique, les hommes d'affaires américains du XXe siècle ont planifié et opéré une série de révolutions en matière d'élevage. Ils ont fait de la proposition philosophique prémoderne (dont le plus célèbre représentant fut Descartes), selon laquelle les animaux doivent être considérés comme des machines, une réalité pour des milliers, puis des millions, et aujourd'hui des milliards d'animaux d'élevage.

Telle que décrite dans les revues professionnelles du secteur de l'élevage à partir des années 1960[59], la poule pondeuse devait être désormais considérée comme « une très efficace machine de conversion » (*Farmer and Stockbreeder*), le porc comme une « simple machine dans une usine » (*Hog Farm Management*), tandis que l'on attendait du XXIe siècle qu'il apporte un nouveau « "livre de recettes" informatiques permettant d'obtenir des créatures sur mesure » (*Agricultural Research*).

Cette sorcellerie scientifique a réussi à produire de la viande, du lait et des œufs à bas prix. Au cours des cinquante dernières années, alors qu'après la volaille les nouvelles techniques industrielles étaient appliquées à la production de bœuf, de lait et de porc, le coût moyen d'un logement neuf a augmenté de près de 1 500 % ; les voitures neuves ont vu leur prix bondir de plus de 1 400 % ; mais le prix du lait, lui, a connu une hausse de seulement 350 %, tandis que celui des œufs et de la viande n'a même pas été multiplié par deux. Compte tenu de l'inflation, la protéine animale coûte moins cher aujourd'hui qu'à n'importe quelle autre période de l'histoire. (Du moins si l'on laisse de côté les coûts externalisés – subventions agricoles, impact environnemental, maladies humaines, etc. –, car alors le coût de la protéine atteint des sommets historiques.)

La production des animaux destinés à la consommation est désormais massivement dominée par l'élevage industriel – 99,9 % des poulets de chair, 97 % des poules pondeuses, 99 % des dindes, 95 % des porcs et 78 % des bovins – mais il existe encore quelques alternatives dynamiques. Dans l'industrie du porc, de petits éleveurs ont entrepris de se constituer en coopératives afin de se protéger. Et les mouvements pour une pêche et un élevage bovin durables rencontrent un écho médiatique significatif et conquièrent des parts de marché. Mais l'évolution dans un sens positif de l'industrie de la volaille – la plus importante et la plus influente du secteur (99 % des animaux terrestres abattus sont des volailles d'élevage) – est loin d'être acquise. Aussi incroyable que cela paraisse, il se pourrait qu'il ne reste plus qu'un seul éleveur de volailles authentiquement indépendant…

Je suis le dernier petit éleveur de volailles

Je m'appelle Frank Reese et je suis éleveur de volailles. J'y ai consacré ma vie. Je ne sais pas d'où cela m'est venu. J'ai fait ma scolarité dans une minuscule école de campagne qui ne comportait qu'une classe. Ma mère raconte que l'un des premiers textes que j'aie écrits était une histoire intitulée : « Moi et mes dindes ».

J'ai toujours aimé la beauté des dindes, leur majesté. J'adore la façon dont elles se pavanent. Je ne sais pas. Je ne vois vraiment pas comment l'expliquer. J'adore les motifs que dessinent leurs plumes. J'ai toujours aimé leur personnalité. Elles sont tellement curieuses, tellement joueuses, amicales et pleines de vie.

Quand je suis chez moi le soir et que je les écoute, je sais aussitôt si elles se sentent bien ou pas. Pour avoir côtoyé les dindes depuis près de soixante ans, je connais tout leur vocabulaire. Au bruit qu'elles font je sais reconnaître quand ce sont deux d'entre elles qui se disputent, ou si c'est un opossum qui s'est introduit dans le hangar. Quand elles sont pétrifiées de peur, elles font un bruit particulier, et un autre quand quelque chose de nouveau les excite. C'est très étonnant d'écouter une maman dinde. Elle a une incroyable gamme vocale pour s'adresser à ses petits. Et les petits comprennent. Elle peut les appeler pour qu'ils viennent se blottir sous ses ailes, ou bien leur dire de se rendre de tel endroit à tel autre. Les dindes ont conscience de ce qui se passe et elles sont capables de communiquer – dans leur monde à elles, dans leur langage à elles. Je n'essaie pas de leur attribuer des caractéristiques humaines, parce que ce ne sont pas des humains, ce sont des dindes. Je vous dis simplement ce qu'elles sont.

Beaucoup de gens ralentissent en passant devant ma ferme. Je reçois *beaucoup de groupes scolaires, des classes religieuses et des gosses des clubs 4-H*. Il arrive que les gamins me demandent comment ça se fait qu'une de mes dindes ait grimpé dans un arbre ou sur le toit. Je leur réponds que c'est un oiseau et qu'elle y est allée en volant. Eh bien, tenez-vous bien, ils ne me croient pas ! Autrefois en Amérique on élevait des millions de dindes dans des champs comme le mien. Ce genre de dinde est celui que tout le monde a élevé dans sa ferme pendant des centaines d'années, et que tout le monde mangeait. Et aujourd'hui les miennes sont les seules qui restent, et je suis le seul à les élever de cette façon.*

Pas une dinde de supermarché ne serait capable de marcher correctement, encore moins de courir ou de voler. Vous le saviez ? Elles n'ont même pas le droit d'avoir des rapports sexuels entre elles. Pas même les dindes sans antibiotiques, pas même les dindes bio ou élevées en plein air, aucune. Elles ont toutes le même code génétique absurde et leur organisme n'est plus capable de faire tout ça. Toutes les dindes vendues dans le commerce ou servies à une table de restaurant ont été obtenues par insémination artificielle. Si c'était uniquement pour une question d'efficacité, ce serait une chose, mais en fait c'est parce que ces animaux ne peuvent tout simplement plus se reproduire de façon naturelle. Dites-moi un peu ce qu'il peut y avoir de durable là-dedans ?

Mes dindes à moi, elles supportent le froid, la neige, le gel. Si j'avais des dindes industrielles modernes, ce serait l'hécatombe. Elles ne survivraient pas. Mes dindes sont capables de se déplacer sans problème dans trente centimètres de neige. Et elles ont toutes leurs griffes ; elles ont leurs ailes et leur bec – on n'a rien coupé ; on n'a rien détruit. Nous ne les vaccinons pas, nous ne leur donnons aucun antibiotique.

* Mouvement public d'éducation populaire né au début du XXe siècle, qui encourageait à l'origine les jeunes des campagnes à intégrer des expérimentations agricoles dans leurs études. Les quatre « H » correspondent à : *head, heart, hands et health.*

C'est inutile. Nos volailles s'activent toute la journée. Et du fait qu'on n'a pas traficoté leurs gènes, elles ont des systèmes immunitaires naturellement forts. Nous ne perdons jamais de dindes. Si vous arrivez à trouver des dindes en meilleure santé dans le monde, faudra que vous m'y emmeniez pour que je vous croie. Ce dont l'industrie a pris conscience – et c'est ça qui a été la véritable révolution –, c'est que ça ne vaut plus le coup d'élever des animaux sains pour gagner de l'argent. Les animaux malades sont plus rentables. Les animaux ont payé le prix fort pour satisfaire notre désir d'avoir tout à notre disposition à tout moment pour une somme dérisoire.

Autrefois nous n'avions pas besoin de veiller à la biosécurité. Regardez ma ferme. Toute personne souhaitant la visiter peut le faire, et je n'hésiterais pas une seconde à présenter mes dindes dans une foire ou un concours. Je conseille toujours aux gens d'aller visiter un élevage industriel. Parfois ce n'est même pas la peine d'entrer dans les hangars. Il suffit de sentir l'odeur à l'extérieur. Mais les gens n'ont pas envie d'entendre ce genre de chose. Ils ne veulent pas savoir que ces grandes usines à dindes ont des incinérateurs pour brûler toutes celles qui y meurent chaque jour. Ils ne veulent pas qu'on leur dise que quand un éleveur envoie ses dindes à l'abattoir par camion, il sait et accepte que 10 à 15 % d'entre elles mourront pendant le transport – les « morts à l'arrivée ». Vous voulez connaître mon taux de morts à l'arrivée pendant la fête de Thanksgiving ? Zéro. Mais ce sont juste des chiffres et ça n'intéresse personne. Ce ne sont que des détails. 15 % des dindes meurent par suffocation pendant leur transport ? Il n'y a qu'à les balancer dans l'incinérateur.

Pourquoi des troupeaux entiers de volailles industrielles meurent-ils d'un seul coup ? Et qu'arrive-t-il aux gens qui mangent ces volailles ? Pas plus tard que l'autre jour, un pédiatre me disait qu'il diagnostiquait tout un tas de maladies qu'il ne voyait jamais avant. Et pas seulement du diabète juvénile, mais aussi des maladies inflammatoires et auto-immunes que beaucoup de médecins ne savent même pas identifier. Les gamines commencent leur puberté beaucoup plus jeunes, les gosses sont allergiques à peu près à tout, l'asthme est totalement hors de contrôle. Tout le monde sait que ça vient de notre nourriture. On tripatouille les gènes de ces animaux et ensuite on les nourrit avec des hormones de croissance et toutes sortes de produits dont on ne sait pas grand-chose. Et ensuite on les mange. Les gosses d'aujourd'hui sont la première génération à être nourrie avec ces trucs-là et en réalité on les utilise comme des cobayes. N'est-ce pas curieux de voir comment les gens s'excitent à propos de quelques dizaines de joueurs de base-ball qui prennent des hormones de croissance quand nous faisons ce que nous faisons à nos animaux de consommation et que nous les donnons à manger à nos enfants ?

Les gens sont tellement loin des animaux de consommation aujourd'hui ! Dans ma jeunesse, on s'occupait d'abord et avant tout des animaux. Vous vous acquittiez des corvées de la ferme avant de prendre votre petit-déjeuner. On nous répétait que si nous ne prenions pas soin des animaux, nous n'aurions rien à manger. Nous ne partions jamais en vacances. Il fallait toujours que quelqu'un reste à la ferme. Je me souviens que mes parents nous emmenaient parfois pour des sorties d'une journée, mais en fait nous détestions cela parce que nous savions que si nous ne rentrions pas avant la nuit, nous allions devoir courir les pâturages pour rassembler les vaches et les traire dans le noir. Il fallait le faire, quoi qu'il arrive. Si vous n'êtes pas prêt à assumer ces responsabilités, il ne faut pas devenir fermier. Parce que c'est comme ça qu'il faut faire si vous voulez le faire bien. Et si vous ne pouvez pas le faire bien, mieux vaut ne pas le faire du tout. C'est aussi simple que ça. Et je vais vous dire autre chose : si les consommateurs ne sont pas prêts à payer les éleveurs pour qu'ils fassent correctement leur travail, alors ils ne devraient pas manger de viande.

Les gens sont conscients de ce genre de chose. Et je ne parle pas simplement des gens riches de la ville. La plupart de ceux qui achètent mes dindes ne sont absolument pas riches ; ils vivent sur de petits salaires. Mais ils sont prêts à payer plus cher pour être en accord avec leurs convictions. Ils sont prêts à en payer le vrai prix. Et à ceux qui disent que c'est trop cher payé pour une dinde, je réponds : « Alors ne mangez pas de dinde. » Il est possible que vous n'ayez pas les moyens d'être vigilants, mais il est sûr et certain que vous ne pouvez pas vous permettre de ne pas l'être.

Aujourd'hui on nous bassine pour acheter des produits frais, locaux. C'est une imposture. Il s'agit des mêmes volailles, et la souffrance est inscrite dans leurs gènes. Pour mettre au point la dinde qu'on produit actuellement en masse, on en a tué des milliers dans des expériences. Il fallait qu'elle ait les pattes moins longues, ou un bréchet plus court. Il fallait qu'elle soit comme ceci ou comme cela. Dans la nature, il arrive que des bébés humains naissent avec des difformités, mais on ne cherche pas à les reproduire de génération en génération. Or c'est exactement ce qu'ils ont fait avec les dindes.

Dans son livre The Omnivore's Dilemma, *Michael Pollan décrit la Polyface Farm* * *comme quelque chose de génial, alors que ces élevages sont horribles. C'est une fumisterie. Joel Salatin produit des volailles industrielles. Vous n'avez qu'à l'appeler et lui poser la question. Il les laisse dans des champs à l'air libre, et alors ? Ça ne change rien. C'est comme mettre une Honda pourrie sur une autoroute et dire que c'est une Porsche. Les poulets KFC sont presque toujours abattus au bout de trente-neuf jours. Ce sont encore des bébés, mais on arrive à les engraisser suffisamment dans ce laps de temps. Les poulets bio de plein air de Salatin sont tués à quarante-deux jours. Parce que c'est le même genre de poulet. On ne peut pas les laisser vivre plus longtemps parce que leur code génétique est complètement bousillé. Réfléchissez une seconde à ça : un poulet qu'on ne peut pas laisser vivre au-delà de l'adolescence. Alors il a beau dire qu'il essaie de faire aussi*

* Installée dans une vallée de Virginie, cette ferme revendique un mode d'élevage « naturel ». Voir le site http://www.polyfacefarms.com.

bien que possible, ça reste quand même trop cher d'élever des volailles saines. Ma foi, je suis désolé de ne pas pouvoir lui taper dans le dos en lui disant qu'il est un type bien. Il ne s'agit pas d'objets, il s'agit d'animaux, alors on ne devrait pas dire qu'on fait les choses du mieux qu'on peut. Soit on les fait bien, soit on ne les fait pas.

Moi je fais ce qu'il faut du début à la fin. Mais surtout, j'utilise l'ancienne génétique, celle des volailles qu'on élevait il y a un siècle. Est-ce qu'elles engraissent moins vite ? Oui. Est-ce que je dois leur donner plus à manger ? Oui. Mais regardez-les et dites-moi si elles ne sont pas saines.

Je n'accepte pas que les bébés dindes soient expédiés par la poste. Beaucoup de gens se fichent pas mal que la moitié de leurs dindes meurent à cause du stress qu'elles subissent au cours de leur voyage, ou que celles qui survivent finissent par peser deux ou trois kilos de moins que celles auxquelles vous donnez tout de suite de l'eau et du grain. Mais moi, je ne m'en moque pas. Mes volailles restent dehors autant qu'elles veulent, je ne les mutile ni ne les drogue jamais. Je ne manipule pas l'éclairage ni ne les affame pour qu'elles suivent un cycle artificiel. Je refuse qu'on transporte mes dindes s'il fait trop froid ou trop chaud. Et je les fais transporter de nuit, pour qu'elles soient plus calmes. Je limite le nombre de dindes par camion, même si je pourrais en entasser beaucoup plus. Mes dindes sont toujours transportées debout, jamais suspendues par les pattes, même si cela demande beaucoup plus de temps. Dans l'unité de transformation où je les fais abattre, je les oblige à ralentir toutes les opérations. Je les paie deux fois plus pour faire les choses deux fois plus lentement. Ils doivent faire descendre les dindes des camions dans le calme. Pas d'os cassés ni de stress inutile. Tout est fait à la main et avec précaution. Je veille à ce que tout se déroule bien. Les dindes sont assommées avant d'être entravées. D'habitude elles sont pendues vivantes par les pattes et plongées dans un bain électrisé, mais nous, on ne fait pas ça. On les traite une par une. C'est un employé qui le fait, à la main. Quand ils les traitent une par une, ils font ça correctement. Ma grande angoisse, c'est que des animaux soient plongés vivants dans l'eau bouillante. Ma sœur a travaillé dans un gros abattoir de volailles. Elle avait besoin d'argent. Elle a tenu deux semaines. C'était il y a des années de ça, et elle continue à parler des horreurs auxquelles elle a assisté là-bas.

Les gens sont attentifs aux animaux. Je le crois vraiment. C'est juste qu'ils ne veulent pas savoir ni payer cher. Un quart des poulets souffrent de fractures dues au stress. C'est une honte. Ils sont tellement serrés les uns contre les autres qu'il leur est impossible de ne pas se souiller avec leurs fientes. Ils ne voient jamais le soleil. En poussant, leurs griffes s'enroulent autour des barreaux des cages. C'est une honte. Ils sentent qu'on va les tuer. C'est une honte et les gens le savent. Ce n'est pas la peine de les convaincre. Il faudrait juste qu'ils agissent autrement. Je ne suis pas meilleur qu'un autre, et je ne cherche pas à persuader les gens de vivre selon l'idée que je me fais de ce qui est bien ou pas. J'essaie juste de les inciter à vivre selon la propre idée qu'ils en ont.

*Ma mère avait du sang indien. Je ressens toujours ce besoin qu'ont les Indiens de s'excuser dans certaines situations. À l'automne, pendant que les gens remercient Dieu *, moi je m'excuse. Je déteste les voir dans le camion qui va les conduire à l'abattoir. Elles me regardent comme pour me dire : « Sors-moi de là. » Tuer est... c'est très... Parfois je cherche à me justifier en me disant qu'au moins j'essaie de rendre ça le moins pénible possible pour les animaux dont j'ai la responsabilité. C'est comme si... elles me regardent et je leur dis : « Je vous en prie, pardonnez-moi. » Je ne peux pas m'en empêcher. Je personnalise la chose. Les animaux, c'est difficile. Ce soir je vais faire un tour pour récupérer les dindes qui ont sauté la barrière. Elles sont habituées à moi, elles me connaissent et quand je sors les appeler, elles accourent aussitôt, je leur ouvre la porte et elles rentrent. Mais en même temps, j'en charge des milliers sur des camions pour les envoyer à l'abattoir.*

* En fêtant Thanksgiving.

Les gens se focalisent sur la dernière seconde de vie. Je voudrais qu'ils s'intéressent à l'existence entière des animaux. Si je devais choisir entre savoir qu'au bout du compte on va me trancher la gorge et que ça risque de durer trois minutes, mais qu'avant je devrai vivre six semaines dans la douleur, je demanderais sûrement qu'on m'égorge six semaines plus tôt. Les gens ne voient que la mise à mort. Ils se disent : « Qu'est-ce que ça peut bien faire si un animal ne peut pas marcher ni bouger, puisque, de toute façon, on finira par le tuer ? » S'il s'agissait de votre enfant, voudriez-vous qu'il souffre trois ans, trois mois, trois semaines, trois heures, trois minutes ? Un poussin n'est pas un bébé humain, mais il souffre. Je n'ai jamais rencontré personne dans le milieu de l'élevage – qu'il soit directeur, vétérinaire, employé, n'importe quoi – qui doute que les animaux ressentent la douleur. Alors quel degré de souffrance est acceptable ? C'est ce qui est à la base de tout cela, la question que chacun doit se poser. Quelle quantité de souffrance suis-je prêt à tolérer pour ma nourriture ?

Mon neveu et sa femme ont eu un bébé, et dès sa naissance on les a informés qu'il ne vivrait pas. Ils sont très religieux. Ils ont pu tenir leur petite fille entre leurs bras pendant vingt minutes. Pendant vingt minutes elle a vécu, elle ne souffrait pas, et elle faisait partie de leur vie. Et ils ont dit qu'ils n'auraient échangé ces vingt minutes contre rien au monde. Ils ont remercié le Seigneur de l'avoir fait vivre, même si ce n'était que pendant vingt minutes. Vous voyez ce que je veux dire ?

Influence / Mutisme / Influence / Mutisme / Influence / Mu-
tisme / Influence / Mutisme / Influence / Mutisme / In-
fluence / Mutisme / Influence / Mutisme / Influence / Mu-
tisme / Influence / Mutisme / Influence / Mutisme / In-
fluence / Mutisme / Influence / Mutisme / Influence / Mu-
tisme / Influence / Mutisme / Influence / Mutisme / In-
fluence / Mutisme / Influence / Mutisme / Influence / Mu-
tisme / Influence / Mutisme / Influence / Mutisme / In-
fluence / Mutisme / Influence / Mutisme / Influence / Mu-
tisme / Influence / Mutisme / Influence / Mutisme / In-
fluence / Mutisme / Influence / Mutisme / Influence / Mu-
tisme / Influence / Mutisme / Influence / Mutisme / In-
fluence / Mutisme / Influence / Mutisme / Influence / Mu-
tisme / Influence / Mutisme / Influence / Mutisme / In-
fluence / Mutisme / Influence / Mutisme / Influence / Mu-
tisme / Influence / Mutisme / Influence / Mutisme / In-
fluence / Mutisme / Influence / Mutisme / Influence / Mu-
tisme / Influence / Mutisme / Influence / Mutisme / In-
fluence / Mutisme / Influence / Mutisme / Influence / Mu-
tisme / Influence / Mutisme / Influence / Mutisme / In-
fluence / Mutisme / Influence / Mutisme / Influence / Mu-
tisme / Influence / Mutisme / Influence / Mutisme / In-
fluence / Mutisme / Influence / Mutisme / Influence / Mu-
tisme / Influence / Mutisme / Influence / Mutisme / In-
fluence / Mutisme / Influence / Mutisme / Influence / Mu-
tisme / Influence / Mutisme / Influence / Mutisme / In-
fluence / Mutisme / Influence / Mutisme / Influence / Mu-
tisme / Influence / Mutisme / Influence / Mutisme / In-
fluence / Mutisme / Influence / Mutisme / Influence / Mu-
tisme / Influence / Mutisme / Influence / Mutisme / In-
fluence / Mutisme / Influence / Mutisme / Influence / Mu-
tisme / Influence / Mutisme / Influence / Mutisme / In-
fluence / Mutisme / Influence / Mutisme / Influence / Mu-
tisme / Influence / Mutisme / Influence / Mutisme / In-
fluence / Mutisme / Influence / Mutisme / Influence / Mu-
tisme / Influence / Mutisme / Influence / Mutisme / In-
fluence / Mutisme / Influence / Mutisme / Influence / Mu-
tisme / Influence / Mutisme / Influence / Mutisme / In-
fluence / Mutisme / Influence / Mutisme / Influence / Mu-
tisme / Influence / Mutisme / Influence / Mutisme / In-
fluence / Mutisme / Influence / Mutisme / Influence / Mu-
tisme / Influence / Mutisme / Influence / Mutisme / In-
fluence / Mutisme / Influence / Mutisme / Influence / Mu-
tisme / Influence / Mutisme / Influence / Mutisme / In-
fluence / Mutisme / Influence / Mutisme / Influence / Mu-
tisme / Influence / Mutisme / Influence / Mutisme / In-

fluence / Mutisme / Influence / Mutisme / Influence / Mu-
tisme / Influence / Mutisme / Influence / Mutisme / In-
fluence / Mutisme / Influence / Mutisme / Influence / Mu-
tisme / Influence / Mutisme / Influence / Mutisme / In-
fluence / Mutisme / Influence / Mutisme / Influence / Mu-
tisme / Influence / Mutisme / Influence / Mutisme / In-
fluence / Mutisme / Influence / Mutisme / Influence / Mu-
tisme / Influence / Mutisme / Influence / Mutisme / In-
fluence / Mutisme / Influence / Mutisme / Influence / Mu-
tisme / Influence / Mutisme / Influence / Mutisme / In-
fluence / Mutisme / Influence / Mutisme / Influence / Mu-
tisme / Influence / Mutisme / Influence / Mutisme / In-
fluence / Mutisme / Influence / Mutisme / Influence / Mu-
tisme / Influence / Mutisme / Influence / Mutisme / In-
fluence / Mutisme / Influence / Mutisme / Influence / Mu-
tisme / Influence / Mutisme / Influence / Mutisme / In-
fluence / Mutisme / Influence / Mutisme / Influence / Mu-
tisme / Influence / Mutisme / Influence / Mutisme / In-
fluence / Mutisme / Influence / Mutisme / Influence / Mu-
tisme / Influence / Mutisme / Influence / Mutisme / In-
fluence / Mutisme / Influence / Mutisme / Influence / Mu-
tisme / Influence / Mutisme / Influence / Mutisme / In-
fluence / Mutisme / Influence / Mutisme / Influence / Mu-
tisme / Influence / Mutisme / Influence / Mutisme / In-
fluence / Mutisme / Influence / Mutisme / Influence / Mu-
tisme / Influence / Mutisme / Influence / Mutisme / In-
fluence / Mutisme / Influence / Mutisme / Influence / Mu-
tisme / Influence / Mutisme / Influence / Mutisme / In-
fluence / Mutisme / Influence / Mutisme / Influence / Mu-
tisme / Influence / Mutisme / Influence / Mutisme / In-
fluence / Mutisme / Influence / Mutisme / Influence / Mu-
tisme / Influence / Mutisme / Influence / Mutisme / In-
fluence / Mutisme / Influence / Mutisme / Influence / Mu-
tisme / Influence / Mutisme / Influence / Mutisme / In-
fluence / Mutisme / Influence / Mutisme / Influence / Mu-
tisme / Influence / Mutisme / Influence / Mutisme / In-
fluence / Mutisme / Influence / Mutisme / Influence / Mu-
tisme / Influence / Mutisme / Influence / Mutisme / In-
fluence / Mutisme / Influence / Mutisme / Influence / Mu-
tisme / Influence / Mutisme / Influence / Mutisme / In-
fluence / Mutisme / Influence / Mutisme / Influence / Mu-
tisme / Influence / Mutisme / Influence / Mutisme / In-
fluence / Mutisme / Influence / Mutisme / Influence / Mu-
tisme / Influence / Mutisme / Influence / Mutisme / In-
fluence / Mutisme / Influence / Mutisme / Influence / Mu-
tisme / Influence / Mutisme / Influence / Mutisme / In-

fluence / Mutisme / Influence / Mutisme / Influence / Mu-
tisme / Influence / Mutisme / Influence / Mutisme / In-
fluence / Mutisme / Influence / Mutisme / Influence / Mu-
tisme / Influence / Mutisme / Influence / Mutisme / In-
fluence / Mutisme / Influence / Mutisme / Influence / Mu-
tisme / Influence / Mutisme / Influence / Mutisme / In-
fluence / Mutisme / Influence / Mutisme / Influence / Mu-
tisme / Influence / Mutisme / Influence / Mutisme / In-
fluence / Mutisme / Influence / Mutisme / Influence / Mu-
tisme / Influence / Mutisme / Influence / Mutisme / In-
fluence / Mutisme / Influence / Mutisme / Influence / Mu-
tisme / Influence / Mutisme / Influence / Mutisme / In-
fluence / Mutisme / Influence / Mutisme / Influence / Mu-
tisme / Influence / Mutisme / Influence / Mutisme / In-
fluence / Mutisme / Influence / Mutisme / Influence / Mu-
tisme / Influence / Mutisme / Influence / Mutisme / In-
fluence / Mutisme / Influence / Mutisme / Influence / Mu-
tisme / Influence / Mutisme / Influence / Mutisme / In-
fluence / Mutisme / Influence / Mutisme / Influence / Mu-
tisme / Influence / Mutisme / Influence / Mutisme / In-
fluence / Mutisme / Influence / Mutisme / Influence / Mu-
tisme / Influence / Mutisme / Influence / Mutisme / In-
fluence / Mutisme / Influence / Mutisme / Influence / Mu-
tisme / Influence / Mutisme / Influence / Mutisme / In-
fluence / Mutisme / Influence / Mutisme / Influence / Mu-
tisme / Influence / Mutisme / Influence / Mutisme / In-
fluence / Mutisme / Influence / Mutisme / Influence / Mu-
tisme / Influence / Mutisme / Influence / Mutisme / In-
fluence / Mutisme / Influence / Mutisme / Influence / Mu-
tisme / Influence / Mutisme / Influence / Mutisme / In-
fluence / Mutisme / Influence / Mutisme / Influence / Mu-
tisme / Influence / Mutisme / Influence / Mutisme / In-
fluence / Mutisme / Influence / Mutisme / Influence / Mu-
tisme / Influence / Mutisme / Influence / Mutisme / In-
fluence / Mutisme / Influence / Mutisme / Influence / Mu-
tisme / Influence / Mutisme / Influence / Mutisme / In-
fluence / Mutisme / Influence / Mutisme / Influence / Mu-
tisme / Influence / Mutisme / Influence / Mutisme / In-
fluence / Mutisme / Influence / Mutisme / Influence / Mu-
tisme / Influence / Mutisme / Influence / Mutisme / In-
fluence / Mutisme / Influence / Mutisme / Influence / Mu-
tisme / Influence / Mutisme / Influence / Mutisme / In-
fluence / Mutisme / Influence / Mutisme / Influence / Mu-
tisme / Influence / Mutisme / Influence / Mutisme / In-
fluence / Mutisme / Influence / Mutisme / Influence / Mu-
tisme / Influence / Mutisme / Influence / Mutisme / In-

fluence / Mutisme / Influence / Mutisme / Influence / Mu-
tisme / Influence / Mutisme / Influence / Mutisme / In-
fluence / Mutisme / Influence / Mutisme / Influence / Mu-
tisme / Influence / Mutisme / Influence / Mutisme / In-
fluence / Mutisme / Influence / Mutisme / Influence / Mu-
tisme / Influence / Mutisme / Influence / Mutisme / In-
fluence / Mutisme / Influence / Mutisme / Influence / Mu-
tisme / Influence / Mutisme / Influence / Mutisme / In-
fluence / Mutisme / Influence / Mutisme / Influence / Mu-
tisme / Influence / Mutisme / Influence / Mutisme / In-
fluence / Mutisme / Influence / Mutisme / Influence / Mu-
tisme / Influence / Mutisme / Influence / Mutisme / In-
fluence / Mutisme / Influence / Mutisme / Influence / Mu-
tisme / Influence / Mutisme / Influence / Mutisme / In-
fluence / Mutisme / Influence / Mutisme / Influence / Mu-
tisme / Influence / Mutisme / Influence / Mutisme / In-
fluence / Mutisme / Influence / Mutisme / Influence / Mu-
tisme / Influence / Mutisme / Influence / Mutisme / In-
fluence / Mutisme / Influence / Mutisme / Influence / Mu-
tisme / Influence / Mutisme / Influence / Mutisme / In-
fluence / Mutisme / Influence / Mutisme / Influence / Mu-
tisme / Influence / Mutisme / Influence / Mutisme / In-
fluence / Mutisme / Influence / Mutisme / Influence / Mu-
tisme / Influence / Mutisme / Influence / Mutisme / In-
fluence / Mutisme / Influence / Mutisme / Influence / Mu-
tisme / Influence / Mutisme / Influence / Mutisme / In-
fluence / Mutisme / Influence / Mutisme / Influence / Mu-
tisme / Influence / Mutisme / Influence / Mutisme / In-
fluence / Mutisme / Influence / Mutisme / Influence / Mu-
tisme / Influence / Mutisme / Influence / Mutisme / In-
fluence / Mutisme / Influence / Mutisme / Influence / Mu-
tisme / Influence / Mutisme / Influence / Mutisme / In-
fluence / Mutisme / Influence / Mutisme / Influence / Mu-
tisme / Influence / Mutisme / Influence / Mutisme / In-
fluence / Mutisme / Influence / Mutisme / Influence / Mu-
tisme / Influence / Mutisme / Influence / Mutisme / In-
fluence / Mutisme / Influence / Mutisme / Influence / Mu-
tisme / Influence / Mutisme / Influence / Mutisme / In-
fluence / Mutisme / Influence / Mutisme / Influence / Mu-
tisme / Influence / Mutisme / Influence / Mutisme / In-
fluence / Mutisme / Influence / Mutisme / Influence / Mu-
tisme / Influence / Mutisme / Influence / Mutisme / In-
fluence / Mutisme / Influence / Mutisme / Influence / Mu-
tisme / Influence / Mutisme / Influence / Mutisme / In-
fluence / Mutisme / Influence / Mutisme / Influence / Mu-
tisme / Influence / Mutisme / Influence / Mutisme / In-

fluence / Mutisme / Influence / Mutisme / Influence / Mu-
tisme / Influence / Mutisme / Influence / Mutisme / In-
fluence / Mutisme / Influence / Mutisme / Influence / Mu-
tisme / Influence / Mutisme / Influence / Mutisme / In-
fluence / Mutisme / Influence / Mutisme / Influence / Mu-
tisme / Influence / Mutisme / Influence / Mutisme / In-
fluence / Mutisme / Influence / Mutisme / Influence / Mu-
tisme / Influence / Mutisme / Influence / Mutisme / In-
fluence / Mutisme / Influence / Mutisme / Influence / Mu-
tisme / Influence / Mutisme / Influence / Mutisme / In-
fluence / Mutisme / Influence / Mutisme / Influence / Mu-
tisme / Influence / Mutisme / Influence / Mutisme / In-
fluence / Mutisme / Influence / Mutisme / Influence / Mu-
tisme / Influence / Mutisme / Influence / Mutisme / In-
fluence / Mutisme / Influence / Mutisme / Influence / Mu-
tisme / Influence / Mutisme / Influence / Mutisme / In-
fluence / Mutisme / Influence / Mutisme / Influence / Mu-
tisme / Influence / Mutisme / Influence / Mutisme / In-
fluence / Mutisme / Influence / Mutisme / Influence / Mu-
tisme / Influence / Mutisme / Influence / Mutisme / In-
fluence / Mutisme / Influence / Mutisme / Influence / Mu-
tisme / Influence / Mutisme / Influence / Mutisme / In-
fluence / Mutisme / Influence / Mutisme / Influence / Mu-
tisme / Influence / Mutisme / Influence / Mutisme / In-
fluence / Mutisme / Influence / Mutisme / Influence / Mu-
tisme / Influence / Mutisme / Influence / Mutisme / In-
fluence / Mutisme / Influence / Mutisme / Influence / Mu-
tisme / Influence / Mutisme / Influence / Mutisme / In-
fluence / Mutisme / Influence / Mutisme / Influence / Mu-
tisme / Influence / Mutisme / Influence / Mutisme / In-
fluence / Mutisme / Influence / Mutisme / Influence / Mu-
tisme / Influence / Mutisme / Influence / Mutisme / In-
fluence / Mutisme / Influence / Mutisme / Influence / Mu-
tisme / Influence / Mutisme / Influence / Mutisme / In-
fluence / Mutisme / Influence / Mutisme / Influence / Mu-
tisme / Influence / Mutisme / Influence / Mutisme / In-
fluence / Mutisme / Influence / Mutisme / Influence / Mu-
tisme / Influence / Mutisme / Influence / Mutisme / In-
fluence / Mutisme / Influence / Mutisme / Influence / Mu-
tisme / Influence / Mutisme / Influence / Mutisme / In-
fluence / Mutisme / Influence / Mutisme / Influence / Mu-
tisme / Influence / Mutisme / Influence / Mutisme / In-
fluence / Mutisme / Influence / Mutisme / Influence / Mu-
tisme / Influence / Mutisme / Influence / Mutisme / In-
fluence / Mutisme / Influence / Mutisme / Influence / Mu-
tisme / Influence / Mutisme / Influence / Mutisme / In-

fluence / Mutisme / Influence / Mutisme / Influence / Mu-
tisme / Influence / Mutisme / Influence / Mutisme / In-
fluence / Mutisme / Influence / Mutisme / Influence / Mu-
tisme / Influence / Mutisme / Influence / Mutisme / In-
fluence / Mutisme / Influence / Mutisme / Influence / Mu-
tisme / Influence / Mutisme / Influence / Mutisme / In-
fluence / Mutisme / Influence / Mutisme / Influence / Mu-
tisme / Influence / Mutisme / Influence / Mutisme / In-
fluence / Mutisme / Influence / Mutisme / Influence / Mu-
tisme / Influence / Mutisme / Influence / Mutisme / In-
fluence / Mutisme / Influence / Mutisme / Influence / Mu-
tisme / Influence / Mutisme / Influence / Mutisme / In-
fluence / Mutisme / Influence / Mutisme / Influence / Mu-
tisme / Influence / Mutisme / Influence / Mutisme / In-
fluence / Mutisme / Influence / Mutisme / Influence / Mu-
tisme / Influence / Mutisme / Influence / Mutisme / In-
fluence / Mutisme / Influence / Mutisme / Influence / Mu-
tisme / Influence / Mutisme / Influence / Mutisme / In-
fluence / Mutisme / Influence / Mutisme / Influence / Mu-
tisme / Influence / Mutisme / Influence / Mutisme / In-
fluence / Mutisme / Influence / Mutisme / Influence / Mu-
tisme / Influence / Mutisme / Influence / Mutisme / In-
fluence / Mutisme / Influence / Mutisme / Influence / Mu-
tisme / Influence / Mutisme / Influence / Mutisme / In-
fluence / Mutisme / Influence / Mutisme / Influence / Mu-
tisme / Influence / Mutisme / Influence / Mutisme / In-
fluence / Mutisme / Influence / Mutisme / Influence / Mu-
tisme / Influence / Mutisme / Influence / Mutisme / In-
fluence / Mutisme / Influence / Mutisme / Influence / Mu-
tisme / Influence / Mutisme / Influence / Mutisme / In-
fluence / Mutisme / Influence / Mutisme / Influence / Mu-
tisme / Influence / Mutisme / Influence / Mutisme / In-
fluence / Mutisme / Influence / Mutisme / Influence / Mu-
tisme / Influence / Mutisme / Influence / Mutisme / In-
fluence / Mutisme / Influence / Mutisme / Influence / Mu-
tisme / Influence / Mutisme / Influence / Mutisme / In-
fluence / Mutisme / Influence / Mutisme / Influence / Mu-
tisme / Influence / Mutisme / Influence / Mutisme / In-
fluence / Mutisme / Influence / Mutisme / Influence / Mu-
tisme / Influence / Mutisme / Influence / Mutisme / In-
fluence / Mutisme / Influence / Mutisme / Influence / Mu-
tisme / Influence / Mutisme / Influence / Mutisme / In-
fluence / Mutisme / Influence / Mutisme / Influence / Mu-
tisme / Influence / Mutisme / Influence / Mutisme / In-
fluence / Mutisme / Influence / Mutisme / Influence / Mu-
tisme / Influence / Mutisme / Influence / Mutisme / In-

fluence / Mutisme / Influence / Mutisme / Influence / Mu-
tisme / Influence / Mutisme / Influence / Mutisme / In-
fluence / Mutisme / Influence / Mutisme / Influence / Mu-
tisme / Influence / Mutisme / Influence / Mutisme / In-
fluence / Mutisme / Influence / Mutisme / Influence / Mu-
tisme / Influence / Mutisme / Influence / Mutisme / In-
fluence / Mutisme / Influence / Mutisme / Influence / Mu-
tisme / Influence / Mutisme / Influence / Mutisme / In-
fluence / Mutisme / Influence / Mutisme / Influence / Mu-
tisme / Influence / Mutisme / Influence / Mutisme / In-
fluence / Mutisme / Influence / Mutisme / Influence / Mu-
tisme / Influence / Mutisme / Influence / Mutisme / In-
fluence / Mutisme / Influence / Mutisme / Influence / Mu-
tisme / Influence / Mutisme / Influence / Mutisme / In-
fluence / Mutisme / Influence / Mutisme / Influence / Mu-
tisme / Influence / Mutisme / Influence / Mutisme / In-
fluence / Mutisme / Influence / Mutisme / Influence / Mu-
tisme / Influence / Mutisme / Influence / Mutisme / In-
fluence / Mutisme / Influence / Mutisme / Influence / Mu-
tisme / Influence / Mutisme / Influence / Mutisme / In-
fluence / Mutisme / Influence / Mutisme / Influence / Mu-
tisme / Influence / Mutisme / Influence / Mutisme / In-
fluence / Mutisme / Influence / Mutisme / Influence / Mu-
tisme / Influence / Mutisme / Influence / Mutisme / In-
fluence / Mutisme / Influence / Mutisme / Influence / Mu-
tisme / Influence / Mutisme / Influence / Mutisme / In-
fluence / Mutisme / Influence / Mutisme / Influence / Mu-
tisme / Influence / Mutisme / Influence / Mutisme / In-
fluence / Mutisme / Influence / Mutisme / Influence / Mu-
tisme / Influence / Mutisme / Influence / Mutisme / In-
fluence / Mutisme / Influence / Mutisme / Influence / Mu-
tisme / Influence / Mutisme / Influence / Mutisme / In-
fluence / Mutisme / Influence / Mutisme / Influence / Mu-
tisme / Influence / Mutisme / Influence / Mutisme / In-
fluence / Mutisme / Influence / Mutisme / Influence / Mu-
tisme / Influence / Mutisme / Influence / Mutisme / In-
fluence / Mutisme / Influence / Mutisme / Influence / Mu-
tisme / Influence / Mutisme / Influence / Mutisme / In-
fluence / Mutisme / Influence / Mutisme / Influence / Mu-
tisme / Influence / Mutisme / Influence / Mutisme / In-
fluence / Mutisme / Influence / Mutisme / Influence / Mu-
tisme / Influence / Mutisme / Influence / Mutisme / In-
fluence / Mutisme / Influence / Mutisme / Influence / Mu-
tisme / Influence / Mutisme / Influence / Mutisme / In-
fluence / Mutisme / Influence / Mutisme / Influence / Mu-
tisme / Influence / Mutisme / Influence / Mutisme / In-

fluence / Mutisme / Influence / Mutisme / Influence / Mu-
tisme / Influence / Mutisme / Influence / Mutisme / In-
fluence / Mutisme / Influence / Mutisme / Influence / Mu-
tisme / Influence / Mutisme / Influence / Mutisme / In-
fluence / Mutisme / Influence / Mutisme / Influence / Mu-
tisme / Influence / Mutisme / Influence / Mutisme / In-
fluence / Mutisme / Influence / Mutisme / Influence / Mu-
tisme / Influence / Mutisme / Influence / Mutisme / In-
fluence / Mutisme / Influence / Mutisme / Influence / Mu-
tisme / Influence / Mutisme / Influence / Mutisme / In-
fluence / Mutisme / Influence / Mutisme / Influence / Mu-
tisme / Influence / Mutisme / Influence / Mutisme / In-
fluence / Mutisme / Influence / Mutisme / Influence / Mu-
tisme / Influence / Mutisme / Influence / Mutisme / In-
fluence / Mutisme / Influence / Mutisme / Influence / Mu-
tisme / Influence / Mutisme / Influence / Mutisme / In-
fluence / Mutisme / Influence / Mutisme / Influence / Mu-
tisme / Influence / Mutisme / Influence / Mutisme / In-
fluence / Mutisme / Influence / Mutisme / Influence / Mu-
tisme / Influence / Mutisme / Influence / Mutisme / In-
fluence / Mutisme / Influence / Mutisme / Influence / Mu-
tisme / Influence / Mutisme / Influence / Mutisme / In-
fluence / Mutisme / Influence / Mutisme / Influence / Mu-
tisme / Influence / Mutisme / Influence / Mutisme / In-
fluence / Mutisme / Influence / Mutisme / Influence / Mu-
tisme / Influence / Mutisme / Influence / Mutisme / In-
fluence / Mutisme / Influence / Mutisme / Influence / Mu-
tisme / Influence / Mutisme / Influence / Mutisme / In-
fluence / Mutisme / Influence / Mutisme / Influence / Mu-
tisme / Influence / Mutisme / Influence / Mutisme / In-
fluence / Mutisme / Influence / Mutisme / Influence / Mu-
tisme / Influence / Mutisme / Influence / Mutisme / In-
fluence / Mutisme / Influence / Mutisme / Influence / Mu-
tisme / Influence / Mutisme / Influence / Mutisme / In-
fluence / Mutisme / Influence / Mutisme / Influence / Mu-
tisme / Influence / Mutisme / Influence / Mutisme / In-
fluence / Mutisme / Influence / Mutisme / Influence / Mu-
tisme / Influence / Mutisme / Influence / Mutisme / In-
fluence / Mutisme / Influence / Mutisme / Influence / Mu-
tisme / Influence / Mutisme / Influence / Mutisme / In-
fluence / Mutisme / Influence / Mutisme / Influence / Mu-
tisme / Influence / Mutisme / Influence / Mutisme / In-
fluence / Mutisme / Influence / Mutisme / Influence / Mu-
tisme / Influence / Mutisme / Influence / Mutisme / In-
fluence / Mutisme / Influence / Mutisme / Influence / Mu-
tisme / Influence / Mutisme / Influence / Mutisme / In-

fluence / Mutisme / Influence / Mutisme / Influence / Mu-
tisme / Influence / Mutisme / Influence / Mutisme / In-
fluence / Mutisme / Influence / Mutisme / Influence / Mu-
tisme / Influence / Mutisme / Influence / Mutisme / In-
fluence / Mutisme / Influence / Mutisme / Influence / Mu-
tisme / Influence / Mutisme / Influence / Mutisme / In-
fluence / Mutisme / Influence / Mutisme / Influence / Mu-
tisme / Influence / Mutisme / Influence / Mutisme / In-
fluence / Mutisme / Influence / Mutisme / Influence / Mu-
tisme / Influence / Mutisme / Influence / Mutisme / In-
fluence / Mutisme / Influence / Mutisme / Influence / Mu-
tisme / Influence / Mutisme / Influence / Mutisme / In-
fluence / Mutisme / Influence / Mutisme / Influence / Mu-
tisme / Influence / Mutisme / Influence / Mutisme / In-
fluence / Mutisme / Influence / Mutisme / Influence / Mu-
tisme / Influence / Mutisme / Influence / Mutisme / In-
fluence / Mutisme / Influence / Mutisme / Influence / Mu-
tisme / Influence / Mutisme / Influence / Mutisme / In-
fluence / Mutisme / Influence / Mutisme / Influence / Mu-
tisme / Influence / Mutisme / Influence / Mutisme / In-
fluence / Mutisme / Influence / Mutisme / Influence / Mu-
tisme / Influence / Mutisme / Influence / Mutisme / In-
fluence / Mutisme / Influence / Mutisme / Influence / Mu-
tisme / Influence / Mutisme / Influence / Mutisme / In-
fluence / Mutisme / Influence / Mutisme / Influence / Mu-
tisme / Influence / Mutisme / Influence / Mutisme / In-
fluence / Mutisme / Influence / Mutisme / Influence / Mu-
tisme / Influence / Mutisme / Influence / Mutisme / In-
fluence / Mutisme / Influence / Mutisme / Influence / Mu-
tisme / Influence / Mutisme / Influence / Mutisme / In-
fluence / Mutisme / Influence / Mutisme / Influence / Mu-
tisme / Influence / Mutisme / Influence / Mutisme / In-
fluence / Mutisme / Influence / Mutisme / Influence / Mu-
tisme / Influence / Mutisme / Influence / Mutisme / In-
fluence / Mutisme / Influence / Mutisme / Influence / Mu-
tisme / Influence / Mutisme / Influence / Mutisme / In-
fluence / Mutisme / Influence / Mutisme / Influence / Mu-
tisme / Influence / Mutisme / Influence / Mutisme / In-
fluence / Mutisme / Influence / Mutisme / Influence / Mu-
tisme / Influence / Mutisme / Influence / Mutisme / In-
fluence / Mutisme / Influence / Mutisme / Influence / Mu-
tisme / Influence / Mutisme / Influence / Mutisme / In-
fluence / Mutisme / Influence / Mutisme / Influence / Mu-
tisme / Influence / Mutisme / Influence / Mutisme / In-
fluence / Mutisme / Influence / Mutisme / Influence / Mu-
tisme / Influence / Mutisme / Influence / Mutisme / In-

fluence / Mutisme / Influence / Mutisme / Influence / Mu-
tisme / Influence / Mutisme / Influence / Mutisme / In-
fluence / Mutisme / Influence / Mutisme / Influence / Mu-
tisme / Influence / Mutisme / Influence / Mutisme / In-
fluence / Mutisme / Influence / Mutisme / Influence / Mu-
tisme / Influence / Mutisme / Influence / Mutisme / In-
fluence / Mutisme / Influence / Mutisme / Influence / Mu-
tisme / Influence / Mutisme / Influence / Mutisme / In-
fluence / Mutisme / Influence / Mutisme / Influence / Mu-
tisme / Influence / Mutisme / Influence / Mutisme / In-
fluence / Mutisme / Influence / Mutisme / Influence / Mu-
tisme / Influence / Mutisme / Influence / Mutisme / In-
fluence / Mutisme / Influence / Mutisme / Influence / Mu-
tisme / Influence / Mutisme / Influence / Mutisme / In-
fluence / Mutisme / Influence / Mutisme / Influence / Mu-
tisme / Influence / Mutisme / Influence / Mutisme / In-
fluence / Mutisme / Influence / Mutisme / Influence / Mu-
tisme / Influence / Mutisme / Influence / Mutisme / In-
fluence / Mutisme / Influence / Mutisme / Influence / Mu-
tisme / Influence / Mutisme / Influence / Mutisme / In-
fluence / Mutisme / Influence / Mutisme / Influence / Mu-
tisme / Influence / Mutisme / Influence / Mutisme / In-
fluence / Mutisme / Influence / Mutisme / Influence / Mu-
tisme / Influence / Mutisme / Influence / Mutisme / In-
fluence / Mutisme / Influence / Mutisme / Influence / Mu-
tisme / Influence / Mutisme / Influence / Mutisme / In-
fluence / Mutisme / Influence / Mutisme / Influence / Mu-
tisme / Influence / Mutisme / Influence / Mutisme / In-
fluence / Mutisme / Influence / Mutisme / Influence / Mu-
tisme / Influence / Mutisme / Influence / Mutisme / In-
fluence / Mutisme / Influence / Mutisme / Influence / Mu-
tisme / Influence / Mutisme / Influence / Mutisme / In-
fluence / Mutisme / Influence / Mutisme / Influence / Mu-
tisme / Influence / Mutisme / Influence / Mutisme / In-
fluence / Mutisme / Influence / Mutisme / Influence / Mu-
tisme / Influence / Mutisme / Influence / Mutisme / In-
fluence / Mutisme / Influence / Mutisme / Influence / Mu-
tisme / Influence / Mutisme / Influence / Mutisme / In-
fluence / Mutisme / Influence / Mutisme / Influence / Mu-
tisme / Influence / Mutisme / Influence / Mutisme / In-
fluence / Mutisme / Influence / Mutisme / Influence / Mu-
tisme / Influence / Mutisme / Influence / Mutisme / In-
fluence / Mutisme / Influence / Mutisme / Influence / Mu-
tisme / Influence / Mutisme / Influence / Mutisme / In-
fluence / Mutisme / Influence / Mutisme / Influence / Mu-
tisme / Influence / Mutisme / Influence / Mutisme / In-
fluence / Mutisme / Influence / Mutisme / Influence / Mu-
tisme / Influence / Mutisme / Influence / Mutisme / In-

fluence / Mutisme / Influence / Mutisme / Influence / Mu-
tisme / Influence / Mutisme / Influence / Mutisme / In-
fluence / Mutisme / Influence / Mutisme / Influence / Mu-
tisme / Influence / Mutisme / Influence / Mutisme / In-
fluence / Mutisme / Influence / Mutisme / Influence / Mu-
tisme / Influence / Mutisme / Influence / Mutisme / In-
fluence / Mutisme / Influence / Mutisme / Influence / Mu-
tisme / Influence / Mutisme / Influence / Mutisme / In-
fluence / Mutisme / Influence / Mutisme / Influence / Mu-
tisme / Influence / Mutisme / Influence / Mutisme / In-
fluence / Mutisme / Influence / Mutisme / Influence / Mu-
tisme / Influence / Mutisme / Influence / Mutisme / In-
fluence / Mutisme / Influence / Mutisme / Influence / Mu-
tisme / Influence / Mutisme / Influence / Mutisme / In-
fluence / Mutisme / Influence / Mutisme / Influence / Mu-
tisme / Influence / Mutisme / Influence / Mutisme / In-
fluence / Mutisme / Influence / Mutisme / Influence / Mu-
tisme / Influence / Mutisme / Influence / Mutisme / In-
fluence / Mutisme / Influence / Mutisme / Influence / Mu-
tisme / Influence / Mutisme / Influence / Mutisme / In-
fluence / Mutisme / Influence / Mutisme / Influence / Mu-
tisme / Influence / Mutisme / Influence / Mutisme / In-
fluence / Mutisme / Influence / Mutisme / Influence / Mu-
tisme / Influence / Mutisme / Influence / Mutisme / In-
fluence / Mutisme / Influence / Mutisme / Influence / Mu-
tisme / Influence / Mutisme / Influence / Mutisme / In-
fluence / Mutisme / Influence / Mutisme / Influence / Mu-
tisme / Influence / Mutisme / Influence / Mutisme / In-
fluence / Mutisme / Influence / Mutisme / Influence / Mu-
tisme / Influence / Mutisme / Influence / Mutisme / In-
fluence / Mutisme / Influence / Mutisme / Influence / Mu-
tisme / Influence / Mutisme / Influence / Mutisme / In-
fluence / Mutisme / Influence / Mutisme / Influence / Mu-
tisme / Influence / Mutisme / Influence / Mutisme / In-
fluence / Mutisme / Influence / Mutisme / Influence / Mu-
tisme / Influence / Mutisme / Influence / Mutisme / In-
fluence / Mutisme / Influence / Mutisme / Influence / Mu-
tisme / Influence / Mutisme / Influence / Mutisme / In-
fluence / Mutisme / Influence / Mutisme / Influence / Mu-
tisme / Influence / Mutisme / Influence / Mutisme / In-
fluence / Mutisme / Influence / Mutisme / Influence / Mu-
tisme / Influence / Mutisme / Influence / Mutisme / In-
fluence / Mutisme / Influence / Mutisme / Influence / Mu-
tisme / Influence / Mutisme / Influence / Mutisme / In-
fluence / Mutisme / Influence / Mutisme / Influence / Mu-
tisme / Influence / Mutisme / Influence / Mutisme / In-

**fluence / Mutisme / Influence / Mutisme / Influence / Mu-
tisme / Influence / Mutisme / Influence / Mutisme / In-
fluence / Mutisme / Influence / Mutisme / Influence / Mu-
tisme / Influence / Mutisme / Influence / Mutisme / In-
fluence / Mutisme / Influence / Mutisme / Influence / Mu-
tisme / Influence / Mutisme / Influence / Mutisme / In-
fluence / Mutisme / Influence / Mutisme / Influence / Mu-
tisme / Influence / Mutisme / Influence / Mutisme / In-
fluence / Mutisme / Influence / Mutisme / Influence / Mu-
tisme / Influence / Mutisme / Influence / Mutisme / In-
fluence / Mutisme / Influence / Mutisme / Influence / Mu-
tisme / Influence / Mutisme / Influence / Mutisme / In-
fluence / Mutisme / Influence / Mutisme / Influence / Mu-
tisme / Influence / Mutisme / Influence / Mutisme / In-
fluence / Mutisme / Influence / Mutisme / Influence / Mu-
tisme / Influence / Mutisme / Influence / Mutisme / In-
fluence / Mutisme / Influence / Mutisme / Influence / Mu-
tisme / Influence / Mutisme / Influence / Mutisme / In-
fluence / Mutisme / Influence / Mutisme / Influence / Mu-
fluence / Mutisme / Influence / Mutisme / Influence / Mu-
tisme / Influence / Mutisme / Influence / Mutisme / In-
fluence / Mutisme / Influence / Mutisme / Influence / Mu-
tisme / Influence / Mutisme / Influence / Mutisme / In-
fluence / Mutisme / Influence / Mutisme / Influence / Mu-
tisme / Influence / Mutisme / Influence / Mutisme / In-
fluence / Mutisme / Influence / Mutisme / Influence / Mu-
tisme / Influence / Mutisme / Influence / Mutisme / In-
fluence / Mutisme / Influence / Mutisme / Influence / Mu-
tisme / Influence / Mutisme / Influence / Mutisme / In-
fluence / Mutisme / Influence / Mutisme / Influence / Mu-
tisme / Influence / Mutisme / Influence / Mutisme / In-
fluence / Mutisme / Influence / Mutisme / Influence / Mu-
tisme / Influence / Mutisme / Influence / Mutisme / In-
fluence / Mutisme / Influence / Mutisme / Influence / Mu-
tisme / Influence / Mutisme / Influence / Mutisme / In-
fluence / Mutisme / Influence / Mutisme / Influence / Mu-
tisme / Influence / Mutisme / Influence / Mutisme / In-
fluence / Mutisme / Influence / Mutisme / Influence / Mu-
tisme / Influence / Mutisme / Influence / Mutisme / In-
fluence / Mutisme / Influence / Mutisme / Influence / Mu-
tisme / Influence / Mutisme / Influence / Mutisme / In-
fluence / Mutisme / Influence / Mutisme / Influence / Mu-**

tisme / Influence / Mutisme / Influence / Mutisme / Influence / Mutisme / Influence / Mutisme / Influence / Mutisme / Influence / Mutisme / Influence / Mutisme / Influence / Mutisme / Influence / Mutisme / Influence / Mutisme / Influence / Mutisme / Influence / Mutisme / Influence / Mutisme / Influence / Mutis

Un Américain mange en moyenne l'équivalent de 21 000 animaux entiers[60] durant son existence – un animal pour chacune des lettres des treize dernières pages.

Lam Hoi-ka

Brevig Mission est un minuscule village inuit situé sur la rive américaine du détroit de Béring. L'unique fonctionnaire local est un « administrateur financier ». Aucun policier ni pompier, pas d'employé des services publics, pas de ramassage d'ordures. En revanche, aussi stupéfiant que cela paraisse, il existe un service de rencontres en ligne. (On s'attendrait pourtant à ce que, avec seulement 276 habitants, chacun sache plus ou moins qui est disponible ou pas.) Sur le site on voit que deux hommes et deux femmes sont en quête d'amour, ce qui pourrait sembler parfait, à part qu'un des hommes – c'était ainsi en tout cas la dernière fois que j'ai visité le site – ne s'intéresse pas aux femmes. Cutieguy1, un Africain qui se décrit comme un « beau mec d'1m77 » est quelqu'un qu'on ne s'attend certainement pas à trouver à Brevig. Mais la présence en ces lieux de Johan Hultin, un Suédois d'1m80 arborant une tignasse blanche et une petite barbiche de même couleur, est plus surprenante encore. Après n'avoir informé qu'une seule personne de l'objet de son voyage, Hultin est arrivé à Brevig le 19 août 1997 et s'est aussitôt mis à creuser. Des corps gelés étaient étendus sous une trentaine de centimètres de glace. Il excavait une fosse commune.

Depuis 1918, le permafrost avait conservé à peu près intactes ces victimes de la pandémie de grippe. La seule personne à qui Hultin avait fait part de son projet était un de ses collègues scientifiques, Jeffery Taubenberger, qui cherchait lui aussi l'origine de la grippe de 1918.

Le moment auquel Hultin se lança dans la recherche des morts de 1918 n'était pas le résultat d'un hasard. Quelques mois avant son arrivée à Brevig Mission, le virus H5N1 présent dans les poulets de Hong-Kong avait apparemment effectué pour la première fois son passage à l'homme – un événement qui pouvait être d'une importance historique.

Âgé de trois ans seulement, le petit Lam Hoi-ka fut la première de six victimes à succomber à cette version particulièrement inquiétante du virus H5N1. Je connais son nom – et vous aussi, à présent – parce que, lorsqu'un virus mortel franchit la barrière des espèces, une fenêtre s'ouvre par laquelle une nouvelle pandémie pourrait déferler sur le monde. Si les autorités sanitaires n'avaient pas agi comme elles l'ont fait (ou si nous avions eu moins de chance), Lam Hoi-ka aurait pu être le premier mort d'une pandémie mondiale. Rien ne dit d'ailleurs qu'il ne le devienne pas. Même si elles ne font plus les gros titres de la presse, les inquiétantes souches du H5N1 n'ont pas disparu de la planète. La question est de savoir si le virus va continuer à tuer un nombre relativement restreint de personnes, ou bien muter vers une version plus mortelle. Les virus comme le H5N1 peuvent se révéler de redoutables entrepreneurs, innovant sans cesse, ne renonçant jamais à leur objectif de corruption du système immunitaire de l'homme.

Alors que le cauchemar potentiel du H5N1 planait sur le monde, Hultin et Taubenberger voulaient savoir ce qui avait provoqué la pandémie de 1918. Ils avaient une bonne raison : la pandémie de 1918 a tué plus de gens et dans un laps de temps plus court que toute autre maladie – que *toute autre chose*, en fait – ne l'avait fait auparavant ou ne l'a fait depuis[61].

Influenza*

La pandémie de 1918 est restée dans l'histoire sous le nom de « grippe espagnole » car les journaux espagnols furent les seuls organes de presse occidentaux à avoir rendu compte de manière précise des immenses dégâts qu'elle causa. (D'après certains, cela s'expliquerait par le fait que l'Espagne, n'étant pas en guerre, sa presse n'était pas victime de la censure et son attention n'était pas détournée par l'avalanche de nouvelles auxquelles donne lieu un conflit.) Malgré sa dénomination, la grippe espagnole frappa le monde entier – c'est ce qui en a fait une *pan*démie et non une simple *épi*démie. Ce n'était pas la première pandémie de grippe et ce ne fut pas la dernière en date (il y aura également des pandémies en 1957 et en 1968), mais ce fut de loin la plus mortelle. Alors qu'il a fallu *grosso modo* 24 ans au sida pour tuer 24 millions de personnes, la grippe espagnole en tua autant en 24 semaines. D'après certaines réévaluations récentes du nombre de décès occasionnés, elle aurait tué 50 millions, voire 100 millions de personnes dans le monde. Les estimations indiquent qu'un quart des Américains, et peut-être un quart de la population mondiale sont tombés malades.

Contrairement à la plupart des grippes qui ne menacent que les très jeunes, les vieillards et les personnes déjà malades, la grippe espagnole tuait des personnes jeunes et en pleine santé. La mortalité fut la plus forte dans la tranche des vingt-cinq à vingt-neuf ans, et à l'apogée de la pandémie l'espérance de vie moyenne des Américains se trouva réduite à trente-sept ans. L'ampleur de la tragédie fut si vaste aux États-Unis – et ailleurs – que je ne comprends toujours pas pourquoi on ne nous en a pas plus parlé à

* *Influenza* est le terme anglais pour « grippe ».

l'école, ou qu'il existe si peu de commémorations ou de récits à son sujet. Au plus fort de la pandémie, jusqu'à vingt mille Américains pouvaient mourir en une seule semaine. On utilisait des pelles à vapeur pour creuser des fosses communes.

Les autorités sanitaires actuelles redoutent la répétition d'un tel événement. Beaucoup insistent sur le fait qu'une pandémie déclenchée par la souche du virus H5N1 est inévitable, et que les seules questions sont de savoir quand elle va frapper et, surtout, quelle sera sa gravité.

Même si le virus H5N1 nous épargne, sans conséquence plus grave que la récente épidémie de fièvre porcine, aucun responsable sanitaire ne se hasarderait aujourd'hui à affirmer que les pandémies peuvent être totalement évitées. La directrice générale de l'Organisation mondiale de la santé (OMS) s'est contentée de déclarer : « Nous savons qu'une nouvelle pandémie est inévitable. [...] Elle se rapproche. » L'institut de médecine de l'Académie américaine des sciences a renchéri récemment en disant qu'une nouvelle pandémie « est non seulement inévitable, mais qu'elle aurait déjà dû se déclarer ». L'histoire récente a vu se déclencher en moyenne une pandémie toutes les vingt-sept années et demie, et cela fait plus de quarante ans qu'a eu lieu la dernière. Les scientifiques ne peuvent pas connaître avec certitude l'avenir des maladies pandémiques, mais ils peuvent savoir et savent que la menace est imminente[62].

Les responsables de l'OMS ont aujourd'hui entre les mains la compilation de données scientifiques la plus massive jamais collectée au sujet d'une nouvelle pandémie potentielle de grippe. C'est pourquoi il est particulièrement éprouvant pour les nerfs que cette institution très collet monté, très s'il-vous-plaît-que-personne-ne-panique, ait dressé à l'intention des personnes intéressées, c'est-à-dire chacun d'entre nous, la liste suivante des « choses à savoir sur une grippe pandémique » :

Le monde pourrait se trouver à la veille d'une nouvelle pandémie.
Tous les pays seront touchés.
La maladie se propagera à grande échelle.
Les stocks de médicaments seront insuffisants.
Le nombre de décès sera élevé.
Les désordres économiques et sociaux seront importants.

Généralement guère encline à la dramatisation, l'OMS donne « une estimation assez basse – de 2 millions à 7,4 millions de morts » dans le cas où la grippe aviaire passerait aux humains et où le virus deviendrait aéroporté (comme l'a fait celui de la grippe porcine, le H1N1). « Cette estimation, poursuit l'organisation mondiale, se fonde sur la pandémie relativement bénigne de 1957. Des estimations fondées sur une forme plus virulente du virus, plus proche de celui apparu en 1918, ont été faites et sont beaucoup plus élevées. » Heureusement, l'OMS n'a pas fait figurer ces chiffres dans sa liste de « choses à savoir ». Mais malheureusement, elle n'est pas en mesure d'affirmer que ces estimations hautes sont moins réalistes.

Parmi les cadavres gelés de 1918, Hultin récupéra les restes d'une femme qu'il baptisa Lucy. Il préleva les poumons de Lucy et les expédia à Taubenberger qui, en examinant des fragments de tissu, fit une découverte tout à fait remarquable. Publiés en 2005, les résultats montrent que l'origine de la grippe espagnole n'était autre qu'une grippe aviaire. Une question scientifique majeure venait de trouver sa solution.

D'autres éléments semblent indiquer que le virus de 1918 a pu connaître une période de mutation au sein de la population porcine (les porcs sont les seuls animaux à être sensibles aux virus aussi bien humains qu'aviaires) ou même au sein de populations humaines avant d'atteindre la virulence mortelle de sa version finale[63]. Mais il est impossible d'en être certain. Ce dont nous pouvons être sûrs, c'est qu'il existe un consensus scientifique sur le fait que ces nouveaux virus, qui se transmettent des animaux d'élevage à l'homme, constitueront une menace sanitaire mondiale majeure dans le proche avenir. L'inquiétude ne concerne pas seulement la grippe aviaire, la grippe porcine ou quelque forme de grippe animale que ce soit, mais l'ensemble de la classe des agents pathogènes dits « zoonotiques » (transmissibles de l'animal à l'homme et inversement) – et en particulier les virus qui se transmettent entre hommes, poulets, dindes et porcs.

Nous pouvons également être assurés qu'aujourd'hui toute discussion concernant la grippe pandémique ne peut ignorer le fait que l'épisode de maladie le plus dévastateur que le monde ait jamais connu et l'une des plus grandes menaces futures pesant sur la santé humaine ont un rapport étroit avec la santé des animaux d'élevage, notamment celle des volailles.

Toutes les grippes

Un autre personnage clé dans l'histoire de la recherche sur la grippe est le virologue Robert Webster, qui a démontré l'origine aviaire de toutes les grippes humaines. Selon sa théorie, qu'il a baptisée « théorie de la basse-cour », « les virus responsables des pandémies humaines empruntent certains de leurs gènes aux virus grippaux des volailles domestiques ».

Quelques années après la pandémie de « grippe de Hong-Kong » survenue en 1968 (et dont les souches résiduelles continuent de provoquer vingt mille « décès excédentaires » chaque année aux États-Unis), Webster identifia le virus responsable. Comme il l'avait supposé, ce virus était un hybride qui avait incorporé certains aspects d'un virus aviaire présent chez un canard d'Europe centrale. Aujourd'hui, une série d'éléments semblent indiquer que l'origine aviaire de la pandémie de 1968 n'était pas unique : les scientifiques affirment à présent que la source première de toutes les souches grippales provient des oiseaux aquatiques sauvages tels que les canards et les oies qui sillonnent la Terre depuis plus de cent millions d'années. Il s'avère donc que la grippe est étroitement liée à notre relation avec les oiseaux.

Il importe de rappeler ici quelques notions scientifiques de base. En tant que source originelle de ces virus, les canards, oies, sternes et mouettes sauvages sont porteurs de l'ensemble du spectre des souches grippales classifiées par la science actuelle : le H1 par l'intermédiaire du H16 récemment découvert, et le N1 par le N9. Les oiseaux domestiques peuvent également être porteurs d'une réserve importante de ces souches grippales. Les oiseaux sauvages comme les domestiques ne tombent pas nécessairement malades en raison de ces virus. Ils se contentent souvent de les transporter, parfois d'un bout à l'autre du globe, avant de les disséminer par leurs fientes dans les lacs, les rivières, les étangs et, très souvent, grâce aux techniques de transformation industrielle des animaux, directement dans la nourriture que nous absorbons.

Chaque espèce de mammifères n'est vulnérable qu'à quelques-uns des virus transportés par les oiseaux. L'homme, par exemple, n'est vulnérable qu'aux virus H1, H2 et H3, les porcs aux H1 et H3, et les chevaux aux H3 et H7. Le « H » est l'abréviation de hémagglutinine, une protéine présente à la surface des virus grippaux qui tire son nom de sa capacité à agglutiner les globules rouges. L'hémagglutinine fonctionne comme une sorte de pont moléculaire qui permet au virus lui-même d'envahir les cellules de la victime comme des troupes ennemies franchissant une passerelle. L'hémagglutinine est capable d'accomplir cette tâche mortelle grâce à sa remarquable capacité à se fixer à des structures moléculaires spécifiques, les récepteurs, qui se trouvent à la surface des cellules animales et humaines. H1, H2 et H3 – les trois types d'hémagglutinine qui attaquent régulièrement les humains – sont particulièrement habiles à se fixer sur notre appareil pulmonaire, ce qui explique qu'une grippe débute le plus souvent au niveau du système respiratoire.

Les choses deviennent problématiques lorsqu'un virus présent dans une espèce commence à éprouver des démangeaisons et à avoir envie de se mélanger à des virus affectant d'autres espèces, comme l'a fait le H1N1 (qui combinait des virus aviaires, porcins et humains). Dans le cas du H5N1, on redoute que la « création » effective d'un nouveau virus hautement contagieux pour les humains puisse se produire dans les populations porcines, puisque les porcs sont susceptibles aussi bien aux types de virus qui s'attaquent aux oiseaux qu'à ceux qui contaminent l'homme. Lorsqu'un même cochon est infecté simultanément par deux types de virus différents, il existe une possibilité que les virus s'échangent des gènes. La grippe porcine H1N1 semble précisément avoir été le résultat d'un tel échange. Et, ce qui est inquiétant, c'est que ce type d'échange de gènes pourrait conduire à la création d'un virus ayant la virulence de la grippe aviaire et l'extrême contagiosité du rhume ordinaire.

Comment ce nouveau paysage des maladies est-il apparu ? Dans quelle mesure l'élevage moderne en est-il responsable ? Pour répondre à ces questions, nous devons savoir d'où viennent les volailles que nous mangeons, et pourquoi leur environnement est une source de contamination parfaite non seulement pour les oiseaux, mais pour nous-mêmes.

Vie et mort d'un oiseau

Le deuxième élevage que j'ai visité avec C. était constitué d'une série de vingt hangars, chacun mesurant 15 mètres de largeur pour une longueur de 150 mètres et abritant environ 33 000 volailles.

Je n'avais pas de double décimètre sur moi, ni aucun instrument de comptage, mais je peux avancer ces chiffres avec une relative certitude car ce sont des dimensions courantes dans l'industrie – bien que certains éleveurs construisent à présent des hangars plus grands, mesurant jusqu'à 40 mètres sur 150, et contenant au moins 50 000 volailles.

Il est difficile d'imaginer ce que représentent 33 000 volailles enfermées dans un seul endroit. Vous n'avez pas besoin de le voir de vos yeux, ni même de vous livrer à de savants calculs pour comprendre que tout y est pas mal entassé. Dans ses recommandations pour le bien-être animal, le National Chicken Council indique que la surface acceptable est de 740 cm^2 par poulet. Voilà ce qui est considéré comme respectant le bien-être animal par un des principaux organismes représentant les producteurs de poulets, ce qui montre à quel point les notions concernant le bien-être ont été détournées – et pourquoi il est impossible de croire à un label qui ne soit pas issu d'une tierce partie fiable.

Cela vaut la peine de s'arrêter quelques instants sur ce point. Quoique beaucoup de poulets bénéficient d'un espace bien moindre, admettons que ces 740 cm^2 soient la règle générale. Essayez de vous imaginer la chose. (Il est peu probable que vous réussissiez à voir par vous-même l'intérieur d'un élevage, mais si votre imagination a besoin d'un petit coup de pouce, il en existe des tas d'images sur Internet.) Prenez une feuille de papier A4 et figurez-vous un poulet à maturité, d'une forme vaguement similaire à celle d'un ballon de rugby avec des pattes, debout sur cette feuille. Imaginez 33 000 de ces pages étalées par terre l'une à côté de l'autre. (Les poulets de chair ne sont jamais enfermés dans des cages, ni élevés sur plusieurs niveaux.) À présent, entourez votre damier de feuilles de murs aveugles et posez un toit dessus. Installez des systèmes automatiques de nourriture (bourrée de médicaments), d'abreuvement, de chauffage et de ventilation. Vous avez votre ferme.

Parlons maintenant de l'activité elle-même.

Tout d'abord, trouvez un poulet qui grandira vite et beaucoup en mangeant le moins de nourriture possible. Les muscles et tissus graisseux des poulets de chair issus des récentes manipulations génétiques se développent plus vite que les os, ce qui provoque difformités et maladies[64]. De 1 à 4 % des volailles succomberont dans des convulsions, victimes du syndrome de la mort soudaine, une chose pratiquement inconnue en dehors des élevages industriels. Une autre pathologie provoquée par les élevages, l'ascite, qui entraîne le remplissage de la cavité péritonéale par les fluides en excédent, tue encore plus d'oiseaux (5 % du total). Trois poulets sur quatre auront des difficultés à marcher, et le simple bon sens nous souffle qu'ils en éprouveront une douleur permanente. Dans un cas sur quatre, l'infirmité sera tellement flagrante que la souffrance éprouvée ne fera aucun doute[65].

Pendant la première semaine d'existence des poussins, laissez l'éclairage allumé environ vingt-quatre heures par jour. Cela les encouragera à manger plus. Ensuite, réduisez un peu l'éclairage pour les laisser à peu près quatre heures par jour dans l'obscurité – soit juste assez de temps de sommeil pour qu'ils survivent. Bien entendu, vos poulets deviendraient cinglés si vous les forciez à vivre longtemps dans des conditions aussi antinaturelles – l'éclairage, l'entassement, le fardeau de leurs corps grotesques. Les poulets de chair ont au moins la « chance » d'être abattus au quarante-deuxième jour de leur existence (et, de plus en plus, dès le trente-neuvième), aussi n'ont-ils pas le temps d'élaborer de hiérarchies sociales qui susciteraient des affrontements.

Inutile de dire qu'entasser des oiseaux difformes, drogués et soumis à un stress extrême dans un enclos malpropre et tapissé de déjections n'est déjà pas très sain. En sus des difformités, blessures aux yeux, cécités, infections bactériennes des os, vertèbres déplacées, paralysies, hémorragies internes, anémies, tendons déboîtés, pattes et cous tordus, maladies respiratoires et systèmes immunitaires affaiblis, des problèmes fréquents et durables affectent les élevages de volailles. Plusieurs études scientifiques et enquêtes officielles indiquent que la quasi-totalité (plus de 95 %) des poulets sont victimes d'une contamination au E. coli (un indicateur de contamination fécale) durant leur élevage et qu'entre 39 et 75 % de ceux vendus dans le commerce sont toujours infectés. Environ 8 % des volailles sont infectées par la salmonelle (un chiffre en baisse par rapport à la situation d'il y a quelques années, où au moins un poulet sur quatre était contaminé, ce qui continue d'être le cas dans certains élevages), 70 à 90 % sont porteurs d'autres agents pathogènes potentiellement mortels, les Campylobacters. Des bains de chlore sont couramment utilisés pour nettoyer les carcasses, les désodoriser et tuer les bactéries.

Bien entendu, au cas où les consommateurs remarqueraient que leurs poulets n'ont pas très bon goût – et quel goût pourraient bien avoir des animaux bourrés de médicaments, affectés de diverses maladies et contaminés par leurs excréments ? –, on administre aux volailles, par gavage ou injection, des « bouillons » et des solutions salées pour leur donner ce que nous en sommes venus à considérer comme étant l'aspect, l'odeur et le goût d'un poulet. (Une étude menée récemment par le magazine *Consumer Reports* a montré qu'« entre 10 et 30 % du poids » des produits issus de poulets ou de dindes, dont beaucoup labellisés *naturels*, « étaient constitués de bouillons, agents de saveur ou eau ».)

Maintenant que vos poulets sont élevés, il s'agit de les « transformer ».

Il vous faudra d'abord trouver des employés pour rassembler les volailles dans des caisses et assurer le processus consistant à transformer des oiseaux vivants et entiers en morceaux de viande sous cellophane.

Vous devrez chercher constamment de nouveaux employés,

car le taux de rotation annuel dans ce secteur dépasse généralement 100 %. (D'après les personnes que j'ai interrogées, il se situerait aux alentours de 150 %.) Les étrangers en situation irrégulière sont les plus prisés, mais des immigrants pauvres ne parlant pas anglais feront également l'affaire. Au regard des normes en vigueur parmi la communauté mondiale des défenseurs des droits de l'homme, les conditions de travail en usage dans les abattoirs américains constituent des violations des droits humains ; mais pour vous, elles sont le moyen essentiel de produire de la viande bon marché et de nourrir le monde. Vous donnerez donc à vos employés le salaire minimum, ou presque, pour qu'ils rassemblent les volailles – par les pattes, la tête en bas, cinq dans chaque main – et les entassent dans les caisses de transport.

Si le travail se déroule à la vitesse appropriée – 105 poulets mis en caisse par chaque employé en 3 minutes et demie semble être le rythme généralement requis selon plusieurs opérateurs que j'ai interrogés –, les oiseaux seront manipulés sans ménagement et, m'a-t-on également indiqué, les employés sentiront souvent les os des pattes se briser sous leurs doigts. (Environ 30 % de l'ensemble des volailles vivantes arrivant à l'abattoir présentent des fractures récentes dues à des croisements génétiques délirants et à des manipulations brutales.) Si aucun texte législatif ne protège les volailles, il existe en revanche des lois sur la façon de traiter les employés, or ce genre de travail a tendance à causer chez ceux qui l'effectuent des douleurs qui persistent durant plusieurs jours. Aussi, je le répète, veillez à n'embaucher que des gens qui ne seront pas en position de se plaindre – des gens comme « Maria », qui travaille dans l'un des plus gros centres californiens de transformation des poulets, et avec qui j'ai passé tout un après-midi. Après plus de quarante années de labeur, et cinq opérations consécutives à des accidents de travail, Maria ne peut même plus faire la vaisselle. Elle endure en permanence de telles souffrances qu'elle passe ses soirées les bras immergés dans une cuvette d'eau glacée, et il arrive fréquemment qu'elle ne puisse s'endormir sans prendre un somnifère. Elle est payée 8 dollars de l'heure et, par crainte de s'attirer des ennuis, m'a demandé de ne pas citer son nom.

Vos caisses doivent maintenant être chargées sur des camions. Ne tenez aucun compte du froid ou de la chaleur extrêmes, et ne donnez ni eau ni nourriture à vos oiseaux, même si l'abattoir est situé à plusieurs centaines de kilomètres. Une fois qu'ils seront arrivés à destination, d'autres employés devront suspendre chaque volaille par les pattes à des sortes de menottes fixées à un convoyeur aérien automatique. Cette phase occasionne de nouvelles fractures d'os. Il arrive souvent que les cris et les battements d'ailes des poulets atteignent un tel volume sonore qu'un employé n'entend pas ce que lui dit son voisin sur la chaîne. La peur et la douleur font fréquemment déféquer les oiseaux.

Le convoyeur entraîne les oiseaux vers un bain d'eau électrisée. Cela suffit probablement à les paralyser, mais pas à les insensibiliser[66]. D'autres pays, dont beaucoup en Europe, exigent (tout au moins légalement) que les poulets soient étourdis ou tués avant d'être plumés et ébouillantés. Aux États-Unis, pays où le département de l'Agriculture exclut les poulets de son interprétation des dispositions de la loi sur les méthodes d'abattage, le voltage appliqué est très faible – environ un dixième du niveau requis pour rendre les animaux inconscients. Après son passage dans le bain électrisé, il n'est pas rare de voir les yeux d'un poulet paralysé bouger encore. Parfois, les oiseaux gardent un contrôle suffisant de leur corps pour ouvrir lentement le bec, comme s'ils essayaient de crier.

Pour les poulets immobiles mais encore conscients, l'étape suivante sur la chaîne sera le trancheur de cou automatique. Le sang s'écoulera lentement des animaux, à moins que la lame n'ait manqué les artères vitales, ce qui, selon un employé avec qui je me suis entretenu, arrive « sans arrêt ». Il vous faudra alors prévoir quelques employés de plus pour jouer les « tueurs d'appoint » chargés d'égorger les oiseaux que le trancheur automatique aura manqués. À moins qu'eux aussi ne ratent leur coup, ce qui, m'a-t-on dit, arrive aussi « sans arrêt ». D'après le National Chicken Council – qui représente l'industrie de la volaille – environ 180 millions d'oiseaux seraient abattus de manière non conforme chaque année.

Quand je lui ai demandé si ce chiffre le perturbait, Richard L. Lobb, le porte-parole de l'organisme, a lâché un soupir avant de me dire : « Tout est terminé en quelques minutes. »

J'ai eu l'occasion de parler avec de nombreux « attrapeurs », « suspendeurs » et « tueurs » qui m'ont dit que beaucoup de poulets arrivaient vivants et conscients dans la cuve à ébouillanter. (Des estimations gouvernementales obtenues grâce à la loi sur la liberté de l'information affirment que cela serait le cas pour environ 4 millions d'oiseaux chaque année[67].) Du fait que la fiente dont sont maculées la peau et les ailes se retrouve dans les bains bouillants, les oiseaux en ressortent infectés d'agents pathogènes qu'ils ont inhalés ou absorbés à travers leur peau (l'eau chaude des bains provoque l'ouverture des pores).

Une fois que la tête des oiseaux a été arrachée et leurs pattes coupées, des machines les ouvrent en deux par une incision verticale et en retirent les entrailles. Les contaminations se produisent souvent à ce moment-là, car les machines, qui travaillent à un rythme extrêmement rapide, entaillent souvent les intestins, de sorte que les excréments se répandent dans la cavité péritonéale. Autrefois, les inspecteurs du département de l'Agriculture étaient obligés de rejeter tout oiseau présentant une contamination fécale. Mais il y a une trentaine d'années, l'industrie du poulet a persuadé le département de reclassifier les déjections afin de pouvoir continuer à utiliser les machines à éviscérer. Alors qu'elles étaient jusque-là considérées comme un « contaminant dangereux », les fientes sont désormais classifiées comme simple « souillure esthétique ». Résultat : les inspecteurs ne rejettent plus que la moitié des oiseaux crottés. « Il ne faut que quelques minutes à un consommateur pour digérer ces fientes », se contenteraient sans doute de soupirer Lobb et le National Chicken Council.

Ensuite les volailles sont examinées par des employés du département de l'Agriculture, dont la fonction officielle est de protéger le consommateur. Chaque inspecteur dispose d'environ deux secondes pour s'assurer que la carcasse et les organes de chaque oiseau sont exempts de plus d'une douzaine de maladies et d'anomalies suspectes. Il doit examiner environ 25 000 volailles par jour. Le journaliste Scott Bronstein a signé dans l'*Atlanta Journal-Constitution* une série d'articles remarquables sur l'inspection de la volaille, articles que devrait lire toute personne envisageant de manger du poulet. Il a interviewé près d'une centaine d'inspecteurs du département de l'Agriculture travaillant dans trente-sept abattoirs. « Chaque semaine, écrit-il, des millions de poulets d'où s'écoule un pus jaunâtre, souillés d'excréments verdâtres, contaminés par des bactéries dangereuses, affligés d'infections cardiaques ou pulmonaires, de tumeurs cancéreuses ou de maladies de peau sont expédiés pour être commercialisés. »

Ensuite les poulets sont plongés dans une énorme cuve réfrigérée remplie d'eau, dans laquelle sont refroidis des milliers d'oiseaux en même temps. Tom Devine, du Government Accountability Project*, a déclaré que « l'eau de ces cuves a pu être qualifiée à juste titre de "soupe fécale" en raison des déchets et bactéries qu'elle contient. En immergeant des oiseaux propres et sains dans la

* Organisation non partisane créée en 1977 dans le but de protéger les citoyens qui dénoncent les abus, malfaçons et comportements dangereux dont ils sont témoins dans leur travail ou leurs activités.

même cuve que des animaux souillés, vous êtes quasiment certain de provoquer une contamination croisée ».

Alors qu'un nombre significatif de sites d'abattage européens et canadiens ont recours à des systèmes de refroidissement par air, 99 % des ateliers américains de transformation de volailles utilisent toujours le système de l'immersion dans l'eau froide et se sont opposés aux procédures judiciaires initiées tant par les consommateurs que par l'industrie du bœuf pour pouvoir continuer à utiliser la méthode obsolète du refroidissement par eau. Il n'est guère difficile d'en deviner la raison : le refroidissement par air diminue le poids des carcasses de poulet, alors que l'immersion permet de l'augmenter du fait que les poulets se gorgent d'eau (la « soupe fécale »). Une étude a montré que le simple fait d'enfermer les carcasses de poulets dans des sacs plastique hermétiques pendant le stade de refroidissement éliminerait les risques de contamination croisée. Mais cela éliminerait aussi une occasion pour l'industrie de transformer de l'eau souillée en dizaines de millions de dollars de poids supplémentaire dans les produits de volaille.

Il n'y a pas si longtemps encore, l'USDA avait fixé à 8 % la part de liquide absorbé que l'on pouvait vendre au consommateur au prix de la viande de poulet, et le gouvernement ne pouvait prendre des mesures qu'au-delà de cette limite. Lorsque la chose a enfin été connue du public dans les années 1990, on a assisté à une compréhensible levée de boucliers. Des consommateurs ont entamé des poursuites judiciaires contre cette pratique, qui leur semblait non seulement répugnante, mais confinant à l'adultération. Les tribunaux ont supprimé la règle des 8 % en concluant qu'elle était « arbitraire et fantaisiste ».

Ironiquement, pourtant, l'interprétation de la décision judiciaire par l'USDA a autorisé l'industrie du poulet à procéder à sa propre évaluation du pourcentage de viande de poulet pouvant être composée d'eau polluée et chlorée. (Énième exemple de ce qui arrive trop souvent lorsque l'agrobusiness se retrouve sur la sellette.) Après consultation du secteur, la nouvelle loi américaine autorise un peu plus de *11 %* d'imprégnation de liquide (le pourcentage exact est indiqué en toutes petites lettres sur les emballages – jetez-y un coup d'œil la prochaine fois). Dès que l'attention du public s'est tournée vers autre chose, l'industrie du poulet a repris à son propre avantage les réglementations destinées à protéger les consommateurs.

Les consommateurs américains de poulets font désormais cadeau aux producteurs de volailles de millions de dollars supplémentaires chaque année en raison de cet ajout de liquide. L'USDA le sait et défend cette pratique – après tout, les fabricants de volaille ne font-ils pas, comme aiment à le répéter tant d'éleveurs industriels, tout leur possible pour « nourrir le monde » ? (Ou, en l'occurrence, assurer son hydratation.)

Ce que je viens d'évoquer n'a rien d'exceptionnel. Cela n'est pas l'œuvre d'employés masochistes, de machines défectueuses ou de « brebis galeuses ». C'est la règle. Plus de 99 % de tous les poulets élevés pour leur viande aux États-Unis vivent et meurent ainsi.

Les systèmes d'élevage peuvent différer considérablement sur certains points – par exemple en ce qui concerne le pourcentage d'oiseaux ébouillantés vivants chaque semaine pendant le processus de transformation, ou dans la quantité de soupe fécale dont leur organisme s'imprègne. Ces différences ne sont pas sans importance. Mais sous la plupart des aspects, tous les élevages de poulets – bien ou mal gérés, « *cage-free* » ou pas – sont fondamentalement identiques : tous les oiseaux proviennent de manipulations génétiques à la Frankenstein ; tous sont confinés ; aucun ne profite de la brise ou de la chaleur du soleil ; aucun n'est capable d'adopter l'ensemble (voire un seul) des comportements spécifiques à son espèce tels que construire un nid, se percher, explorer les alentours et former des unités sociales stables ; la maladie est généralisée ; la souffrance est toujours la règle ; les animaux ne sont jamais plus qu'un item, un poids ; leur mort est invariablement cruelle. Et ces similitudes importent plus que les différences.

En raison de la taille qu'atteint aujourd'hui l'industrie de la volaille, cela signifie que si quelque chose cloche dans ce système, alors quelque chose va complètement de travers dans notre monde. Aujourd'hui environ 6 milliards de poulets sont élevés chaque année dans l'Union européenne dans des conditions similaires à ce que j'ai décrit, plus de 9 milliards en Amérique, et plus de 7 milliards en Chine[68]. La population indienne, qui s'élève à un peu plus d'un milliard d'individus, consomme très peu de poulets par tête, mais cela représente quand même 2 milliards d'oiseaux d'élevage par an, et le nombre de poulets élevés en Inde augmente – tout comme en Chine – à un rythme extrêmement soutenu (équivalant parfois au double de celui de l'industrie avicole américaine, elle aussi en augmentation rapide). En tout, le monde élève aujourd'hui 50 milliards de volailles. Si l'Inde et la Chine en venaient à consommer du poulet dans les mêmes proportions que les États-Unis, ce chiffre déjà astronomique ferait plus que doubler.

50 milliards. Chaque année, on oblige 50 milliards d'oiseaux à vivre et mourir de cette façon-là.

Il n'est absolument pas exagéré de souligner à quel point cette réalité est révolutionnaire et relativement récente – le nombre de poulets d'élevage était de zéro avant l'expérience menée en 1923 par Celia Steele. Et nous ne nous contentons pas d'élever différemment les poulets : nous en mangeons plus. Les Américains consomment cent cinquante fois plus de poulets qu'il y a à peine quatre-vingts ans.

Une autre chose que nous pouvons dire à propos de ce chiffre de 50 milliards est qu'il a été calculé avec la plus grande méticulosité.

Les statisticiens qui avancent l'indice de 9 milliards pour les États-Unis tiennent compte du mois de l'année, de la situation géographique et du poids des oiseaux, puis comparent – tous les mois – ces données avec le nombre de volailles abattues le même mois de l'année précédente. Ces chiffres sont étudiés, discutés, projetés et quasiment révérés comme un objet de culte par le secteur de l'élevage. Ils ne sont pas seulement des faits, ils sont l'annonce d'une victoire.

Influence

Tout comme le virus qu'il désigne, le terme anglais « *influenza* » nous est venu d'une mutation. Ce mot d'origine italienne désignait au départ l'influence des étoiles – c'est-à-dire les influences astrales ou occultes qui seraient ressenties au même moment par un grand nombre de personnes. Dès le XVIe siècle pourtant, le sens du mot a commencé à se mélanger à celui d'autres termes et en est venu à désigner les grippes épidémiques et pandémiques qui frappaient simultanément de multiples communautés (comme sous l'effet de quelque volonté malveillante).

Sur le plan étymologique en tout cas, lorsque nous parlons de grippe, nous parlons d'influences qui façonnent le monde partout en même temps. Les virus actuels de la grippe aviaire ou porcine ou encore le virus de la grippe espagnole de 1918 ne sont pas la véritable *influenza* – ils n'en sont pas l'influence sous-jacente – mais seulement son symptôme.

Rares sont ceux parmi nous qui croient encore que les pandémies sont l'œuvre de forces occultes. Devrions-nous considérer la contribution de 50 milliards d'oiseaux malades et drogués – des oiseaux qui, rappelons-le, sont la source première de tous les virus de la grippe – comme une influence sous-jacente favorisant la création de nouveaux agents pathogènes qui s'attaquent à l'homme ? Et que dire des 500 millions de porcs aux systèmes immunitaires fragilisés qui sont entassés dans des lieux clos[69] ?

En 2004, une brochette d'experts mondiaux en maladies zoonotiques[70] émergentes s'est rassemblée pour discuter de la possible relation entre ces grandes quantités d'animaux d'élevage malades et affaiblis et les explosions pandémiques. Avant d'en arriver à leurs conclusions, il est utile de considérer que les nouveaux agents pathogènes posent deux formes distinctes mais liées de problèmes de santé publique. La première inquiétude est générale : elle concerne le lien entre les animaux d'élevage et *toutes les sortes* d'agents pathogènes tels que les nouvelles variétés de Campylobacters, de salmonelle ou d'E. coli. La seconde inquiétude est plus particulière : l'homme est en train de mettre en place les conditions de la création du superagent pathogène de tous les superagents pathogènes, un virus hybride susceptible de reproduire plus ou moins ce qui s'est passé avec la grippe espagnole de 1918. Ces deux inquiétudes sont intimement liées.

Il est impossible de déterminer l'origine de toutes les maladies transmises par la nourriture, mais pour celles dont nous connaissons l'origine, le « vecteur de transmission », il s'agit, dans la majorité écrasante des cas, d'un produit animal. Selon les centres américains de contrôle des maladies (CDC), la volaille représente de loin la première cause. D'après une étude publiée dans *Consumer Reports*, 83 % de la viande de poulet (y compris celle de marques estampillées biologiques et sans antibiotiques) est, au moment de son achat, infectée soit par des Campylobacters, soit par la salmonelle.

Je ne comprends pas très bien pourquoi si peu de gens sont conscients (ou scandalisés) du taux de maladies évitables transmises par la nourriture. Qu'il n'apparaisse pas de façon évidente que quelque chose ne va pas est peut-être tout simplement dû à ce que nous avons tendance à oublier un fait qui se reproduit sans arrêt, comme la contamination de la viande (notamment de volaille) par des agents pathogènes.

Cela dit, quand vous savez où et quoi chercher, le problème des agents pathogènes prend un relief terrifiant. Par exemple, la prochaine fois qu'un de vos amis attrapera soudainement une « grippe » – ce que les gens qualifient par erreur de « gastro-entérite » –, posez-lui quelques questions. La maladie de votre ami est-elle une de ces « grippes de vingt-quatre heures » qui disparaissent aussi rapidement qu'elles sont apparues – quelques haut-le-cœur, une bonne selle et ensuite tout va mieux ? Le diagnostic n'est pas tout à fait aussi simple, mais si la réponse à cette question est positive, votre ami n'a sans doute pas contracté la grippe – il aura probablement été l'une des 76 millions de personnes dont les CDC estiment qu'elles sont victimes d'intoxication alimentaire chaque année aux États-Unis. Votre ami n'aura pas « attrapé » un microbe, il l'aura probablement ingurgité. Et selon toute probabilité, ce microbe aura été produit par l'élevage industriel.

Au-delà du seul nombre de maladies liées à l'élevage industriel, nous savons que ces élevages contribuent à l'émergence d'agents pathogènes résistants aux antimicrobiens en raison de l'énorme quantité d'antimicrobiens qui y sont utilisés. L'obligation de consulter un médecin pour se faire prescrire des antibiotiques et autres antimicrobiens est une mesure de santé publique visant à limiter la consommation de tels médicaments par les humains. Nous acceptons cette obligation en raison de son importance médicale. Les microbes finissent par s'adapter aux antimicrobiens, et il importe de s'assurer que seuls les gens réellement malades bénéficient du nombre limité d'utilisations qu'autorisera tel ou tel antimicrobien avant que les microbes apprennent à lui résister.

Dans tout élevage industriel, on administre des médicaments aux animaux avec chaque repas. Dans les élevages de volailles, comme je l'ai expliqué plus haut, c'est quasiment devenu inévitable. L'industrie a pris conscience du problème dès le départ, mais plutôt que d'accepter que les animaux soient moins productifs, on a compensé leur immunité déficiente par des additifs alimentaires.

Il en résulte que les animaux d'élevage sont gavés d'antibiotiques de façon non thérapeutique (c'est-à-dire avant même qu'ils soient malades). Les Américains consomment environ 1 500 tonnes d'antibiotiques par an[71], tandis que la quantité administrée aux animaux d'élevage – si l'on en croit les chiffres donnés par le secteur de l'élevage lui-même – atteint le chiffre énorme de 8 900 tonnes. L'Union of Concerned Scientists (UCS *) a montré que l'industrie sous-évaluait d'au moins 40 % son recours aux antibiotiques. L'UCS a ainsi calculé qu'en réalité ce sont 12 300 tonnes d'antibiotiques qui sont mélangées chaque année à la nourriture des volailles, porcs et autres animaux d'élevage, ce chiffre ne prenant en compte que les utilisations *non thérapeutiques*. Les scientifiques ont également déterminé que, sur ce total, près de 7 000 tonnes sont constituées d'antimicrobiens considérés comme illégaux dans l'Union européenne.

Les conséquences de la création d'agents pathogènes résistants aux médicaments sont tout à fait claires. De multiples études ont montré que la résistance antimicrobienne survient très rapidement après l'introduction de nouveaux médicaments dans les élevages d'animaux. En 1995 par exemple, lorsque la Food and Drug Administration (FDA, autorité de contrôle des produits alimentaires et médicamenteux aux États-Unis) a autorisé, en dépit des protestations des CDC, l'utilisation des fluoroquinolones – comme le Ciflox – dans les élevages de poulets, le pourcentage de bactéries résistantes à cette nouvelle classe de puissants antibiotiques est passé de quasiment

* Association de scientifiques intervenant de façon indépendante sur les problèmes de société.

0 à 18 % en 2002. Une étude plus large menée par le *New England Journal of Medicine* a mis en évidence une multiplication par huit de la résistance antimicrobienne entre 1992 et 1997, et, grâce au sous-typage moléculaire, put mettre en relation cette augmentation avec l'administration d'antimicrobiens aux poulets d'élevage.

Les scientifiques ont mis en garde dès la fin des années 1960 contre l'usage non thérapeutique d'antibiotiques dans l'alimentation des animaux d'élevage. Aujourd'hui, des organismes aussi divers que l'American Medical Association, les CDC, l'Institute of Medicine (qui fait partie de l'Académie nationale des sciences) et l'Organisation mondiale de la santé ont lié l'usage non thérapeutique des antibiotiques dans les élevages à l'augmentation de la résistance antimicrobienne et demandé en conséquence leur interdiction. Mais pour l'instant, aux États-Unis, l'industrie de l'élevage est parvenue à s'opposer à cette interdiction. Et, bien entendu, les interdictions partielles édictées par certains pays n'apportent qu'une solution partielle au problème.

Le fait que la nécessaire interdiction totale de l'usage non thérapeutique des antibiotiques n'ait toujours pas été prononcée s'explique par une raison évidente : le secteur de l'élevage (allié à l'industrie pharmaceutique) est plus puissant que les professionnels de la santé publique. La source de l'immense pouvoir de cette industrie n'a rien d'occulte : c'est nous qui le leur procurons. Nous avons – sans le savoir – choisi de financer grassement cette industrie en consommant des produits animaux issus de l'élevage industriel (ainsi que de l'eau vendue comme produit animal) – et nous continuons à le faire chaque jour.

Les mêmes conditions qui font que 76 millions d'Américains tombent malades chaque année à cause de leur nourriture, et qui, par ailleurs, renforcent la résistance antimicrobienne contribuent également au risque de pandémie. Cela nous ramène à cette remarquable conférence de 2004 au cours de laquelle l'Organisation des Nations unies pour l'alimentation et l'agriculture (FAO), l'Organisation mondiale de la santé et l'Organisation mondiale de la santé animale (OIE*) ont mis en commun leurs vastes ressources afin d'évaluer l'information disponible sur les « maladies zoonotiques émergentes ». Au moment de la conférence, la grippe H5N1 et le SRAS (ou pneumonie atypique) figuraient en tête de la liste des maladies zoonotiques émergentes que l'on redoutait. Aujourd'hui c'est le H1N1 qui serait l'ennemi pathogène numéro un.

Les scientifiques faisaient la distinction entre les « facteurs de risques primaires » susceptibles de déclencher les maladies zoonotiques, et les simples « facteurs de risques d'amplification », qui n'affectent que la rapidité à laquelle se répand une maladie. Leurs exemples paradigmatiques de facteurs de risques primaires résidaient dans « les changements intervenant dans un système de production agricole ou les habitudes de consommation ». Quels changements agricoles et d'habitudes de consommation avaient-ils précisément à l'esprit ? Le premier élément d'une liste de quatre principaux facteurs de risques était « la demande croissante de protéine animale », ce qui est une façon élégante de dire que la demande de viande, d'œufs et de produits laitiers constitue un « facteur primaire » influençant les maladies zoonotiques émergentes.

Cette demande de produits animaux, poursuit le rapport, conduit à « des changements en matière de pratiques agricoles ». Au cas où subsisterait le moindre doute au sujet des « changements »

* Créé en 1924, l'Office international des épizooties (OIE) est devenu en 2003 l'Organisation mondiale de la santé animale, mais a conservé son acronyme originel.

prioritairement concernés, les élevages industriels de volailles sont clairement pointés du doigt.

Réunissant des experts de l'industrie et des spécialistes de l'OMS, de l'OIE et du département américain de l'Agriculture, le Council for Agricultural Science and Technology parvint à des conclusions similaires. Le rapport qu'il a publié en 2005 soulignait qu'un des impacts majeurs de l'élevage industriel était « la sélection et l'amplification rapide d'agents pathogènes issus d'un ancêtre virulent (souvent par le biais d'une subtile mutation), créant ainsi un risque accru d'émergence et/ou de dissémination des maladies ». Élever des oiseaux génétiquement uniformes et enclins aux maladies dans des fermes d'élevage surpeuplées, stressantes, souillées de fiente et artificiellement éclairées favorise la croissance et la mutation des agents pathogènes. Le « prix de l'accroissement de l'efficacité », conclut le rapport, est l'accroissement global du risque de maladies. Le choix est simple : du poulet bon marché ou notre santé.

Aujourd'hui le lien entre élevage industriel et pandémie ne pourrait être plus clair. L'ancêtre original de la récente flambée de grippe porcine H1N1 provenait d'un élevage de porcs situé dans l'État américain qui en comporte le plus grand nombre, la Caroline du Nord, et s'est rapidement disséminé d'un bout à l'autre du continent américain. C'est dans ces élevages que les scientifiques ont découvert pour la première fois des virus combinant du matériel génétique issu de virus aviaires, porcins et humains. Des scientifiques des universités de Princeton et Columbia ont pu remonter, jusqu'aux élevages industriels nord-américains, la trace de six des huit segments génétiques des virus (actuellement) les plus redoutés du monde.

Il est possible qu'au fond de notre esprit nous comprenions déjà, sans même connaître les aspects scientifiques que j'ai exposés, que quelque chose de terrible est en train de se passer. Notre nourriture est produite dans la douleur. Nous savons que si quelqu'un nous propose de nous montrer un film sur la façon dont notre viande est produite, ce sera un film d'horreur. Nous en savons peut-être plus que ce que nous sommes prêts à admettre, repoussant cela dans quelque recoin sombre de notre mémoire – le reniant. Lorsque nous mangeons de la viande issue de l'élevage industriel, nous nous nourrissons littéralement de chair torturée. Et, de plus en plus, cette chair devient la nôtre.

Autres influences

Au-delà de l'influence malsaine que notre demande de viande industrielle exerce sur le plan des maladies transmises par la nourriture et des affections contagieuses, nous pourrions citer maintes autres de ses influences sur la santé publique : la plus évidente est le lien désormais largement admis entre les plus grands tueurs du pays (numéro un : maladies cardiaques ; numéro deux : cancers ; numéro trois : accidents vasculaires cérébraux) et la consommation de viande ; ou, beaucoup moins évidente, l'influence déformante de l'industrie de la viande sur l'information nutritionnelle que nous recevons de la part du gouvernement et des professionnels de santé.

En 1917, alors que la Première Guerre mondiale faisait rage en Europe et juste avant que la grippe espagnole dévaste le monde, un groupe de femmes, motivées entre autres raisons par le désir de tirer le meilleur parti des ressources alimentaires américaines en temps de guerre, fonda ce qui est aujourd'hui le principal groupe de professionnels de la nourriture et de la nutrition du pays, l'American Dietetic Association (ADA). Depuis les années 1990, l'ADA publie ce qui est devenu le résumé standard des avantages attestés du régime végétarien pour la santé. L'ADA, qui a toujours adopté une position modérée, préfère ne pas mettre en avant les nombreux bienfaits, pourtant bien établis, attribuables à la réduction de la consommation de produits animaux. Voici les trois phrases clés extraites du texte de l'association résumant la documentation scientifique sur la question. La première : « Un régime végétarien bien conçu est bénéfique pour tout individu à tous les âges de son existence, y compris pendant la grossesse, l'allaitement, la petite enfance, l'enfance et l'adolescence, ainsi que pour les athlètes. » La deuxième : « Les régimes végétariens tendent à être plus pauvres en graisses saturées et cholestérol, et entraînent une plus grande consommation de fibres diététiques, de magnésium et de potassium, de vitamines C et E, d'acide folique (vitamine B9), de caroténoïdes, de flavonoïdes et d'autres composés phytochimiques. »

Dans un autre passage, le texte souligne que les régimes végétariens et végétaliens (y compris les athlètes) « satisfont et excèdent les apports requis » en protéines. Et pour saper un peu plus la fixation obsessionnelle sur la soi-disant indispensable consommation de protéines et donc de viande, d'autres données semblent indiquer que l'excès de protéines animales provoquerait ostéoporose, maladies des reins, calculs urinaires et certains cancers[72]. En dépit d'une confusion persistante, il est clair que les végétariens et végétaliens ont tendance à avoir une consommation optimale de protéines supérieure à celle des omnivores.

La troisième, enfin, apporte la nouvelle réellement importante, fondée non pas sur quelque spéculation (aussi scientifiquement fondée soit-elle), mais sur l'étalon-or définitif de la recherche nutritionnelle c'est-à-dire les études portant sur des populations humaines réelles : « Les régimes végétariens sont souvent associés à un certain nombre de bienfaits pour la santé, parmi lesquels des niveaux moins élevés de cholestérol sanguin, des risques moins élevés de maladies cardiaques [lesquelles représentent à elles seules plus de 25 % des décès annuels aux États-Unis], des niveaux moins élevés de pression artérielle et des risques moins élevés d'hypertension et de diabète de type 2. Les végétariens ont tendance à présenter un plus faible indice de masse corporelle (IMC) [autrement dit, ils sont moins enclins à l'obésité] et des taux globaux de cancer plus faibles [les cancers sont responsables de près d'un autre quart des décès annuels enregistrés aux États-Unis]. »

Je ne pense pas que la santé individuelle soit nécessairement une raison pour devenir végétarien, mais s'il était néfaste pour la santé de cesser de manger des animaux, cela serait à coup sûr une raison pour ne pas le devenir. Cela serait en tout cas une raison pour que je donne à manger des animaux à mon fils.

J'ai eu l'occasion de m'entretenir de ce sujet avec plusieurs des plus grands nutritionnistes américains – mes questions concernaient aussi bien les adultes que les enfants – et ils m'ont tous dit et répété la même chose : le végétarisme est au moins aussi bon pour la santé qu'un régime incluant la viande.

S'il est parfois difficile de croire que se passer de produits animaux nous permettra de manger plus sainement, c'est pour une bonne raison : on nous ment constamment à propos de nutrition. Permettez-moi d'être plus précis. Lorsque je dis qu'on nous ment, je ne m'en prends pas à la documentation scientifique, je m'appuie sur elle. Ce que le public sait des données scientifiques concernant la nutrition et la santé (notamment à partir des recommandations nutritionnelles officielles) lui parvient de nombreuses sources différentes. Depuis l'émergence de la science elle-même, ceux qui produisent la viande ont fait en sorte de compter parmi ceux qui influencent la façon dont les données nutritionnelles seront présentées aux gens comme vous et moi.

Prenez le cas, par exemple, du National Dairy Council (NDC, Conseil national des produits laitiers), la branche marketing de Dairy Management Inc., un organisme du secteur laitier dont l'unique objectif, d'après son site Web, est d'« augmenter les ventes et la demande de produits laitiers américains». Le NDC pousse à la consommation de produits laitiers sans aucun égard pour les conséquences négatives sur la santé publique[73], et livre même des produits laitiers à des communautés incapables de les digérer. S'agissant d'un organisme commercial, le comportement du NDC est compréhensible. Ce qu'il est difficile de comprendre, en revanche, c'est la raison pour laquelle les éducateurs et le gouvernement ont, depuis les années 1950, laissé le NDC devenir sans doute le plus gros fournisseur de matériel d'éducation nutritionniste du pays. Pire encore, nos actuelles recommandations « nutritionnelles » fédérales sont édictées par le même organisme officiel qui s'est tellement démené pour faire de l'élevage industriel la norme dans notre pays : l'USDA.

L'USDA détient le monopole du plus vaste espace commercial du pays – ces petits conseils nutritionnels qui figurent sur les emballages de pratiquement tout ce que nous mangeons. Créé l'année même où l'ADA ouvrait ses premiers bureaux, l'USDA fut chargé de fournir des informations nutritionnelles au pays et, à terme, de formuler des règles de comportement alimentaire qui serviraient la santé publique. Mais dans le même temps, l'USDA se voyait également confier la promotion du secteur agroalimentaire.

Le conflit d'intérêts est patent : notre pays reçoit une information nutritionnelle avalisée par les autorités fédérales d'une agence qui doit soutenir l'industrie alimentaire, ce qui signifie aujourd'hui soutenir l'élevage industriel. Les bribes de désinformation qui s'insinuent dans nos existences (comme la crainte de ne pas manger « assez de protéines ») résultent tout naturellement de cette situation, et ont été analysées de manière approfondie par des auteurs comme Marion Nestle. Expert en santé publique, Nestle a longuement travaillé pour le gouvernement, notamment à l'élaboration du « Surgeon General's Report on Nutrition and

Health * » et a côtoyé l'industrie alimentaire durant plusieurs décennies. Par bien des aspects, ses conclusions sont banales et confirment ce à quoi nous nous attendions, mais le point de vue de connaisseur qu'elle apporte jette un éclairage nouveau sur l'influence que la filière agroalimentaire – et principalement le secteur de l'élevage – exerce sur la politique nationale en matière de nutrition. Nestle explique que les entreprises alimentaires, à l'instar des fabricants de cigarettes (auxquels elle les compare fréquemment), sont prêtes à dire et à faire tout ce qui marche pour vendre leurs produits. Elles exercent « des pressions sur le Congrès afin de supprimer les réglementations considérées comme défavorables ; elles insistent auprès des agences fédérales de contrôle afin qu'elles n'appliquent pas ces règlements ; et quand une décision réglementaire ne leur plaît pas, elles lancent des actions en justice. Comme les fabricants de cigarettes, les entreprises alimentaires rallient à leur cause des experts en alimentation et en nutrition en finançant certaines organisations professionnelles et organismes de recherche, et elles accroissent leurs ventes en se livrant à la promotion marketing auprès des enfants ». Concernant les recommandations officielles du gouvernement américain visant à encourager la consommation de produits laitiers dans le but d'empêcher l'ostéoporose, Nestle remarque que dans les régions du monde où le lait n'est pas un élément essentiel du régime alimentaire, on constate fréquemment moins de cas d'ostéoporose et de fractures des os que dans la population américaine. Les taux les plus élevés d'ostéoporose sont relevés dans les pays où les gens consomment le plus de produits laitiers.

Dans un exemple frappant de l'influence exercée par l'industrie alimentaire, Nestle montre que l'USDA a adopté une politique

* Rapport sur la nutrition et la santé du ministère américain de la Santé.

informelle qui consiste à éviter de dire que nous devrions « manger moins » de tel ou tel produit, et ce, quel que soit l'impact négatif qu'il peut avoir sur la santé[74]. Ainsi, au lieu de dire qu'il faut « manger moins de viande » (ce qui pourrait être utile), on nous conseille de veiller à ce que « la consommation de graisse ne dépasse pas 30 % du total des calories ingérées » (formulation à tout le moins peu claire). L'organisme que nous avons chargé de nous informer sur la dangerosité d'un aliment a précisément pour politique de ne pas nous dire (clairement) à partir de quel moment les aliments (en particulier les produits animaux) deviennent dangereux.

Nous avons laissé le secteur agroalimentaire définir notre politique nationale en matière de nutrition, qui influence tout depuis le type d'aliments stockés dans le rayon produits naturels de l'épicerie du coin jusqu'à la nourriture que nos enfants mangent à l'école. Dans le National School Lunch Program, par exemple, plus d'un demi-milliard de dollars d'argent public sont versés aux filières industrielles du lait, du bœuf, des œufs et de la volaille pour fournir aux enfants des produits animaux en dépit du fait que les données nutritionnelles recommandent de réduire la part de ces produits dans notre alimentation. Dans le même temps, 161 millions de dollars seulement sont consacrés à l'achat de fruits et légumes dont même l'USDA admet que nous devrions en manger plus. Ne serait-il pas plus raisonnable (et plus éthique) que ce soient les National Institutes of Health – des services spécialisés dans la santé humaine et n'ayant aucun autre intérêt – qui soient chargés de cette responsabilité ?

Les implications globales de la croissance de l'élevage industriel, au vu notamment des problèmes de maladies transmises par la nourriture, de résistance antimicrobienne et de pandémies potentielles, sont véritablement terrifiantes. Les industries chinoise et indienne de la volaille enregistrent une croissance annuelle de 5 à 13 % depuis les années 1980. Si l'Inde et la Chine se mettaient à manger les mêmes quantités de poulets que les Américains (soit entre 27 et 28 volailles par personne et par an)[75], ces deux pays en consommeraient *à eux seuls* autant qu'en consomme le monde entier à l'heure actuelle. Si le monde suivait l'exemple américain (et même si la population mondiale n'augmentait pas), il consommerait chaque année plus de 165 milliards de poulets. Et ensuite combien ? 200 milliards ? 500 ? Empilera-t-on les cages sur plus de niveaux encore, devra-t-on encore réduire leur taille, ou alors les deux ? À quel moment acceptera-t-on de perdre les antibiotiques en tant qu'outil permettant d'éviter la souffrance humaine ? Combien de jours par semaine nos petits-enfants seront-ils malades ? Où cela prendra-t-il fin ?

ranches de
aradis / Ta
de merde

Près d'un tiers
de la surface des terres de la planète
est consacré à l'élevage.

1.

Ha ha, snif snif

Paradise Locker Meats était autrefois situé un peu plus près de Smithville Lake, dans le nord-ouest du Missouri. L'usine d'origine a brûlé en 2002 dans un incendie provoqué par un court-circuit dans le fumoir de jambon. Sur le nouveau site, on peut admirer un tableau représentant l'ancienne usine, une vache s'enfuyant à l'arrière-plan. Un événement qui a effectivement eu lieu. Quatre ans avant le sinistre, pendant l'été 1998, une vache s'est échappée de l'abattoir. Elle a couru sur des kilomètres – ce qui, si l'histoire s'était arrêtée là, aurait déjà mérité d'être raconté. C'était une sacrée vache. Elle a réussi à traverser des routes, à piétiner ou contourner les clôtures et à échapper aux éleveurs qui la cherchaient. Et quand elle est arrivée sur les rives du lac, elle n'a même pas pris le temps de vérifier la température de l'eau, de réfléchir ou de regarder derrière elle. Elle a tenté de s'enfuir à la nage – deuxième étape du triathlon – pour se trouver un abri quel qu'il soit. En tout cas, elle savait manifestement ce qu'elle fuyait. Mario Fantasma, le propriétaire de Paradise Locker Meats, a reçu un appel d'un ami qui avait vu la vache faire le grand plongeon. L'évasion a pris fin quand Mario l'a rattrapée sur l'autre rive. Rideau. Comédie ou tragédie, tout dépend de qui en est, selon vous, le héros.

C'est Patrick Martins, cofondateur de Heritage Foods (entreprise qui fournit les détaillants en viandes), qui m'a raconté cette histoire. C'est également lui qui m'a mis en relation avec Mario. « C'est étonnant de voir à quel point les gens s'enthousiasment pour une évasion, écrit-il à ce sujet sur son blog. Je n'ai aucun remords à manger de la viande, et pourtant, tout au fond de moi, j'ai envie d'entendre dire qu'un cochon a réussi à s'enfuir, qu'il s'est peut-être même réfugié dans une forêt où il a fondé une colonie de cochons sauvages. » Pour Patrick, c'est une tragicomédie, et il y a donc deux héros.

Fantasma sonne comme un faux nom ? C'est le cas. Le père de Mario avait été abandonné sur le pas d'une porte en Calabre. La famille qui l'a adopté lui a donné comme nom « fantôme ».

Quand on rencontre Mario, on s'aperçoit vite qu'il n'a rien de spectral. Sa présence physique en impose – « un cou épais et des bras comme des jambons », m'avait dit Patrick. Il parle fort et sans détour. Il est du genre à réveiller tout le temps les bébés qui dorment. Je le trouve d'un abord tout à fait sympathique, surtout compte tenu du silence ou des dérobades auxquels j'ai eu droit de la part de tous les autres propriétaires d'abattoir à qui j'ai parlé, ou essayé de parler.

À Paradise, on tue le lundi et le mardi. Le mercredi et le jeudi sont les jours de découpe et d'emballage, le vendredi, les gens du coin viennent faire abattre et/ou équarrir leurs bêtes. (Comme me l'a expliqué Mario, « pendant la saison de la chasse, en deux semaines, on peut recevoir jusqu'à cinq cents ou huit cents cervidés. Là, ça devient vite du délire. ») Aujourd'hui, nous sommes mardi. Je me gare sur une place de parking et, dès que j'ai coupé le moteur, j'entends des couinements.

La porte d'entrée de Paradise donne sur un espace de vente au détail, encadré d'armoires réfrigérantes qui contiennent des produits qu'il m'est arrivé de consommer (du bacon, des steaks), d'autres que je n'ai dû manger qu'à mon insu (du sang, des groins), et d'autres que je ne parviens pas à identifier. Les murs sont ornés d'animaux empaillés : deux têtes de daim en trophée, un Texas Longhorn, un bélier, des poissons, de nombreux bois de cervidés.

En dessous, des notes rédigées par des élèves d'école primaire: « Merci beaucoup pour les yeux de porc, je me suis bien amusé à les disséquer et à apprendre les différentes parties de l'œil! », « Ils étaient gluants, mais je me suis bien amusé! », « Merci pour les yeux! » À la caisse, un présentoir contient de la réclame pour une demi-douzaine de taxidermistes et une masseuse suédoise.

Paradise Locker Meats est l'un des derniers bastions des abattoirs indépendants dans le Midwest, une bénédiction pour les agriculteurs de la région. Les grands groupes ont racheté et fermé pratiquement tous les abattoirs indépendants et obligé les éleveurs à entrer dans leur système. Résultat, les clients les plus modestes – les éleveurs qui ne sont pas encore dans le réseau d'abattage industriel – doivent payer une prime pour le traitement (si les abattoirs y consentent, ce qui n'est jamais garanti), et ils n'ont évidemment pas voix au chapitre quant au sort réservé à leurs bêtes.

Pendant la saison de la chasse, Paradise reçoit des appels à toute heure de la journée. Sa boutique de vente au détail propose des produits que l'on ne trouve plus au supermarché, comme des pièces à l'os ou de l'équarrissage sur mesure. Il dispose même d'un fumoir et a servi de bureau de vote aux élections locales. Le site est connu pour sa propreté, son expertise et son respect des questions de bien-être des animaux. En bref, Paradise n'est pas loin d'être ce qui se rapproche le plus de l'abattoir « idéal » que j'espérais trouver. En termes statistiques, cette entreprise n'est pas du tout représentative du secteur. Essayer de comprendre l'abattage industriel à grande échelle en visitant Paradise, ce serait comme tenter d'évaluer la consommation d'essence d'un Hummer en s'intéressant au cyclisme (l'un et l'autre étant, après tout, des moyens de transport).

Le site comporte plusieurs espaces – la boutique, les bureaux, deux énormes refroidisseurs, un fumoir, une salle d'équarrissage, un enclos extérieur pour les bêtes qui attendent d'être abattues

– mais tout l'abattage proprement dit et la première partie de l'équarrissage se déroulent dans une seule grande salle haute de plafond. Mario me fait enfiler une blouse et un bonnet en papier blanc avant de franchir les portes battantes. Tendant une grosse main vers le fond de la zone de tuerie, il commence à m'expliquer leurs méthodes de prédilection : « Le type là-bas fait entrer le porc. Et il va utiliser un "shocker" [un pistolet électrique qui fait perdre rapidement conscience à l'animal]. Une fois sous électronarcose, on le hisse avec la poulie et on les saigne. Notre but, ce qu'il faut qu'on fasse conformément à la loi sur les méthodes humaines d'abattage, c'est que la bête meure sans s'apercevoir de rien. Elle doit être inconsciente. »

Contrairement aux abattoirs industriels de masse, où les animaux sont abattus et équarris à la chaîne, les cochons de Paradise sont traités un par un. La société n'embauche pas que des salariés temporaires qui ne conserveront même pas leur poste pendant un an. Le fils de Mario fait partie de ceux qui travaillent en zone de tuerie. Les cochons viennent d'enclos situés en partie à l'extérieur, et se retrouvent dans un toboggan recouvert de caoutchouc qui aboutit à la zone de tuerie. Dès qu'un cochon est à l'intérieur, une porte se referme derrière lui, si bien que les autres ne peuvent pas voir ce qui se passe. Ce qui est logique tant sur le plan humain qu'en termes d'efficacité. Un porc qui a peur de la mort – ou quelle que soit la raison à laquelle vous souhaitez attribuer sa panique – sera difficile à manipuler, pour ne pas dire dangereux. Et on sait que le stress peut affecter la qualité de la viande.

Au fond de la salle de tuerie se trouvent deux portes, l'une pour les employés et l'autre pour les cochons, qui donne sur les enclos à l'arrière de l'abattoir. Elles sont difficiles à voir car cette zone est en partie isolée du reste de la salle par des cloisons. C'est dans ce coin sombre que se dresse une énorme machine qui maintient temporairement le porc en place quand il entre, et qui permet au

« *knocker* » – l'opérateur du pistolet électrique – d'actionner son appareil au niveau du haut de la tête de l'animal, ce qui, dans l'idéal, le rend instantanément inconscient. Personne ne tient à m'expliquer pourquoi cette machine et son fonctionnement sont ainsi dissimulés à la vue de tous sauf du *knocker*, mais on peut facilement s'en douter. Il est certain que cela doit être, entre autres, lié au fait que les bouchers doivent pouvoir travailler sans avoir constamment à se rappeler que leur métier consiste à découper en morceaux des êtres qui, il y a peu, étaient encore vivants. Quand le porc apparaît dans la grande salle, il n'est déjà plus qu'une *chose*.

Cet angle mort empêche également Doc, l'inspecteur de l'USDA, de voir la tuerie. Ce qui me paraît problématique, dans la mesure où il a pour mission d'inspecter l'animal vivant afin de déceler toute maladie ou tout défaut qui pourrait le rendre impropre à la consommation humaine. De plus – et c'est un plus considérable si vous êtes, par exemple, un cochon –, c'est à lui, et à personne d'autre, qu'il incombe de veiller à ce que la tuerie s'effectue dans des conditions humaines. D'après Dave Carney, ancien inspecteur de l'USDA et président du National Joint Council of Food Inspection Locals, « compte tenu de l'agencement des abattoirs, l'inspection de la viande a lieu très en aval. Bien souvent, de là où ils se trouvent, les inspecteurs ne peuvent même pas voir la mise à mort. Il leur est pratiquement impossible de surveiller la zone de tuerie alors qu'ils tentent de détecter des maladies et des anomalies dans les carcasses qui leur filent sous le nez ». Avis dont se fait l'écho un inspecteur de l'Indiana : « Nous ne sommes pas en mesure de voir ce qui se passe. Dans beaucoup d'abattoirs, la zone de tuerie est séparée par un mur du reste de la salle. Oui, nous devrions superviser l'abattage. Mais comment faire pour superviser une telle chose quand on n'a pas le droit de quitter son poste pour voir ce qui se passe ? »

Je demande à Mario si le pistolet électrique fonctionne toujours correctement.

« Je crois que dans 80 % des cas, on les a du premier coup[76]. Nous ne voulons pas que les animaux soient encore capables de sentir quelque chose. Il nous est arrivé une fois d'avoir un problème d'équipement, il ne tirait à peu près qu'une demi-charge. On doit vraiment être vigilants avec ça, tester le matériel avant l'abattage. Il arrive que l'équipement marche mal. C'est pour ça qu'on a aussi un pistolet à cheville percutante en réserve. On le leur applique sur la tête, et ça leur enfonce une tige d'acier dans le crâne. »

Une fois assommé et, peut-on espérer, inconscient à la première ou du moins à la deuxième application du pistolet électrique, le cochon est pendu par les pieds et « piqué » – on lui plante une lame dans la nuque. Puis on le laisse se vider de son sang. Le porc passe alors à l'échaudage*. Quand il en ressort, il ressemble déjà beaucoup moins à un cochon qu'à son arrivée. Il est plus brillant, presque comme s'il était en plastique. Il est ensuite placé sur une table où deux ouvriers, l'un armé d'un chalumeau, l'autre d'une sorte de racloir, entreprennent d'éliminer les derniers poils.

La bête est alors de nouveau suspendue et quelqu'un – aujourd'hui, c'est le fils de Mario – le fend en deux par le milieu avec une scie mécanique. On s'attendrait – enfin, moi, tout du moins – à les voir ouvrir le ventre, mais une tête coupée en deux, le nez fendu par le milieu, et les deux moitiés du crâne s'ouvrir comme un livre, ça fait un choc. Je suis également surpris de constater que l'employé qui retire les organes du cochon ouvert en deux le fait non seulement à la main, mais sans gants. Il a besoin de la capacité de traction et de la sensibilité de ses doigts nus.

Si cela m'écœure, ce n'est pas simplement parce que je suis un gars de la ville. Mario et ses ouvriers reconnaissent avoir du mal à supporter certaines des facettes les plus sanguinolentes de leur

* On le plonge dans de l'eau à 62 °C pour éliminer plus facilement les poils.

métier, sentiment que j'ai retrouvé partout où j'ai pu avoir des conversations franches avec des employés d'abattoir.

Les entrailles et les organes sont apportés sur la table de Doc, qui les trie et en découpe un bout de temps à autre pour voir ce qui se trouve à l'intérieur. Puis il fait glisser tout ça dans une poubelle. Il ne lui manque pas grand-chose pour jouer dans un film d'horreur – et pas dans le rôle de la demoiselle en détresse, si vous voyez ce que je veux dire. Son tablier est éclaboussé de sang, il a le regard d'un fou derrière ses lunettes de protection : voilà à quoi ressemble l'inspecteur des viscères qui répond au surnom de Doc. Depuis des années, il ausculte les tripes et les organes de la chaîne de dépeçage de Paradise. Je lui demande combien de fois il est tombé sur quelque chose de suspect au point d'interrompre la procédure. Il ôte ses lunettes, puis, avant de les remettre, me répond : « Jamais. »

Il n'y a pas de cochon

Dans la nature, on rencontre des cochons partout, sauf en Antarctique, et les taxonomistes en dénombrent seize espèces en tout. Les cochons domestiques, les espèces que nous mangeons, sont eux-mêmes subdivisés en une série de races différentes. Contrairement à une espèce, une race n'est pas un phénomène naturel. Les races sont entretenues par les éleveurs qui procèdent à des accouplements sélectifs entre animaux présentant des caractéristiques particulières, ce qui se fait généralement aujourd'hui par le biais de l'insémination artificielle (environ 90 % des grands élevages porcins ont recours à l'insémination artificielle). Si vous prenez quelques centaines de cochons domestiques d'une race particulière et que vous les laissez vivre leur vie pendant quelques générations, ils commenceront à perdre leurs caractéristiques.

Comme chez les chiens ou les chats, chaque race porcine possède certains traits distinctifs. Quelques-uns sont plus importants pour le producteur, comme l'indice de consommation, incontournable. D'autres comptent davantage pour le consommateur, comme le taux de graisse dans la viande de l'animal. Et certains concernent surtout le cochon lui-même, comme sa tendance à l'anxiété ou des problèmes de douleurs aux pattes. Puisque les caractéristiques qui importent pour l'éleveur, le consommateur et l'animal ne sont absolument pas les mêmes, il est fréquent que les producteurs élèvent des animaux qui souffrent plus parce que leurs organismes présentent également des traits qui conviennent à l'industrie et aux consommateurs. Si vous avez déjà vu un berger allemand de race pure, vous vous êtes peut-être aperçu que, lorsque le chien se tient debout, son arrière-train est plus près du sol que son avant-train, si bien que l'on a toujours l'impression qu'il est ramassé sur lui-même ou qu'il regarde vers le haut d'un air agressif. Cet « aspect » a été jugé souhaitable par les éleveurs et a été sélectionné au fil des générations en ne croisant que des animaux aux pattes arrière plus courtes. En conséquence, les bergers allemands – même les meilleurs pedigrees – souffrent aujourd'hui de façon disproportionnée de dysplasie de la hanche, défaut génétique douloureux qui finit par contraindre bien des maîtres à condamner leurs compagnons à souffrir, à les euthanasier ou à dépenser de fortes sommes en interventions chirurgicales. Presque tous les animaux d'élevage, quelles que soient les conditions dans lesquelles ils vivent – « en plein air », « en liberté », « biologique » –, sont voués à souffrir du fait de leur conception. L'élevage industriel, qui permet aux producteurs de tirer profit des animaux malades grâce aux antibiotiques, à d'autres produits pharmaceutiques et à leur confinement sous un contrôle strict, a engendré de nouvelles créatures, parfois monstrueuses.

La demande en viande de porc maigre – « l'autre viande blanche », comme on nous l'a vendue – a amené le secteur à élever des cochons qui souffrent non seulement davantage de problèmes cardiaques et articulaires, mais aussi d'une plus grande excitabilité, de peur, d'anxiété et de stress. (C'est la conclusion des chercheurs qui fournissent des données à l'industrie.) Ces animaux en stress excessif inquiètent les éleveurs industriels, non parce qu'ils se soucient de leur bien-être, mais parce que, comme nous l'avons vu, le « stress », apparemment, a un impact négatif sur le goût : les animaux stressés produisent plus d'acide qui, en fait, décompose leurs muscles, tout comme les acides de nos estomacs décomposent la viande.

Le Conseil national des producteurs de porc, branche politique de l'élevage porcin industriel aux États-Unis, a déclaré en 1992 que 10 % des porcs abattus présentaient une chair saturée d'acide, blanchie, pâteuse (porc dit PSE, pour « *pale soft exsudative* », autrement dit atteint de myopathie exsudative), ce qui coûtait 69 millions de dollars au secteur. Quand, en 1995, le Pr Lauren Christian, de l'université d'État de l'Iowa, a annoncé avoir découvert un « gène du stress » que les éleveurs pourraient éliminer pour réduire l'incidence de viande PSE, le secteur a fait disparaître ce gène du patrimoine génétique. Ce qui n'a pas empêché les problèmes de porc PSE de se multiplier. Les cochons étaient encore si stressés que le simple fait de conduire un tracteur trop près de la porcherie pouvait déclencher des crises cardiaques parmi les animaux. En 2002, l'American Meat Science Association, organisation de recherche mise en place par l'industrie elle-même, a conclu que plus de 15 % des cochons abattus produisaient de la viande PSE (ou de la viande qui était ou pâle, ou molle, ou pisseuse, voire les trois)[77]. Retirer le gène du stress a toutefois été une bonne idée dans la mesure où cela a permis de réduire le nombre de bêtes qui mouraient durant le transport. Mais cela n'a pas supprimé le « stress ».

Bien sûr que non. Ces dernières décennies, les scientifiques se sont succédé pour nous annoncer l'existence de gènes qui « contrôlent » notre condition physique et nos prédispositions psychologiques. Ainsi, on proclame la découverte d'un « gène de l'obésité », nous laissant croire que si l'on parvenait seulement à retirer ces séquences d'ADN de notre génome, nous pourrions manger tout ce que nous voulons, ne pas faire d'exercice, et ne plus jamais craindre de prendre de la brioche. D'autres ont affirmé que ce sont nos gènes qui favorisent l'infidélité, le manque de curiosité, la couardise et le mauvais caractère. Ils ont certes raison quand ils disent que certaines séquences génomiques exercent une grande influence sur notre aspect, nos actes et nos sensations. Mais en dehors d'une poignée de caractéristiques extrêmement simples comme la couleur des yeux, les corrélations ne sont pas exactes. Certainement pas, en tout cas, pour quelque chose d'aussi complexe que la gamme de phénomènes différents que nous regroupons sous le vocable de « stress ». Quand on parle de stress chez les animaux d'élevage, on désigne beaucoup de choses à la fois : l'anxiété, une agressivité injustifiée, la colère, la peur et, surtout, la souffrance – dont aucune n'est une caractéristique génétique simple, comme les yeux bleus, susceptible d'être activée ou désactivée.

Un porc de l'une des nombreuses races élevées traditionnellement en Amérique pouvait et peut vivre en extérieur toute l'année si on lui assure un abri et une litière adéquats. C'est une bonne chose, non seulement parce que cela permet d'éviter des catastrophes écologiques d'une portée digne de l'*Exxon Valdez* (je vais y venir), mais aussi parce que les activités préférées des cochons sont généralement des activités d'extérieur – courir, jouer, se dorer au soleil, brouter, s'enduire de boue et d'eau avant de se rafraîchir sous la brise (les cochons ne suent que du groin). En revanche, les races de cochons de l'élevage industriel ont subi tant de modifications génétiques que, la plupart du temps, ceux-ci doivent être élevés dans des bâtiments où la température est contrôlée, à l'abri du soleil et des changements de saison. Nous élevons des créatures incapables de survivre ailleurs que dans les environnements les plus artificiels. Nous avons concentré la formidable puissance de la génétique moderne pour créer des animaux qui souffrent *plus.*

Joli, troublant, absurde

Mario me fait passer par-derrière. « Ici, c'est la zone où on garde les porcs. Ils arrivent la veille. On les lave. S'ils doivent rester vingt-quatre heures, on les nourrit. Ces enclos ont plutôt été conçus pour des bovins. Ici, on a assez de place pour cinquante porcs, mais parfois, on en reçoit jusqu'à soixante-dix ou quatre-vingts à la fois, et ça devient difficile. »

Se trouver si près d'animaux si grands, si intelligents, et si proches de leur mort a quelque chose d'extrêmement fort. On ne peut pas savoir s'ils comprennent ce qui est sur le point de leur arriver. En dehors des moments où le *knocker* vient chercher un candidat, ils ont l'air relativement calme. Pas de manifestation de terreur ni de cris. Ils ne sont même pas blottis les uns contre les autres. J'en remarque un, malgré tout, qui est couché sur le flanc et qui tremble. Et quand le *knocker* arrive, alors que tous les autres se redressent et s'animent, il reste couché et continue à trembler. Si George faisait de même, nous l'emmènerions immédiatement chez le vétérinaire. Et si quelqu'un voyait que je ne faisais rien pour elle, on me soupçonnerait d'inhumanité. J'interroge Mario à propos du cochon.

« C'est juste un truc de cochon », me répond-il en gloussant.

En fait, il n'est pas rare que les cochons qui attendent d'être tués soient victimes d'infarctus ou tombent dans la prostration[78]. Trop de stress : le transport, le changement d'environnement, la manipulation, les cris de l'autre côté de la porte, l'odeur du sang, le *knocker* qui agite les bras. Mais peut-être n'est-ce effectivement qu'un « truc de cochon », et que si Mario glousse, c'est à cause de mon ignorance.

Je lui demande s'il pense que les cochons comprennent pourquoi ils sont là ou ce qui se passe.

« Personnellement, je ne pense pas. Beaucoup de gens aiment bien faire croire aux autres que les animaux savent qu'ils vont mourir. J'ai vu passer trop de bétail, trop de porcs, je n'ai pas du tout cette impression-là. Je veux dire, ils ont peur, parce qu'ils ne savent pas où ils sont. Ils ont l'habitude d'être dehors, dans la boue, les champs, tout ça. C'est pour ça qu'on préfère les amener ici la nuit. Quant à ce qu'ils savent, ils savent juste qu'on les a déplacés et qu'ils attendent quelque chose. »

Peut-être qu'ils n'ont aucune idée de leur destin, qu'ils n'en ont pas peur. Peut-être que Mario a raison. Ou peut-être pas. L'un et l'autre semblent possibles.

« Vous aimez les cochons ? » lui demandé-je. C'est peut-être la question la plus évidente, mais elle n'est pas des plus faciles à poser dans cette situation, pas plus qu'il n'est simple d'y répondre.

« Il faut les tuer. C'est un truc au niveau du mental. Pour ce qui est de préférer un animal plutôt qu'un autre, c'est avec les moutons que c'est le plus dur. Notre pistolet est fait pour des cochons, pas pour des moutons. Il nous arrive d'en tuer par balle, mais parfois, la balle ricoche. »

J'ai du mal à suivre sa réflexion sur les moutons, mon attention est attirée par le *knocker* qui sort, les bras couverts de sang, et utilise une batte pour pousser un autre cochon vers la zone de tuerie. Sautant du coq à l'âne, Mario commence à me parler de son chien, « un chien de gibier à plume, un petit chien. Un shih tzu », dit-il. Il prononce la première syllabe « *shit* », puis après une pause d'un millième de seconde, comme pour faire monter la pression dans sa bouche, il lâche enfin « *zu* ». Il me raconte, avec un plaisir évident, qu'il a organisé il y a peu l'anniversaire de son shih tzu, auquel sa famille et lui ont invité les autres chiens du coin – « tous des petits cabots ». Il a pris une photo de tous les toutous sur les genoux de leurs propriétaires. Avant, il n'aimait pas les petits chiens. Il trouvait que ce n'étaient pas de vrais chiens. Puis il en a eu un, et maintenant, il les adore. Le *knocker* ressort, agite ses bras ensanglantés, et sélectionne un autre porc.

« Est-ce que vous ne vous préoccupez jamais de ces animaux ? lui demandé-je.

– Comment ça ?

– N'avez-vous jamais eu envie d'en épargner un ? »

Il me raconte l'histoire d'une vache qu'on lui a amenée récemment. Elle vivait dans une ferme de démonstration, et « le moment était venu ». (Personne, semble-t-il, n'aime aller au-delà de phrases de ce genre.) Alors que Mario se préparait à la tuer, elle lui a léché le visage. Encore et encore. Peut-être qu'elle était habituée à la compagnie des hommes. Peut-être qu'elle le suppliait. En racontant son histoire, Mario rit d'une façon qui, sciemment, selon moi, trahit sa gêne. « Ah, bon sang, dit-il. Et puis elle m'a collé contre un mur, et elle est restée appuyée sur moi pendant environ vingt minutes avant que je la tue. »

C'est une jolie histoire. Une histoire troublante, et absurde. Comment une vache aurait-elle pu le coller contre un mur ? L'agencement des locaux ne le permettrait pas. Et les autres employés ? Que faisaient-ils pendant ce temps ? Régulièrement, dans les petits comme dans les grands abattoirs, on m'a parlé du besoin de respecter le rythme de travail. Pourquoi aurait-on toléré un retard de vingt minutes à Paradise ?

Est-ce là sa réponse à ma question sur l'envie d'épargner certains animaux ?

Il est l'heure de prendre congé. Je voudrais passer plus de temps avec Mario et son équipe. Ce sont des gens bien, fiers, accueillants

– de ceux qui, se dit-on, ne pourront pas se maintenir encore longtemps dans le secteur agroalimentaire. En 1967, on comptait plus d'un million d'élevages de porcs aux États-Unis. Aujourd'hui, on en recense dix fois moins, et au cours des dix dernières années seulement, leur nombre a encore chuté de plus des deux tiers. (Actuellement, quatre entreprises produisent 60 % des porcs en Amérique.)

Cela s'inscrit dans un bouleversement plus général. En 1930, plus de 20 % de la population américaine était employée dans l'agriculture. Aujourd'hui, ce chiffre est inférieur à 2 %. Et cela en dépit du fait que la production agricole a doublé entre 1820 et 1920, entre 1950 et 1965, entre 1965 et 1975, et qu'elle doublera encore dans les dix prochaines années. En 1950, un ouvrier agricole fournissait 15,5 consommateurs. Aujourd'hui, le ratio est de 1 pour 140. C'est aussi déprimant pour les communes qui chérissaient la contribution de leurs petits exploitants que pour ces derniers. (Les agriculteurs américains sont quatre fois plus susceptibles de se suicider que le reste de la population.) Tout ou presque – l'alimentation, l'eau, l'éclairage, le chauffage, la ventilation, même la tuerie – est désormais automatisé. Les seuls emplois que produit l'élevage industriel sont soit des emplois administratifs (peu nombreux), soit des postes non qualifiés, dangereux et mal rémunérés (nombreux). Dans les élevages industriels, on ne trouve pas d'*éleveurs.*

Peut-être cela n'a-t-il aucune importance. Les temps changent. Peut-être l'image de l'éleveur spécialisé qui se soucie à la fois de ses bêtes et de la qualité de notre alimentation est-elle nostalgique, comme celle de l'opératrice téléphonique qui relayait les appels. Et peut-être ce sacrifice est-il justifié par ce que nous offrent les machines en échange.

« Vous n'allez pas partir comme ça », me dit une des ouvrières. Elle disparaît quelques secondes et revient avec une assiette en carton couverte de pétales roses de jambon. « On serait de drôles d'hôtes si on ne vous proposait même pas un échantillon. »

Mario en prend un et l'enfourne dans sa bouche.

Je n'en veux pas. À vrai dire, sur l'instant, je ne veux rien manger du tout, mon appétit s'est évaporé dans le spectacle et les odeurs de l'abattoir. Et je refuse particulièrement de toucher au contenu de cette assiette, qui, il n'y a pas si longtemps, appartenait à un cochon qui attendait dehors, dans l'enclos. Peut-être qu'il n'y a rien de mal à en manger. Mais, tout au fond de moi, quelque chose – de raisonnable ou de déraisonnable, d'esthétique ou d'éthique, d'égoïste ou d'altruiste – refuse tout simplement que cette viande entre dans mon organisme. Pour moi, cette viande est une chose qu'il ne faut pas manger.

Et pourtant, tout aussi profondément, quelque chose me pousse à la manger. Je tiens vraiment à montrer à Mario que j'apprécie sa générosité. Et je veux pouvoir lui dire que ses rudes efforts produisent une nourriture délicieuse. Je veux lui dire : « Ouah, c'est fantastique ! » Je veux même en reprendre. Je veux « rompre le pain » avec lui. Rien – ni une conversation, ni une poignée de main, pas même une accolade – ne permet d'établir des liens d'amitié aussi fortement qu'un repas pris ensemble. C'est peut-être culturel. Peut-être est-ce un écho des festins communautaires de nos ancêtres.

D'un certain point de vue, c'est là le fondement même de l'existence d'un abattoir. Dans l'assiette, sous mes yeux, se trouve la fin qui promet de justifier tous les sanglants moyens utilisés dans la salle voisine. Les gens qui élèvent des animaux destinés à notre consommation ne cessent de me le répéter, et c'est la solution pour comprendre cette équation : la nourriture – son goût, sa fonction – justifie ou non le processus qui lui permet d'aboutir dans l'assiette.

Pour certains, elle le justifie. Pas pour moi.

« Je suis casher, dis-je.

– *Casher?* répète Mario.

– Je suis juif, expliqué-je en riant. Et casher. »

Le silence se fait dans la pièce, comme si l'air lui-même prenait la mesure de ce fait nouveau.

« C'est un peu bizarre d'écrire sur le porc, alors », conclut Mario.

Et je ne sais absolument pas s'il me croit, s'il comprend et manifeste de la sympathie, ou s'il se méfie, se sentant peut-être même offensé. Peut-être qu'il est convaincu que je mens, mais qu'il comprend et manifeste de la sympathie. Tout paraît possible.

« C'est un peu bizarre », confirmé-je.

Sauf que ça ne l'est pas.

2.

Cauchemars

Les cochons tués chez Paradise Locker Meats proviennent généralement des rares élevages du pays qui n'ont pas recours à des méthodes industrielles. Le porc que l'on trouve dans presque tous les supermarchés et les restaurants vient des élevages industriels qui produisent aujourd'hui 95 % de la viande de porc aux États-Unis[79]. (À l'heure où je rédige ces lignes, Chipotle est la seule chaîne de restaurants nationale à prétendre se procurer sa viande de porc en dehors de l'élevage industriel.) À moins que vous ne cherchiez sciemment une autre solution, vous pouvez être sûr que votre jambon, votre saucisson ou vos côtes de porc proviennent de l'élevage industriel.

Le contraste entre la vie d'un cochon issu de cet élevage – bourré d'antibiotiques, mutilé, prisonnier d'un espace confiné et privé de toute stimulation – et celle d'un cochon provenant d'une exploitation associant l'élevage traditionnel et les techniques les plus innovantes est spectaculaire. On trouvera difficilement meilleur éleveur que Paul Willis, un des fers de lance du mouvement défendant l'élevage porcin traditionnel et le directeur du département porcin de Niman Ranch – le seul fournisseur national de porc d'élevage traditionnel. De même, on peine à croire qu'il puisse exister une entreprise plus foncièrement immorale que Smithfield, le plus grand préparateur de viande de porc du pays.

Il était tentant pour moi de commencer ce chapitre en décrivant l'enfer industriel de Smithfield puis de conclure avec le tableau relativement idyllique des élevages traditionnels. Mais raconter l'histoire de l'élevage porcin de cette façon pourrait laisser croire que ce secteur s'oriente dans son ensemble vers un meilleur traitement des animaux et une plus grande prise de conscience environnementale, alors que c'est exactement l'inverse qui se produit. Il n'y a pas de « retour » à l'élevage de porcs traditionnel. Le « mouvement » vers ce type d'activité est bien réel, mais il est essentiellement le fait d'éleveurs de longue date qui ont appris à mieux vendre leur image et parviennent ainsi à tenir bon. L'élevage porcin industriel continue de s'étendre en Amérique, et sa croissance mondiale est encore plus effrénée.

Nos bons vieux efforts

En arrivant devant la ferme de Paul Willis à Thornton, dans l'Iowa, où il coordonne la production de porcs pour Niman Ranch avec quelque 500 autres petits exploitants, je suis un peu perplexe. Paul m'a dit de le retrouver dans son bureau, mais tout ce que je vois, c'est une bâtisse de brique rouge sans fonction définie et une poignée de bâtiments agricoles. C'est encore le petit matin, et un chat efflanqué, blanc et marron, s'approche. J'erre en examinant les lieux à la recherche de quelque chose qui correspondrait à l'idée que je me fais d'un bureau quand Paul surgit des champs, un café à la main, portant une salopette isotherme bleu marine et une petite casquette sur des cheveux brun-gris coupés court. Après m'avoir gratifié d'un bon sourire et une poignée de main ferme, il m'entraîne dans la maison. Nous nous asseyons quelques minutes dans une cuisine équipée d'appareils électroménagers tout droit sortis des années 1970. Il reste du café, mais Paul tient à m'en préparer du frais.

« Ça fait un moment qu'il est fait, celui-là », m'explique-t-il. Il ôte sa salopette isotherme, en révélant une autre en dessous, ornée de minces rayures bleues et blanches.

« J'imagine que vous allez vouloir enregistrer ça », dit-il avant de commencer. Cette transparence, ce désir d'aider, la volonté de raconter son histoire afin qu'elle soit diffusée vont marquer la journée que nous allons passer ensemble, même quand nos désaccords seront manifestes.

« C'est dans cette maison que j'ai grandi, déclare-t-il. C'était ici que nous déjeunions en famille, surtout les dimanches, quand on recevait les grands-parents, les oncles et les tantes, les cousins. Après le repas, préparé avec des produits de saison comme du maïs doux et des tomates fraîches, nous, les gosses, on allait jouer toute la journée au ruisseau ou dans le bois, jusqu'à épuisement. On s'amusait tellement que le temps nous paraissait toujours trop court. Cette pièce, où je travaille aujourd'hui, c'était la salle à manger qu'on utilisait pour ces repas du dimanche. Les autres jours, on mangeait dans la cuisine, et généralement, les ouvriers déjeunaient avec nous, surtout s'il y avait une tâche particulière en cours – comme rentrer les foins, castrer les cochons ou construire un truc comme un silo à grain. Tout ce qui nécessitait une aide extérieure. C'était normal qu'ils déjeunent avec nous. On n'allait manger en ville que pour des occasions exceptionnelles. »

Outre la cuisine, la maison comprend quelques pièces presque vides. Dans le bureau de Paul, on ne trouve qu'une table en bois sur laquelle un ordinateur bourdonne tandis que des e-mails, des tableurs et des fichiers s'affichent sur l'écran. Sur des cartes collées aux murs, des punaises indiquent l'emplacement des exploitants et des abattoirs conventionnés par Niman Ranch. De hautes fenêtres donnent sur les douces ondulations d'un paysage classique de l'Iowa, avec ses prairies, ses champs de soja et de maïs.

« Je vais essayer d'être bref, reprend Paul. Quand je suis revenu à la ferme, on a commencé à élever des porcs dans les champs, à peu près comme on le fait aujourd'hui. C'était la même chose que quand j'étais gosse. Pendant toute ma jeunesse, j'avais des tas de trucs à faire, pas mal de corvées, et je m'occupais des cochons. Mais il y a eu des changements, surtout dans l'équipement électrique. À l'époque, en fait, on était limités par la quantité de travail physique à fournir. On utilisait des fourches. Ce qui fait que les travaux agricoles étaient vraiment durs.

« Donc, pour revenir à ce que je disais, j'élevais des cochons et j'aimais ça. Pour finir, on s'est agrandis, on est passés à un millier de cochons par an, comme aujourd'hui. J'ai vu de plus en plus de ces bâtiments de confinement se construire. La Caroline du Nord a commencé à augmenter ses activités à ce moment-là, avec Murphy Family Farms. Je suis allé assister à une ou deux réunions, et ils étaient tous là à répéter : “C'est la vague de l'avenir. Il faut s'agrandir !” Et je me suis dit : “Ils ne font rien de mieux que moi. Rien. Ce n'est mieux ni pour les bêtes, ni pour les exploitants, ni pour les consommateurs. Rien de mieux.” Mais ils ont convaincu beaucoup de gens qui voulaient rester dans le secteur que c'était comme ça qu'il fallait faire. Je dirais que c'était vers la fin des années 1980. Donc, j'ai commencé à étudier la possibilité d'ouvrir un marché pour les “porcs élevés en plein air”. En fait, c'est moi qui ai inventé le terme. »

Si l'histoire avait été légèrement différente, on pourrait facilement imaginer que Paul n'aurait jamais trouvé un marché prêt à payer ses porcs plus cher que ceux, plus abordables, de Smithfield. Tout aurait pu se terminer là, comme pour plus de 500 000 autres éleveurs de porcs qui ont dû cesser leurs activités au cours des vingt-cinq dernières années. Mais Paul, lui, a réussi à dénicher exactement le marché qu'il lui fallait le jour où il a rencontré Bill Niman, fondateur de Niman Ranch, et très vite, il s'est vu confier la production de porcs de la société, tandis que Bill et le reste de son équipe directoriale trouvaient également des débouchés pour Andy, dans le Michigan, Justin, dans le Minnesota, puis Todd, dans le Nebraska, Betty, dans le Dakota du Sud, et Charles, dans le Wisconsin. Aujourd'hui, plus de 500 petits éleveurs de porcs travaillent pour Niman. Ce dernier leur paie leurs animaux cinq *cents* de plus par livre que le prix du marché et leur garantit un « prix plancher » quel que soit le taux du marché. Aujourd'hui, cela revient à environ 25 à 30 dollars de plus par porc. Aussi modeste que soit cette somme, elle a permis à ces éleveurs de subsister alors que la plupart des autres ont fait faillite.

L'exploitation de Paul est un exemple frappant de ce que l'un de ses héros, l'agriculteur et intellectuel Wendell Berry, définissait comme « nos bons vieux efforts pour tenter de reproduire les processus naturels ». Pour Paul, cela veut dire qu'il est essentiel, dans sa chaîne de production, que les cochons puissent vivre en tant que tels (ou presque). Les laisser vivre à leur guise, c'est les regarder devenir rondouillards et, me dit-il, savoureux. (Dans les tests gustatifs, les élevages traditionnels l'emportent toujours sur leurs concurrents industriels.) L'idée, ici, c'est que le travail des éleveurs consiste à trouver des moyens d'élever des cochons qui permettent de concilier le bien-être des animaux et l'intérêt des éleveurs, lesquels souhaitent les amener efficacement à leur « poids d'abattage ». Quiconque vous affirme qu'il existe une symbiose totale entre les intérêts des éleveurs et ceux des animaux cherche sans doute à vous vendre quelque chose (non, ce n'est pas du tofu). Le « poids d'abattage idéal » n'est sans doute pas synonyme de bonheur ultime du point de vue porcin, mais dans les meilleurs élevages traditionnels, le rapport est néanmoins considérable. Quand Paul castre des porcelets d'un jour sans anesthésiant (ce qui arrive à 90 % des porcelets mâles[80]), ses intérêts ne sont apparemment pas si concomitants que cela avec ceux des jeunes ex-verrats. Mais c'est une souffrance relativement brève, comparée, par exemple, aux longs moments de joie que Paul et ses cochons partagent quand il les laisse en liberté dans les prairies – pour ne rien dire du martyre prolongé des porcs dans l'élevage industriel.

Dans la meilleure tradition de l'élevage, Paul veille toujours à maximiser la façon dont ses besoins et ceux des animaux se rejoignent, en tenant compte de leurs biorythmes et de leurs schémas de croissance.

Alors que Paul gère son exploitation en considérant qu'il est essentiel de laisser les cochons être ce qu'ils sont, l'élevage industriel moderne s'est demandé à quoi ressemblerait le secteur si l'on ne tenait compte que de la rentabilité – en concevant littéralement des élevages à niveaux superposés à l'image des immeubles de bureaux. En termes pratiques, quelle différence idéologique cela fait-il ? La plus criante – une différence que même quelqu'un qui n'y entend rien aux porcs pourra constater depuis la route –, c'est que, dans l'élevage de Paul, les cochons ont accès à la terre au lieu d'être enfermés dans du béton et des cloisons. Beaucoup d'éleveurs de Niman Ranch, mais pas tous, permettent à leurs animaux de vivre à l'extérieur. Ceux qui ne le font pas doivent élever les porcs dans des systèmes « à litière épaisse », où, là encore, les animaux peuvent adopter de nombreux « comportements spécifiques à leur espèce » – les comportements qui font des cochons ce qu'ils sont, comme de fouiller le sol avec le groin, jouer, aménager une aire ou s'allonger ensemble dans de la paille épaisse en quête de chaleur pour la nuit (ils préfèrent dormir en groupe).

L'exploitation de Paul compte cinq champs d'environ dix hectares chacun, où il alterne élevage et récoltes. Il m'en fait faire le tour à bord de son énorme pick-up blanc. Je suis surpris par tout ce que je peux voir à l'extérieur, surtout après mes raids nocturnes dans quelques fermes industrielles : les champs parsemés de serres en tunnels, les granges qui donnent sur des prés, du maïs et du soja à perte de vue. Et, au loin, de temps à autre, un élevage industriel.

La vie des truies est au cœur de tout élevage porcin – et au cœur des préoccupations sur le bien-être des cochons aujourd'hui. Les cochettes de Paul (les truies qui n'ont pas encore eu de portée) et ses truies (qui ont déjà eu des porcelets), comme toutes les cochettes et les truies élevées pour Niman Ranch, sont logées en groupes et gérées de manière à favoriser « une hiérarchie sociale stable ». Cette citation est extraite des réglementations impressionnantes mises au point dans le domaine du bien-être des animaux avec l'aide de Paul et de plusieurs spécialistes, comme les sœurs Diane et Marlene Halverson qui, depuis trente ans, défendent les droits des animaux en respectant les besoins des petits exploitants.

Entre autres règles censées engendrer cette hiérarchie sociale stable, des directives exigent qu'un « animal solitaire ne soit jamais introduit dans un groupe social établi ». Ce n'est pas vraiment le genre d'engagement que l'on verra imprimé au dos d'un sachet de bacon, mais, pour les cochons, c'est extrêmement important. Le principe qui sous-tend ces réglementations est simple : pour fonctionner normalement, les porcs ont besoin de la compagnie de congénères *qu'ils connaissent*. Tout comme la plupart des parents répugnent à retirer leurs enfants de l'école au milieu de l'année pour les placer dans une autre qu'ils ne connaissent pas, un éleveur correct fera en sorte, autant que possible, que ses cochons restent dans des groupes sociaux stables.

Paul veille également à ce que ses truies et cochettes disposent d'assez d'espace afin que les plus timides d'entre elles puissent se mettre à l'écart des plus agressives. Parfois, il utilise des balles de paille pour créer des « zones de repli ». Comme les autres éleveurs de Niman Ranch, il ne coupe pas la queue de ses bêtes[81] et ne leur arrache pas les dents, comme c'est généralement le cas dans les élevages industriels pour éviter les morsures et le cannibalisme[82]. Si la hiérarchie sociale est stable, les cochons règlent leurs conflits entre eux.

Dans tous les élevages de Niman Ranch, les truies en gestation doivent être maintenues avec leurs groupes sociaux et avoir accès à l'extérieur. Alors qu'environ 80 % des truies gestantes en Amérique – Smithfield en détient 1,2 million – sont confinées dans des cages individuelles en béton et en acier si étroites qu'elles ne peuvent pas se retourner. Quand des cochons quittent un élevage Niman Ranch, ils continuent de faire l'objet de réglementations strictes en ce qui concerne le transport et l'abattage, des réglementations du même type que celles qui exigent le respect d'une hiérarchie sociale stable. Ce qui ne veut pas dire que le transport et l'abattage de Niman Ranch se fassent « à l'ancienne ». Les améliorations sont aussi réelles que multiples, tant sur le plan de la gestion que de la technologie : programmes de certification du traitement humain des animaux pour les opérateurs et les transporteurs, audits des abattoirs, documentation administrative garantissant une attribution des responsabilités, accès à des vétérinaires bénéficiant d'une meilleure formation, prévisions météorologiques afin d'éviter le transport par forte chaleur ou grand froid, planchers antidérapants, et étourdissement. Toutefois, personne chez Niman Ranch n'est en mesure d'obtenir tous les changements souhaitables. Seules les plus grandes entreprises disposent de moyens de pression adéquats. On assiste donc à des négociations et à des compromis, comme les longues distances que les cochons de Niman Ranch doivent parcourir pour arriver à un abattoir acceptable.

Dans la propriété de Paul comme dans d'autres élevages Niman Ranch, ce qui est impressionnant n'est pas tant ce que l'on voit que ce que l'on ne voit pas. Sauf recommandation médicale, on n'administre ni antibiotiques ni hormones aux animaux. On ne trouve pas de fosses ou de conteneurs pleins de cadavres de porcs. Pas de puanteur, essentiellement parce qu'il n'y a pas de mares de déchets animaux. Comme le nombre des animaux élevés sur le terrain est approprié, le lisier peut servir d'engrais pour les récoltes qui serviront ensuite à nourrir les cochons. Certes, il y a de la souffrance, mais la vie y suit aussi un cours plus normal, et on y connaît même des moments de ce qui semble être un authentique bonheur porcin.

Paul et les autres éleveurs de Niman Ranch ne se contentent pas de faire toutes ces choses (ou de ne pas faire celles qui sont néfastes). Ils sont tenus de travailler dans le respect de ces directives. Ils signent des contrats. Ils sont soumis à un examen vraiment indépendant et, ce qui est peut-être plus révélateur, ils laissent même les gens comme moi s'intéresser à leurs animaux. Il faut le souligner, car la plupart des critères pour un élevage plus humain ne sont en réalité, de la part de l'industrie, qu'une tentative pour jouer sur les préoccupations croissantes du public. Il n'est pas aisé d'identifier ces quelques rares entreprises – la minuscule Niman Ranch étant de loin la plus importante – qui ne sont pas simplement des variantes de l'élevage industriel[83].

Alors que je suis sur le point de quitter la propriété de Paul, il évoque Wendell Berry et rappelle les liens étroits qui rattachent tout achat dans un supermarché et toute commande dans un restaurant à la politique agricole – autrement dit, aux décisions prises par les éleveurs, l'industrie agroalimentaire et Paul lui-même. Chaque fois que vous prenez une décision concernant votre alimentation, affirme Paul en citant Berry, « vous pratiquez l'élevage par procuration ».

Dans *The Art of the Commonplace,* Berry résume précisément ce qu'implique ce concept : « Nos méthodes de travail [...] en sont venues à ressembler de plus en plus à celles de l'exploitation minière. [...] La plupart d'entre nous en sont parfaitement conscients. En revanche, peut-être qu'aucun de nous ne comprend vraiment dans quelle mesure nous sommes complices, en tant qu'individus et surtout en tant que consommateurs individuels, du comportement des grands groupes. [...] La plupart des gens [...] ont cédé aux grands groupes le droit de produire et de leur fournir *toute* leur nourriture. »

C'est une idée forte. Au bout du compte, le Goliath du secteur agroalimentaire est mû et déterminé par les choix que nous faisons tandis que le serveur s'impatiente en attendant notre commande, ou par nos considérations pratiques et nos lubies quand nous remplissons nos chariots ou nos paniers dans les supermarchés.

Nous finissons la journée chez Paul. Des poulets courent en liberté dans la cour et, un peu plus loin, on aperçoit un enclos à verrats. « Cette maison a été construite par Marius Floy, m'explique-t-il, un de mes arrière-grands-pères venu du nord de l'Allemagne. Elle s'est développée au fur et à mesure de l'extension de la famille. On y habite depuis 1978. C'est ici qu'Anne et Sarah ont grandi. Elles allaient au bout de l'allée pour prendre le bus scolaire. »

Quelques minutes plus tard, Phyllis, l'épouse de Paul, nous annonce qu'un élevage industriel a acheté un terrain à des voisins, un peu plus bas sur la route, et qu'ils vont bientôt construire un site capable d'accueillir 6 000 porcs. L'élevage industriel va se dresser juste à côté de l'endroit où Phyllis et lui avaient envisagé de prendre leur retraite, une petite maison sur une hauteur qui domine un espace que Paul a passé des décennies à retransformer en prairie typique du Midwest. Phyllis et lui l'appelaient « la Ferme de rêve ». L'ombre d'un cauchemar menace désormais d'engloutir leur rêve : des milliers de cochons malades, vivant dans la souffrance à deux pas de chez eux, eux-mêmes victimes d'une puanteur nauséabonde et étouffante. Non seulement ce futur élevage industriel risque de déprécier la valeur du terrain de Paul (selon certaines estimations, la dégradation des sols par l'élevage industriel aurait coûté 26 milliards de dollars aux Américains) et de détruire le terrain lui-même, non seulement l'odeur rendra toute cohabitation au mieux extrêmement déplaisante, et selon toute probabilité dangereuse pour la santé de la famille de Paul, mais, en outre, le projet va à l'encontre de ce que ce dernier a défendu toute sa vie durant.

« Les seuls gens qui les soutiennent sont les nouveaux propriétaires », lâche-t-il. Phyllis ajoute : « Les gens *détestent* ces éleveurs. Qu'est-ce que ça doit être, d'avoir un travail où les gens vous détestent ? »

Dans cette cuisine se déroule l'inexorable tragédie de l'extension de l'élevage industriel. Mais la résistance se développe aussi, et Paul en est l'incarnation. (Phyllis aussi prend une part active à la lutte politique au niveau régional en faveur d'une diminution du pouvoir et de la présence des élevages industriels dans l'Iowa.) Et, bien sûr, ces mots que j'écris sont issus de cet instant. Si cette histoire trouve une résonance en vous, alors, peut-être, le drame de l'extension de l'élevage industriel vécu dans cette cuisine de l'Iowa contribuera à renforcer la résistance qui y mettra fin.

3.

Tas de merde

La scène dans la cuisine des Willis s'est répétée à maintes reprises. Dans le monde entier, les municipalités se battent pour se protéger de la pollution et de la puanteur des élevages industriels, en particulier des zones de confinement de l'élevage porcin.

Aux États-Unis, les plus grandes victoires remportées sur les élevages porcins industriels devant la justice ont été liées à l'incroyable potentiel polluant de ceux-ci. (Quand les gens évoquent les conséquences environnementales de l'élevage, c'est de cela qu'ils parlent la plupart du temps.) Le problème est très simple : d'immenses quantités de merde. Tant de merde, si mal gérée qu'elle se répand dans les rivières, les lacs et les océans – tuant la faune, polluant l'air, l'eau et les sols d'une façon dévastatrice pour la santé de l'homme.

Actuellement, un élevage porcin industriel moyen produit chaque année 3 200 tonnes de lisier, un élevage de poulets de chair 2 900, et un élevage de bétail 155 000. Le Government Accountability Office* (GAO) signale que les élevages individuels « peuvent engendrer plus de déchets bruts que la population de certaines villes des États-Unis ». En tout, les animaux d'élevage aux États-Unis produisent 130 fois plus de déchets que la population humaine – environ 39 tonnes de merde *par seconde*[84]. La capacité de pollution de cette merde est 160 fois plus importante que celle d'eaux usées municipales non retraitées[85]. Pourtant, il

* Le GAO est un organisme du Congrès américain chargé de contrôler les comptes publics.

n'existe presque aucune infrastructure de retraitement des déchets des animaux d'élevage – pas de toilettes, évidemment, mais pas de canalisations non plus, personne ne se charge de les transférer vers des sites de retraitement, et il n'y a presque aucune directive fédérale quant à ce que l'on doit en faire. (D'après le GAO, aucune agence fédérale ne rassemble même des données fiables sur les élevages industriels, ni ne connaît le nombre d'élevages industriels autorisés au niveau national, et n'est, par conséquent, pas capable de les « réglementer efficacement ».) Alors, qu'advient-il de toute cette merde ? Je vais m'intéresser plus précisément au sort de la merde du plus grand producteur de porcs d'Amérique, Smithfield.

Le nombre de porcs tués chaque année par Smithfield dépasse le nombre total d'habitants de New York, Los Angeles, Chicago, Houston, Phoenix, Philadelphie, San Antonio, San Diego, Dallas, San Jose, Detroit, Jacksonville, Indianapolis, San Francisco, Columbus, Austin, Fort Worth et Memphis – soit environ 31 millions de bêtes. Selon des données sous-évaluées de l'Agence de protection de l'environnement, un porc produit de deux à quatre fois plus de merde qu'un être humain. Dans le cas de Smithfield, la quantité produite atteint environ 127 kilos pour chaque citoyen des États-Unis[86]. Ce qui veut dire que Smithfield – une seule entité juridique – produit au moins autant de matières fécales que la population humaine totale des États de Californie et du Texas.

Imaginez ça. Si, au lieu des gigantesques infrastructures de retraitement des déchets que nous considérons comme une évidence dans les villes modernes, chaque homme, chaque femme, chaque enfant de toutes les villes et de tous les villages de Californie et du Texas faisaient leurs besoins dans un immense puits à ciel ouvert pendant un jour. Maintenant, imaginez qu'ils ne le fassent pas seulement un jour, mais toute l'année, à perpétuité. Pour appréhender les effets de cette quantité de merde dans l'environnement, il nous faut savoir de quoi elle se compose. Dans le superbe article sur Smithfield qu'il a écrit pour *Rolling Stone* (« Boss Hog »), Jeff Tietz dresse la liste utile des saletés que l'on retrouve généralement dans les excréments des porcs de l'élevage industriel : « ammoniaque, méthane, sulfate d'hydrogène, monoxyde de carbone, cyanure, phosphore, nitrates et métaux lourds. En outre, ces déchets abritent plus d'une centaine d'agents pathogènes microbiens qui peuvent rendre l'homme malade, dont la salmonelle, le cryptosporidium, des streptocoques et la girardia ». Ce qui explique pourquoi plus de 50 % des enfants élevés sur le site d'un élevage industriel de porcs souffrent d'asthme, et que ceux qui vivent à proximité ont deux fois plus de risques que la moyenne de devenir asthmatiques. Et toute cette merde n'est pas seulement de la merde. Elle se compose de tout ce qui filtre à travers les planchers ajourés des bâtiments des élevages industriels. Ce qui comprend, sans que l'énumération soit exhaustive, des porcelets mort-nés, du placenta, des porcelets morts, du vomi, du sang, de l'urine, des seringues d'antibiotiques, des bouteilles d'insecticide cassées, des poils, du pus, et même des fragments de chair.

Les élevages industriels prétendent que les champs peuvent absorber les toxines contenues dans les matières fécales, mais c'est faux. Les écoulements se répandent dans les cours d'eau. Quand les fosses, grandes comme des terrains de football, sont près de déborder, Smithfield, comme d'autres entreprises de l'industrie, répand le lisier liquéfié sur les champs. Ou parfois, ils se contentent de le diffuser directement dans l'air, un geyser de merde émettant une fine brume fécale qui engendre des gaz tourbillonnants susceptibles de provoquer de graves dégâts neurologiques. Les habitants des communes situées à proximité de ces élevages se plaignent régulièrement de saignements de nez, de douleurs auriculaires, de diarrhée chronique et de brûlures pulmonaires. Même quand les citoyens parviennent à faire voter des lois afin de limiter ces pratiques, l'industrie exerce une telle influence sur le gouvernement que les réglementations sont souvent annulées ou ne sont pas appliquées.

Les bénéfices de Smithfield sont impressionnants – la société a réalisé 12 milliards de dollars de ventes en 2007 –, en tout cas tant que l'on ne prend pas la mesure des coûts qu'ils externalisent : la pollution due aux excréments, bien sûr, mais aussi les maladies causées par cette pollution et la dégradation de la valeur des biens immobiliers (pour ne citer que les coûts externes les plus évidents). Si Smithfield ne rejetait pas ces frais et d'autres sur le public, l'entreprise ne pourrait pas produire sa viande à bas prix sans risquer la faillite. Comme tous les élevages industriels, l'illusion de la profitabilité et de l'« efficacité » est entretenue par l'immense butin qu'elle engrange.

Prenons du recul : la merde, en elle-même, n'est pas néfaste. Longtemps, elle a été l'amie du fermier, l'engrais de ses champs, où il faisait pousser de quoi nourrir ses bêtes, dont la viande était destinée aux gens tandis que leurs excréments revenaient dans les champs. La merde n'est devenue un problème que lorsque les Américains ont décidé que nous voulions manger plus de viande que toute autre civilisation dans l'histoire, à un prix qui n'a jamais été plus bas. Pour réaliser ce fantasme, nous avons tiré un trait sur la ferme de rêve de Paul Willis et emboîté le pas à Smithfield. Grâce, ou plutôt à cause de nous, l'élevage est passé des mains des agriculteurs à celles de grands groupes qui font ouvertement tout pour imputer leurs coûts au public. Les consommateurs étant inconscients du phénomène (quand ils ne le soutiennent pas carrément), les sociétés comme Smithfield ont concentré les animaux à des niveaux de densité absurdes. Dans ce contexte, un éleveur est incapable de faire pousser assez de nourriture pour son bétail et doit donc en acheter à l'extérieur. Qui plus est, il y a désormais trop d'excréments pour servir d'engrais aux récoltes – pas un peu trop, pas beaucoup trop, mais littéralement des tombereaux de merde en trop. À un moment donné, trois élevages industriels de Caroline du Nord produisaient plus d'azote (ingrédient essentiel des engrais) que n'en pouvaient absorber les récoltes de tout l'État.

Revenons donc à notre question de départ : qu'advient-il de cette masse de merde extrêmement dangereuse ?

Si tout se déroule conformément au plan, les déchets liquéfiés sont rejetés dans d'immenses « mares » creusées près des porcheries. Ces mares toxiques s'étendent parfois sur plus de 11 000 mètres carrés[87] – autant que les plus grands casinos de Las Vegas – et atteignent jusqu'à dix mètres de profondeur. La création de ces latrines aussi grandes que des lacs est considérée comme normale et est parfaitement légale, en dépit de leur incapacité constante à effectivement absorber les déchets. On peut trouver jusqu'à une centaine de ces puisards géants dans les environs d'un seul abattoir (les élevages industriels ont tendance à s'entasser autour des abattoirs). Si vous tombiez dans l'un d'entre eux, vous mourriez. (Tout comme vous mourriez d'asphyxie en quelques minutes si le courant était coupé dans une porcherie industrielle où vous vous trouveriez.) Tietz rapporte une histoire terrifiante au sujet d'une de ces mares : « Étourdi par l'odeur, un ouvrier du Michigan qui travaillait à la réfection d'une mare est tombé dedans. Son neveu de quinze ans a plongé pour le sauver, mais il a perdu conscience, le cousin de l'ouvrier s'est jeté dans l'étang pour sauver l'adolescent, mais il s'est évanoui, le frère aîné de l'ouvrier a voulu y aller à son tour, et a lui aussi perdu conscience, puis le père de l'ouvrier a plongé. Ils sont tous morts dans de la merde de porc. »

Pour les entreprises comme Smithfield, c'est une question de rentabilité : il revient moins cher de payer des amendes pour activité polluante que de renoncer à l'ensemble du système des élevages industriels, ce qui serait la seule solution pour mettre fin à cette dévastation.

Dans les rares cas où la loi commence à imposer des limites à ces sociétés, celles-ci trouvent souvent des moyens de contourner les réglementations. L'année qui a précédé la construction par Smithfield du plus grand site d'abattage et de conditionnement du monde dans le comté de Bladen, la législature de l'État de Caroline du Nord a en fait privé les comtés du pouvoir de réglementer les élevages porcins industriels. Bien pratique pour Smithfield. Ce n'est peut-être pas un hasard, mais Wendell Murphy, l'ancien sénateur de l'État et coauteur de cette déréglementation qui arrivait à point nommé, est aujourd'hui membre du conseil d'administration de Smithfield. Il était d'ailleurs lui-même ancien président du conseil d'administration et président-directeur général de Murphy Family Farms, élevage industriel racheté par Smithfield en 2000.

Quelques années après cette déréglementation datant de 1995, Smithfield a rejeté plus de 75 000 mètres cubes de déchets liquides dans la New River, en Caroline du Nord. Ce déversage reste la plus grande catastrophe écologique de ce type, et est deux fois plus importante que la célèbre marée noire provoquée par l'*Exxon Valdez* six ans plus tôt. Il a libéré assez de lisier liquide pour remplir 250 piscines olympiques. En 1997, comme l'a signalé le Sierra Club dans son impitoyable « Dossier de dénonciation des élevages industriels », Smithfield a été pénalisé pour avoir commis le chiffre ahurissant de 7 000 infractions au Clean Water Act* – soit environ vingt infractions par jour. Le gouvernement des États-Unis a accusé la société de déverser des quantités illégales de déchets dans la Pagan, rivière qui se jette dans la baie de Chesapeake, puis d'avoir falsifié et détruit ses archives pour effacer les traces de ses activités. Dans le cas d'une infraction, il peut s'agir d'un accident. Même dans le cas de dix infractions. Mais

* Votée en 1972, cette loi sur la protection de l'eau permet aux instances fédérales de contrôler la qualité des eaux en surface.

7 000 infractions, c'est un plan délibéré. Smithfield a été condamné à une amende de 12,6 millions de dollars. À l'époque, on a pu croire qu'il s'agissait d'une victoire contre l'élevage industriel. C'était la plus forte amende pour pollution infligée dans l'histoire des États-Unis, mais c'est une somme désespérément ridicule pour une entreprise qui empoche 12,6 millions de dollars toutes les dix heures[88]. En 2001, l'ancien président-directeur général, Joseph Luter III, a reçu la même somme en stock-options.

Comment a réagi le public consommateur ? En général, nous faisons un peu de bruit quand la pollution atteint des proportions quasi bibliques, puis Smithfield (ou une autre société du même genre) intervient en faisant : « Oups ! » et, acceptant leurs excuses, nous continuons à manger nos animaux élevés de façon industrielle. Non seulement Smithfield a survécu à cette action en justice, mais l'entreprise a prospéré. À l'époque du déversage dans la Pagan, Smithfield était le septième plus grand producteur de porcs aux États-Unis. Deux ans plus tard, il était en tête du classement. Depuis, sa domination croissante sur le secteur n'a jamais fléchi. Aujourd'hui, Smithfield est une société si énorme qu'elle abat un porc sur quatre vendus dans le pays. Notre façon de manger actuelle – les dollars que nous versons chaque jour à Smithfield et consorts – récompense les pires pratiques imaginables.

Selon les estimations de l'Agence de protection de l'environnement, les excréments de volailles, de porcs et de bovins ont déjà pollué 56 000 kilomètres de rivières dans vingt-deux États (rappelons que la circonférence de la Terre est d'environ 40 000 kilomètres)[89]. En à peine trois ans, deux cents hécatombes de poissons – des incidents au cours desquels toute la population de poissons d'une région donnée est tuée en même temps – ont été causées par l'incapacité des élevages industriels à empêcher leur merde d'atteindre les cours d'eau. Pour ces seuls cas répertoriés, 13 millions de poissons ont été littéralement empoisonnés par de la merde. Si on les disposait bout à bout, ces victimes formeraient une ligne qui longerait tout le littoral pacifique de Seattle à la frontière mexicaine [90].

Les gens qui vivent près d'élevages industriels sont rarement riches, et ils sont traités par l'industrie comme quantité négligeable. Les vapeurs fécales qu'ils sont contraints de respirer ne tuent *généralement pas* les humains. Mais maux de gorge, migraines, toux, nez qui coule, diarrhées et problèmes psychologiques, y compris hypertension, dépression, irritabilité et fatigue sont monnaie courante. D'après un rapport du sénat de Californie, « des études ont montré que les mares [de déchets animaux] émettent dans l'air des produits chimiques toxiques qui peuvent causer des problèmes inflammatoires, immunitaires, d'irritation et neurochimiques chez l'homme ».

On a même de bonnes raisons de soupçonner l'existence d'un lien entre le fait de vivre à proximité d'élevages porcins industriels et celui de contracter le SARM (*Staphylococcus aureus* résistant à la méticilline), la bactérie dite « mangeuse de chair ». Le SARM peut provoquer des « lésions grosses comme des soucoupes, d'un rouge vif et douloureuses au toucher ». En 2005, il a causé plus de morts (18 000) parmi la population américaine que le sida. Nicholas Kristof, éditorialiste du *New York Times* qui a lui-même grandi dans une ferme, affirme qu'un médecin de l'Indiana était prêt à faire part publiquement de ses soupçons quant à ce lien quand il est mort subitement de ce qui pourrait avoir été des complications dues au SARM. Le lien entre élevage industriel de porcs et SARM n'est absolument pas prouvé mais, comme le souligne Kristof, « la question plus générale est de savoir si, en tant que nation, nous sommes passés à un modèle d'agriculture qui produit du bacon à bas prix mais menace notre santé à tous. Et si les preuves sont loin d'être concluantes, elles s'orientent de plus en plus vers une réponse positive ».

Les problèmes de santé dont souffrent les gens qui habitent près des élevages ont un impact moins visible sur le reste de la population. Une tendance qui a tellement inquiété l'American Public Health Association, la plus grande association de professionnels de la santé publique au monde, que, citant toute une gamme d'affections liées aux déchets animaux et à l'utilisation des antibiotiques, elle a appelé à un moratoire sur les élevages industriels. Ayant invité une commission d'experts réputés à mener une étude sur deux ans, la Pew Commission est allée plus loin, réclamant l'interruption totale de plusieurs « pratiques intensives et inhumaines » courantes, invoquant des avantages tant pour le bien-être des animaux que pour la santé publique.

Mais ceux qui jouissent vraiment du pouvoir de décision – ceux qui choisissent ce qu'ils mangent – sont restés passifs. Jusqu'à présent, nous n'avons exigé aucun moratoire national, et certainement pas d'interruption. Nous avons rendu Smithfield et ses équivalents si riches qu'ils peuvent investir des millions pour étendre leurs opérations à l'étranger. Ce qu'ils ont fait. Autrefois cantonné aux États-Unis, Smithfield s'est maintenant étendu dans le monde entier : en Belgique, en Chine, en France, en Allemagne, en Italie, au Mexique, en Pologne, au Portugal, en Roumanie, en Espagne, aux Pays-Bas et au Royaume-Uni. Il y a peu, les actions de Joseph Luter III dans Smithfield ont été évaluées à 138 millions de dollars. En anglais, son nom de famille se prononce « looter », ce qui veut dire « pillard »[91].

4.

Notre nouveau sadisme

Les problèmes environnementaux peuvent être suivis par des médecins et des agences gouvernementales chargées de s'occuper des êtres humains, mais comment savoir ce qu'endurent les animaux dans les élevages industriels, puisque cela ne laisse pas forcément de traces ?

Les enquêtes clandestines menées par des associations à but non lucratif sont l'un des moyens les plus efficaces permettant au public d'entrevoir les défauts de la gestion quotidienne des élevages et des abattoirs industriels[92]. Dans un élevage porcin de Caroline du Nord, une vidéo tournée secrètement par des enquêteurs a montré des ouvriers qui battaient quotidiennement les animaux, frappaient les truies gestantes à coups de clé à molette et enfonçaient une tige de fer de trente centimètres dans le rectum et le vagin des truies. Ce genre de choses n'a rien à voir avec le souci d'améliorer le goût de la viande ou de préparer les porcs à l'abattage – ce n'est que de la perversité. Dans d'autres scènes tournées sur place, des ouvriers scient les pattes des porcs et les écorchent alors qu'ils sont encore conscients[93]. Sur un autre site appartenant à l'un des plus grands producteurs de porcs des États-Unis, des employés ont été filmés en train de jeter, de battre et de frapper des porcs à coups de pied, de les projeter contre le sol en béton, de les cogner à coups de barre de fer et de marteau[94]. Dans un autre élevage, une enquête qui a duré un an a révélé que des dizaines de milliers de porcs y étaient systématiquement victimes de violences. D'après cette enquête, les ouvriers écrasaient leurs cigarettes allumées sur les animaux, les frappaient à l'aide de râteaux et de pelles, les étranglaient, les jetaient dans les étangs de lisier où ils se noyaient. Ils enfonçaient également des aiguillons électriques dans les oreilles, les gueules, les vagins et les anus des animaux. L'enquête a conclu que les responsables du site fermaient les yeux sur ces mauvais traitements, mais les autorités ont refusé d'engager des poursuites. Une attitude qui est la règle plutôt que l'exception. Ce n'est pas que nous soyons dans une période d'application indulgente de la loi, mais tout simplement que jamais ces entreprises n'ont risqué de pénalités quand elles étaient surprises en train de maltraiter des animaux d'élevage.

Quel que soit le secteur auquel on s'intéresse, on se heurte à des problèmes du même type. Tyson Foods est un des principaux fournisseurs de KFC. Une enquête réalisée sur un grand site de Tyson a révélé que certains ouvriers avaient coutume d'arracher la tête d'oiseaux parfaitement conscients (avec l'autorisation explicite de leur contremaître), qu'ils urinaient dans la zone de suspension (y compris sur le tapis roulant qui convoie la volaille), et qu'ils utilisaient sans jamais le réparer un équipement d'abattage automatisé défectueux qui entaillait le corps des oiseaux plutôt que leur cou[95]. Chez un des « fournisseurs de l'année » de KFC, Pilgrim's Pride, des poulets conscients étaient frappés, piétinés, lancés contre les murs, on leur crachait du tabac à chiquer dans les yeux, on leur faisait littéralement gicler la merde du corps et leur arrachait le bec[96]. Et Tyson et Pilgrim's Pride[97] ne fournissent pas que KFC. Au moment où je rédige ces lignes, ce sont les deux plus grandes entreprises de traitement de volailles du pays, qui tuent à elles deux près de 5 milliards d'oiseaux par an.

Même sans avoir recours à des enquêtes clandestines pour découvrir les violences terribles (mais pas forcément exceptionnelles) commises par des ouvriers qui se défoulent de leurs frustrations sur des animaux, nous savons que les bêtes des élevages industriels mènent une existence malheureuse.

Prenons le cas d'une truie en gestation. Son incroyable fertilité est la source de l'enfer qu'elle vit. Si une vache donne naissance à un seul veau à la fois, la truie d'élevage industriel moderne peut accoucher de près de neuf porcelets qu'elle nourrira et élèvera – un nombre que les éleveurs industriels s'efforcent d'augmenter d'année en année. Elle est invariablement maintenue autant que possible en état de grossesse, autrement dit pour le restant de ses jours. Quand elle arrive à terme, on lui injecte des drogues afin de déclencher le travail au moment le plus pratique pour l'éleveur. Une fois ses porcelets sevrés, la truie, grâce à des hormones, est rapidement amenée à reprendre son « cycle », afin d'être prête à être de nouveau inséminée artificiellement en seulement trois semaines.

Dans 80 % des cas, une truie passe les seize semaines de sa grossesse enfermée dans une « cage de gestation » si étroite qu'elle ne peut même pas se retourner. Sa densité osseuse diminue du fait de son manque de mouvement. Privée de litière, elle développe souvent, à force de se frotter contre les parois de la cage, des blessures de la taille d'une pièce de monnaie, noirâtres et suintantes de pus. (Lors d'une enquête clandestine réalisée dans le Nebraska, des truies enceintes ont été filmées, la tête, les épaules, le dos et les pattes marqués de blessures ouvertes, parfois grosses comme le poing. Commentaire d'un ouvrier : « Ils ont tous des blessures. [...] Il n'y a pas un porc qui n'en ait pas. »)

Plus graves, mais aussi plus insidieuses, sont les souffrances qu'engendrent l'ennui, l'isolement, le refoulement du puissant désir de la truie de se préparer à l'arrivée de ses petits. Dans la nature, elle passerait le plus clair de son temps avant l'accouchement à fourrager pour bâtir un nid d'herbes, de feuilles ou de paille. Pour éviter une prise de poids excessive et réduire encore les coûts d'alimentation, la truie en cage est peu nourrie, et a souvent faim. Les cochons ont également une tendance innée à utiliser des endroits différents pour dormir et pour faire leurs besoins, tendance complètement annihilée par le confinement. Les truies gravides, comme tous les porcs dans la chaîne industrielle, doivent se coucher ou marcher dans leurs excréments pour les expulser par le plancher ajouré. Le secteur défend le confinement en affirmant qu'il permet de mieux contrôler et de mieux gérer les animaux, mais, ce faisant, il devient plus difficile d'adopter des pratiques saines car les bêtes malades ou faibles sont presque impossibles à identifier, quand aucun animal n'est autorisé à bouger.

Difficile de nier la cruauté du système – et de faire taire l'indignation qu'elle suscite – maintenant que les défenseurs des droits des animaux ont inscrit cette réalité dans le débat public. Il y a peu, trois États – la Floride, l'Arizona et la Californie – ont entrepris d'éliminer progressivement les cages de gestation en organisant des scrutins. Dans le Colorado, sous la menace d'une campagne de la Humane Society, l'industrie elle-même a proposé une loi condamnant ces cages. C'est un formidable signe d'espoir. Certes, si la pratique est interdite dans quatre États, il en reste encore beaucoup où elle continue de prospérer, mais on a le sentiment que la victoire est en vue dans la lutte contre les cages de gestation. C'est une victoire non négligeable.

De plus en plus, au lieu d'être enfermées dans ces cages, les truies vivent en petits groupes dans des enclos. Elles ne peuvent pas courir dans les champs ni même profiter du soleil comme les cochons de Paul Willis, mais elles bénéficient d'un espace où dormir et s'étirer. Elles n'ont pas de blessures sur tout le corps. Elles ne rongent pas frénétiquement les barreaux de leurs cages. Ce changement est loin de suffire à racheter le système industriel, et il ne représente pas non plus un retour en arrière, mais il contribue sensiblement à améliorer le sort des truies.

Qu'elles soient prisonnières de cages de gestation ou de petits enclos durant leur grossesse, quand elles accouchent – ce que le secteur appelle la « mise bas » –, elles sont immanquablement enfermées dans des cages tout aussi étouffantes[98]. D'après un ouvrier, il est nécessaire de « tabasser sévèrement [les truies gestantes] pour les faire entrer dans les cages parce qu'elles ne veulent pas y aller ». Dans un autre élevage, un employé a rapporté qu'il était normal de frapper les truies à coups de barre jusqu'au sang : « Un type a fracassé le groin d'une truie, à tel point qu'elle a fini par mourir de faim. »

Les partisans de l'élevage porcin industriel affirment que la cage de mise bas est nécessaire car il arrive parfois que les truies écrasent leurs porcelets. La logique de cette affirmation est quelque peu tordue, un peu comme si l'on disait que, pour éviter les incendies de forêts, il suffisait d'abattre tous les arbres. La cage de mise bas, comme celle de gestation, enferme la mère dans un espace si étroit qu'elle ne peut pas se retourner. Parfois, elle est également attachée au plancher. Ces pratiques, effectivement, l'empêchent d'écraser ses petits. Mais ceux qui invoquent cet argument évitent de souligner que dans les exploitations comme celle de Willis, le problème ne se pose tout simplement pas. Faut-il vraiment s'étonner que lorsque les éleveurs ont sélectionné une truie pour sa « capacité maternelle », si son odorat n'est pas submergé par la puanteur de ses propres excréments liquéfiés sous elle, si elle a de la place pour savoir où sont ses porcelets, si elle peut se déplacer et ainsi s'allonger doucement, elle ne semble guère avoir de mal à éviter d'écraser ses petits[99].

Et, bien sûr, ces derniers ne sont pas les seuls à être en danger. Une étude menée par le Comité scientifique vétérinaire de la Commission européenne a montré que les porcs en cage présentaient des faiblesses osseuses, de plus grands risques de blessures aux pattes, des problèmes cardiovasculaires, des infections urinaires et une réduction de la masse musculaire si grave qu'elle affectait leur capacité à se coucher. Selon d'autres études, du fait d'un patrimoine génétique défectueux, du manque de mouvement et de la malnutrition, entre 10 et 40 % des porcs ne sont pas structurellement en bonne santé, souffrant de faiblesses articulaires, de pattes arquées et de malformations des doigts. *National Hog Farmer*, publication spécialisée du secteur, a rapporté que 7 % des truies reproductrices mouraient prématurément à cause du stress dû au confinement et de la reproduction intensive – parfois, le taux de mortalité dépasse 15 %. Beaucoup de cochons deviennent fous du fait du confinement et rongent nerveusement les barreaux de leurs cages, tirent en permanence sur leurs biberons d'eau, ou boivent de l'urine. D'autres affichent des comportements de deuil que les scientifiques décrivent comme une « impuissance acquise ».

Puis viennent les petits – la justification de tous les maux endurés par les mères.

Beaucoup naissent avec des difformités. Parmi les maladies congénitales communes, citons les becs de lièvre, l'hermaphrodisme, les tétons inversés, l'absence d'anus, les pattes écartées, des tremblements et des hernies. Les hernies inguinales sont si communes qu'il est courant de les corriger chirurgicalement au moment de la castration. Durant leurs premières semaines de vie, même les porcelets qui ne présentent pas de tels défauts subissent agression sur agression. Pendant les premières quarante-huit heures, on leur coupe la queue et leur arrache les coins[100], le tout sans anesthésiques, afin de limiter les blessures que les cochons s'infligent les uns aux autres quand ils se battent pour les mamelles de leur mère dans l'élevage industriel, où les morsures pathologiques de la queue sont fréquentes et où les porcs plus faibles ne peuvent pas échapper aux plus forts. En règle générale, l'environnement des porcelets est maintenu à une température élevée (de 22 à 27 °C) et dans le noir, si bien qu'ils sont plus léthargiques et moins susceptibles de s'adonner à des « vices sociaux » comme les morsures, ou le fait de sucer le nombril, la queue ou les oreilles des autres par frustration. L'élevage traditionnel, tel qu'il est pratiqué dans l'exploitation de Paul Willis, évite les problèmes de ce genre en donnant plus d'espace aux animaux, en leur offrant un enrichissement environnemental et en favorisant des groupes sociaux stables.

C'est également au cours de ces deux premiers jours que les porcelets d'élevage industriel reçoivent des injections de fer, parce qu'il est probable que le lait de leur mère soit déficient compte tenu de sa propre croissance rapide et de la reproduction intensive à laquelle elle est soumise. Dans les dix jours, on coupe les testicules des mâles, là encore sans anesthésie. Cette fois, le but est de modifier le goût de la viande. Les consommateurs américains actuels préfèrent le goût des animaux castrés. Il peut arriver qu'on leur coupe aussi des bouts d'oreille de la taille d'une pièce de monnaie afin de les identifier. Quand les éleveurs passent au sevrage des porcelets, 9 à 15 % sont déjà morts.

Plus vite les porcelets commencent à manger des aliments solides, plus vite ils atteindront leur poids commercial (entre 110 et 120 kilos). Les « aliments solides », en l'occurrence, comprennent souvent du plasma en poudre, sous-produit des abattoirs. (Ce qui engraisse effectivement les porcelets, mais endommage aussi gravement les muqueuses de leur système gastro-intestinal.) Livrés à eux-mêmes, les porcelets ont tendance à se sevrer au bout de quinze semaines, mais dans les élevages industriels, ils sont la plupart du temps sevrés au bout de quinze jours, et, de plus en plus, dès le douzième jour. En si bas âge, ils ne sont pas capables de digérer correctement des aliments solides, si bien qu'on leur fournit d'autres produits pharmaceutiques pour éviter la diarrhée. Les cochons sevrés seront ensuite enfermés dans des cages à grillage épais – les « crèches ». Ces cages sont entassées les unes sur les autres, et les excréments et l'urine de celles du haut tombent sur les animaux qui se trouvent en dessous. Les éleveurs maintiennent les porcelets le plus longtemps possible dans ces cages avant de les transférer vers leur ultime destination : des enclos surpeuplés. Les enclos sont délibérément surpeuplés parce que, comme l'explique une revue de la profession, « l'entassement des porcs rapporte ». Privés d'espace où se mouvoir, les animaux brûlent moins de calories et engraissent plus en consommant moins.

Comme dans toutes les usines quelles qu'elles soient, l'uniformité est une caractéristique essentielle. Les porcelets qui ne grandissent pas assez vite – les plus faibles – coûtent cher en ressources et n'ont pas leur place dans l'élevage. On les attrape par les pattes arrière, puis on leur éclate la tête sur le sol en béton. Une pratique courante. « Il nous est arrivé d'en exploser jusqu'à cent vingt en un seul jour, raconte un ouvrier d'un élevage du Missouri. On les prend par les pattes, on les explose par terre et on les balance sur le côté. Ensuite, quand on en a fait dix, douze, quatorze, on les emmène au toboggan et on les empile pour le camion qui vient récupérer les cadavres. Et si, en arrivant au toboggan, on voit que certains sont encore vivants, il faut recommencer à les cogner. Il y a des fois, je suis entré dans la salle du toboggan, et il y en avait qui couraient partout, avec un œil sorti de l'orbite, qui saignaient comme des dingues, ou avec une mâchoire cassée.

– Ils appellent ça l'"euthanasie" », ajoute l'épouse de l'ouvrier du Missouri.

En dépit de ces conditions, la plupart survivront jusqu'à l'abattage grâce à une saturation d'antibiotiques, d'hormones et d'autres produits pharmaceutiques injectés dans leur nourriture. Ces drogues sont nécessaires pour lutter contre les problèmes respiratoires omniprésents dans les élevages porcins industriels. L'humidité du confinement, la densité des animaux dont les systèmes immunitaires sont affaiblis par le stress et les gaz toxiques provenant de l'accumulation d'excréments et d'urine font que ces problèmes sont pratiquement inévitables. De 30 à 70 % des porcs souffrent d'une forme d'infection respiratoire au moment de l'abattage, et le taux de mortalité dû à cette maladie peut à lui seul atteindre 4 à 6 %. Ces affections constantes favorisent bien entendu le développement de nouvelles grippes, si bien que, dans des États entiers, la population porcine présente des taux d'infection de 100 % par de nouveaux virus mortels créés dans cet entassement d'animaux malades (et de plus en plus, bien sûr, ces virus touchent l'homme).

Dans le monde de l'élevage industriel, la logique est inversée.

Les vétérinaires ne sont pas là pour procurer une santé optimale, mais une profitabilité optimale. Les médicaments ne sont pas employés pour guérir les maladies, mais pour se substituer à des systèmes immunitaires détruits. Les éleveurs ne cherchent pas à produire des animaux sains.

5.

Notre sadisme sous-marin (une digression essentielle)

L'histoire des mauvais traitements et de la pollution que j'ai racontée dans le contexte de l'élevage de porcs est représentative de l'élevage industriel dans son ensemble, du moins sur les points importants. Les poulets, les dindes et le bétail de l'élevage industriel n'engendrent pas ou ne subissent pas exactement les mêmes problèmes, mais ils souffrent tous, fondamentalement, de façon semblable. Et cela vaut aussi, semble-t-il, pour les poissons. D'ordinaire, nous ne considérons pas de la même manière les poissons et les animaux terrestres, mais « l'aquaculture » – l'élevage intensif d'animaux marins en confinement – n'est en fin de compte que de l'élevage industriel sous-marin.

Beaucoup des animaux marins que nous mangeons, dont la grande majorité des saumons proposés dans le commerce, nous viennent de l'aquaculture. À l'origine, l'aquaculture avait été envisagée comme une réponse à la diminution des populations de poissons sauvages. Mais loin de réduire la demande en saumon sauvage, comme certains l'avaient annoncé, l'élevage de ce poisson n'a fait qu'accélérer l'exploitation et la demande internationales de saumon sauvage. De 1988 à 1997, la pêche au saumon sauvage a augmenté de 27 % dans le monde entier, précisément au moment où la salmoniculture explosait.

Les questions liées aux élevages piscicoles n'ont rien de nouveau. Publié par l'industrie elle-même, le *Handbook of Salmon Farming* détaille six « éléments clés du stress dans l'environnement de l'aquaculture » : la « qualité de l'eau », le « surpeuplement », le « traitement », les « dérèglements », la « nutrition » et la « hiérarchie ». Traduites en langage clair, ces six sources de souffrance pour les saumons sont : 1) une eau si sale qu'il devient impossible d'y respirer ; 2) un peuplement si dense que les animaux commencent à s'entre-dévorer ; 3) un traitement si agressif que, dès le lendemain, on peut en mesurer l'impact physiologique ; 4) des dérèglements chez les éleveurs et chez les animaux sauvages ; 5) des carences alimentaires qui affaiblissent le système immunitaire ; et 6) l'incapacité à mettre en place une hiérarchie sociale stable, qui entraîne un accroissement du cannibalisme. Ces problèmes sont typiques. Le manuel les présente comme des « composantes intégrales de l'élevage piscicole ».

L'abondance de poux de mer, qui se développent dans l'eau sale, est une source majeure de souffrance pour le saumon et d'autres poissons d'élevage. Ce pou provoque des lésions ouvertes et ronge parfois la chair de la tête du poisson jusqu'à l'os – un phénomène si courant que le secteur l'a surnommé la « couronne de mort ». Un seul élevage de saumons produit de gigantesques nuages de poux de mer, dans des proportions trente mille fois supérieures à ce que l'on rencontre dans la nature.

Les poissons qui survivent dans ces conditions (un taux de mortalité de 10 à 30 % est considéré comme positif par beaucoup d'intervenants du secteur de l'élevage salmonicole) sont ensuite souvent affamés pendant sept à dix jours pour réduire leurs déchets pendant le transport jusqu'au site d'abattage[101]. Puis on les tue en leur ouvrant les ouïes avant de les jeter dans une cuve d'eau où ils se vident de leur sang. Les poissons sont fréquemment tués alors qu'ils sont encore conscients, et ils meurent en se tordant de douleur. Parfois, on les étourdit, mais les méthodes d'étourdissement actuelles ne sont pas fiables et peuvent aggraver les souffrances des animaux[102]. Comme dans le cas des poulets et des dindes, aucune loi n'impose que les poissons soient tués de façon humaine.

Le poisson pêché au large constitue-t-il une solution moins brutale ? Certes, avant d'être attrapés, ces poissons mènent des existences bien meilleures, puisqu'ils ne vivent pas dans des bassins surpeuplés et sales. C'est une différence qui a son importance. Mais intéressons-nous aux méthodes de pêche les plus courantes pour les animaux marins les plus consommés aux États-Unis : le thon, la crevette et le saumon. Trois méthodes prédominent : la ligne de traîne, le chalut et la senne coulissante. Une ligne de traîne ressemble un peu à un câble téléphonique qui se déplace dans l'eau accroché à des bouées plutôt qu'à des poteaux. À intervalles réguliers le long de cette ligne principale, des lignes plus petites sont suspendues, chacune d'entre elles bardée d'hameçons. Imaginez maintenant non pas une de ces lignes de traîne à hameçons multiples, mais des dizaines, ou des centaines déployées l'une après l'autre par un seul bateau. Des balises GPS et d'autres appareils de communication électronique sont fixés aux bouées afin que les pêcheurs puissent les récupérer plus tard. Et, bien sûr, ce n'est pas un, mais des dizaines, des centaines, voire des milliers de bateaux qui, dans les plus grandes flottes de pêche, mettent ces lignes à l'eau.

Aujourd'hui, les lignes de traîne peuvent atteindre 120 kilomètres, soit de quoi traverser plus de trois fois la Manche. On estime que 27 millions d'hameçons sont déployés chaque jour. Et les lignes de traîne ne tuent pas que leurs « espèces cibles », mais 145 autres avec elles. Une étude a montré qu'environ 4,5 millions d'animaux marins sont tués chaque année en tant que prises accessoires par les lignes de traîne, dont à peu près 3,3 millions de requins, un million de marlins, 60 000 tortues de mer, 75 000 albatros et 20 000 dauphins et baleines.

Toutefois, même les lignes de traîne ne provoquent pas la quantité phénoménale de prises accessoires que l'on enregistre avec les chaluts. Le type le plus courant de chalut de pêche à la crevette ratisse une zone d'environ 25 à 35 mètres de large. Le chalut est traîné sur le fond de l'océan à une vitesse de 4,5 à 6,5 km/h pendant des heures, engloutissant les crevettes (et tout le reste) par une extrémité d'un filet en forme d'entonnoir. La pêche au chalut de fond, presque toujours pour les crevettes, est l'équivalent marin de la destruction de la forêt pluviale. Quelle que soit leur cible, les chaluts emportent poissons, requins, raies, crabes, seiches, coquilles Saint-Jacques – en général, à peu près une centaine d'espèces de poissons et d'autres animaux. Presque tous meurent.

Cette « moisson » d'animaux marins, digne de la politique de la terre brûlée, a quelque chose de sinistre. En moyenne, une opération de pêche de ce type rejette 80 à 90 % des prises « accessoires » par-dessus bord. Les moins efficaces rejettent dans l'océan plus de 98 % des animaux marins morts.

Nous sommes littéralement en train de réduire la diversité et le foisonnement de la vie océanique *dans son ensemble* (une chose que les scientifiques n'ont appris à mesurer que depuis peu). Les techniques de pêche modernes détruisent les écosystèmes qui entretiennent des vertébrés plus complexes (comme les saumons et les thons), ne laissant dans leur sillage que les rares espèces capables de survivre en se nourrissant de végétaux et de plancton, et encore. En consommant les poissons que nous désirons le plus, généralement des carnivores au sommet de la pyramide alimentaire comme les saumons et les thons, nous éliminons les prédateurs et provoquons un boom éphémère des espèces qui se trouvent un maillon en dessous dans la chaîne alimentaire. Puis nous pêchons ces espèces-là jusqu'à l'extinction, et descendons encore d'un degré. Le fait que ce processus soit extrêmement rapide en termes générationnels (savez-vous quels poissons consommaient vos grands-parents ?), et que le volume des prises lui-même ne diminue pas, confère à l'ensemble l'illusion de la durabilité. Personne ne vise délibérément la destruction de la ressource, mais l'économie du marché nous entraîne inévitablement vers l'instabilité. Nous ne sommes pas vraiment en train de vider les océans. C'est plutôt comme si nous abattions une forêt abritant des milliers d'espèces pour créer de gigantesques champs où ne pousserait qu'un seul type de soja.

Le chalut et la ligne de traîne ne sont pas seulement inquiétants sur le plan écologique, ils sont également d'une rare cruauté. Dans les chaluts, des centaines d'espèces différentes se retrouvent broyées, déchirées sur les coraux, écrasées contre les rochers – pendant des heures – puis retirées de l'eau, ce qui provoque une douloureuse décompression (laquelle fait parfois jaillir les yeux des animaux de leurs orbites, ou leur fait vomir leurs organes). Sur les lignes de traîne aussi, les animaux marins sont généralement confrontés à une mort lente. Certains y restent simplement accrochés et ne meurent qu'une fois décrochés. Certains meurent des blessures causées par l'hameçon dans leur gueule ou subies en tentant de s'échapper. D'autres ne peuvent pas éviter les attaques des prédateurs.

Les sennes coulissantes, la dernière méthode que je me propose d'aborder, sont la principale technique utilisée pour pêcher le poisson le plus populaire dans les assiettes américaines : le thon. On déploie un filet autour du banc visé, et quand le banc est encerclé, on resserre le fond du filet comme si les pêcheurs refermaient une bourse gigantesque. Les poissons et toutes les créatures prises au piège sont alors regroupés et hissés sur le pont. Les poissons prisonniers des mailles du filet risquent de finir lentement déchiquetés. Mais la plupart de ces animaux meurent en fait une fois sur le bateau, où ils vont s'asphyxier ou se faire couper les ouïes. Dans certains cas, les poissons sont jetés sur de la glace, ce qui peut en réalité prolonger leur agonie. D'après une étude publiée récemment dans *Applied Animal Behaviour Science*, les poissons meurent lentement et douloureusement, survivant parfois jusqu'à quatorze minutes après avoir été jetés, conscients, sur un lit de glace (sort que connaissent aussi bien les poissons sauvages que ceux d'élevage).

Tout cela est-il important – important au point de changer d'alimentation ? Peut-être devrions-nous mettre en place de meilleurs systèmes d'étiquetage afin de pouvoir choisir plus sagement le poisson et les produits dérivés que nous achetons ? À quelles conclusions parviendraient la plupart des omnivores si chaque saumon qu'ils consomment était accompagné d'une étiquette précisant que des saumons d'élevage de 60 centimètres de long passent leur vie dans l'équivalent d'une baignoire pleine d'eau et que la pollution est si intense que les yeux des animaux saignent ? Et si l'étiquette citait la prolifération de populations parasites, l'augmentation des maladies, la dégénérescence génétique et les nouvelles maladies résistantes aux antibiotiques qui résultent de l'élevage piscicole ?

Il y a cependant des choses que nous savons sans avoir besoin d'étiquettes. Si l'on peut raisonnablement espérer qu'une certaine proportion de bœufs et de porcs seront abattus rapidement et avec soin, aucun poisson ne connaît une mort douce. Pas un seul. Pas la peine de se demander si le poisson dans votre assiette a souffert[103]. La réponse est toujours oui.

Que nous parlions de poissons, de porcs ou d'autres animaux que nous mangeons, cette souffrance est-elle la chose la plus importante au monde ? Manifestement pas. Mais là n'est pas la question. Cette souffrance est-elle plus importante que les sushis, le bacon ou les chicken nuggets ? Là est la question.

6.

Des animaux qui mangent

Nos décisions quant à la nourriture sont compliquées par le fait que nous ne mangeons pas seuls. La camaraderie de table a forgé des liens sociaux depuis aussi longtemps que l'archéologie nous permet de l'entrevoir. Il existe un lien primordial entre la nourriture, la famille et la mémoire. Nous ne sommes pas simplement des animaux qui mangent, nous sommes des animaux commensaux.

Les dîners hebdomadaires de sushis avec mon meilleur ami, les burgers à la dinde de mon père, avec moutarde et oignons grillés, pour nos fêtes dans le jardin, et le savoureux *gefilte fisch* chez ma grand-mère pour Pessah comptent parmi les souvenirs qui me sont le plus chers. Ces moments ne seraient pas les mêmes sans ces plats, et c'est essentiel.

Renoncer au goût du sushi ou du poulet rôti, c'est accepter une perte qui va au-delà du simple abandon d'une expérience gustative agréable. Changer de mode d'alimentation, laisser des saveurs s'estomper dans la mémoire crée une sorte de vide culturel, un oubli. Mais peut-être cet oubli vaut-il la peine d'être vécu – voire cultivé (l'oubli aussi peut se cultiver). Pour me souvenir des animaux et de mes inquiétudes quant à leur bien-être, je peux être amené à perdre certains goûts et à trouver pour ma mémoire d'autres supports que ceux qu'ils représentaient.

Le souvenir et l'oubli s'intègrent dans le même processus mental. Coucher par écrit un détail d'un événement, ce n'est pas en rédiger un autre (à moins d'être constamment en train d'écrire). Se souvenir d'une chose, c'est en laisser une autre disparaître de la mémoire (à moins que l'on ne se souvienne de tout en permanence). Il y a l'oubli éthique, et l'oubli violent. On ne peut pas s'accrocher à tout ce que l'on savait jusqu'à présent. La question n'est donc pas de savoir si nous oublions, mais plutôt ce que, ou qui, nous oublions – non de savoir si nos régimes changent, mais comment.

Depuis peu, mon ami et moi avons commencé à manger des sushis végétariens et à fréquenter le restaurant italien d'à côté. Au lieu des burgers de dinde que mon père faisait griller, mes enfants se souviendront de moi en train de carboniser des burgers végétariens dans le jardin. Pour notre dernière Pessah, le *gefilte fisch* a occupé une place moins prépondérante, mais nous avions quand même des histoires à raconter à son sujet (apparemment, il n'y avait pas moyen de m'arrêter). Outre l'histoire de l'Exode – récit glorieux entre tous sur les faibles prévalant contre les forts de la façon la plus inattendue qui soit –, nous avons ajouté de nouvelles histoires sur les faibles et les forts.

Si nous dégustions ces mets particuliers avec ces personnes à part en ces instants exceptionnels, c'était sciemment, parce que nous distinguions ces repas des autres. Il a été enrichissant de renforcer encore ce niveau de conscience. Je suis tout à fait partisan de bouleverser les traditions pour une bonne cause, mais peut-être que, dans ces situations, la tradition n'a pas tant été bouleversée que parachevée.

Selon moi, il est tout simplement mal de manger du porc d'élevage industriel ou d'en faire manger à sa famille. Il est peut-être même mal de rester assis en silence avec des amis qui en consomment, aussi difficile soit-il de dire quelque chose. Les cochons ont manifestement des esprits riches et sont tout aussi clairement condamnés à mener des existences misérables dans les élevages industriels. L'analogie avec un chien enfermé dans un placard est assez juste, même si elle est encore trop gentille.

Quant aux arguments écologiques contre la consommation de porc industriel, ils sont sans faille et ils ne pardonnent pas.

Pour les mêmes raisons, je ne mangerais pas de volailles ou d'animaux marins produits avec des méthodes industrielles. Les regarder dans les yeux ne suscite pas le même apitoiement que de croiser le regard d'un cochon, mais ce que perçoit notre conscience nous suffit. Compte tenu de tout ce que j'ai appris dans mes recherches sur l'intelligence et la complexité sociale des oiseaux et des poissons, je ne peux que prendre leurs malheurs tout autant au sérieux que ceux, plus aisément compréhensibles, des porcs de l'élevage industriel.

Que l'on mange du bœuf élevé en parc d'engraissement me choque moins (et le bœuf élevé à 100 % en liberté, si l'on exclut un instant la question de l'abattage, est probablement la moins gênante de toutes les viandes – nous y reviendrons dans le chapitre suivant). Mais il est vrai qu'il n'est pas facile de trouver plus choquant qu'un élevage industriel de porcs ou de volailles.

La question, pour moi, est la suivante : sachant que ma famille n'a absolument pas besoin de manger des animaux – contrairement à d'autres dans le monde, nous avons accès à une grande variété d'autres aliments –, doit-elle en consommer ou pas ? Je réponds à cette question en tant que personne qui adorait manger de la viande. Un régime végétarien peut être riche et tout à fait plaisant, mais en toute honnêteté, je ne peux pas prétendre, comme le font beaucoup de végétariens, qu'il est aussi riche qu'un régime carné. (Ceux qui mangent du chimpanzé estiment que le régime occidental se prive malheureusement d'un grand plaisir.) J'adore les sushis, j'adore le poulet grillé, j'adore un bon steak. Mais cet amour a des limites.

Ayant été confronté aux réalités de l'élevage industriel, il n'a pas été dur de décider de ne plus manger de viande conventionnelle. Et il m'est aujourd'hui difficile de comprendre qui, en dehors de ceux qui s'en enrichissent, pourrait défendre l'élevage industriel.

Mais les choses se compliquent avec un élevage comme celui de Paul Willis ou avec les volailles de Frank Reese. J'admire ce qu'ils font, et, compte tenu du choix qui nous est offert, on peut sans mal les considérer comme des héros. Ils se soucient des animaux qu'ils élèvent et les traitent aussi bien qu'ils ont appris à le faire. Et si (un grand « si ») nous, consommateurs, pouvons limiter notre désir de manger du porc et de la volaille à la capacité qu'a la terre d'en produire, aucun argument écologique incontournable ne s'opposera à l'élevage tel qu'ils le pratiquent.

Certes, on pourrait arguer que le fait de manger des animaux quels qu'ils soient encourage automatiquement, quoique indirectement, l'élevage industriel en accroissant la demande en viande. Ce n'est pas sans importance, mais ce n'est pas la principale raison pour laquelle je ne mangerais pas des porcs de Paul Willis ou des dindes de Frank Reese – ce qui n'est pas facile à écrire, sachant que Paul et Frank, que je compte aujourd'hui parmi mes amis, vont lire ces lignes.

Paul a beau faire tout ce qu'il peut, ses porcs sont quand même castrés, et ils sont toujours transportés sur de longues distances pour être abattus. Et, avant de rencontrer Diane Halverson, la spécialiste du bien-être des animaux qui, dès le début, l'a aidé à travailler avec Niman Ranch, il coupait les queues de ses cochons, ce qui prouve que même les plus gentils des éleveurs oublient parfois de penser autant qu'ils le pourraient au bien-être de leurs bêtes.

Et puis, il y a l'abattoir. Frank ne fait pas mystère des problèmes qu'il rencontre pour trouver un abattoir acceptable pour ses dindes, et il ne cesse d'y travailler encore aujourd'hui. Pour ce qui est de l'abattage des porcs, Paradise Locker Meats est effectivement une sorte de paradis. Du fait de la structure de l'industrie de la viande, et des réglementations de l'USDA, Paul et Frank sont tous les deux contraints d'envoyer leurs animaux dans des abattoirs sur lesquels ils n'exercent qu'un contrôle partiel.

Comme tout le reste, chaque élevage a ses défauts, on y connaît des accidents, les choses ne fonctionnent pas toujours telles qu'elles le devraient. La vie abonde en imperfections, mais certaines importent plus que d'autres. Quel degré d'imperfection l'élevage et l'abattage peuvent-ils raisonnablement atteindre ? Même dans des exploitations comme celles de Paul et de Frank, la frontière serait tracée différemment selon les observateurs. Des gens que je respecte imposeraient d'autres limites que moi. Mais pour moi aujourd'hui – pour ma famille aujourd'hui –, les inquiétudes que j'éprouve à l'égard de ce qu'est la viande et de ce qu'elle est devenue suffisent à m'y faire renoncer complètement.

Je peux évidemment imaginer des circonstances dans lesquelles je mangerais de la viande – dans certaines circonstances, je pourrais même manger du chien –, mais il est peu probable que je rencontre de telles situations. Le végétarisme est un cadre flexible, et, plutôt que de vivre dans une indécision permanente quant à la consommation d'animaux (qui pourrait supporter de rester dans un tel état indéfiniment ?), je me suis clairement engagé à ne plus en manger.

Ce qui me ramène à l'image de Kafka devant un poisson de l'aquarium de Berlin, poisson sur lequel son regard s'est posé alors qu'il vivait dans une paix nouvelle pour avoir décidé de ne plus manger d'animaux. Kafka reconnaissait dans ce poisson un membre de sa famille invisible – pas comme son égal, bien sûr, mais comme un autre être dont il devait se soucier. J'ai connu une expérience comparable chez Paradise Locker Meats. Je n'étais pas tout à fait « en paix » quand le regard d'un cochon en route pour la tuerie de Mario, un cochon qui n'avait plus que quelques secondes à vivre, m'a pris complètement au dépourvu. (Avez-vous jamais été le dernier spectacle de qui que ce soit ?) Mais je n'ai pas non plus été totalement submergé par la honte. Ce porc n'a pas été le réceptacle de mon oubli, mais celui de mon inquiétude. J'en ai éprouvé, et en éprouve encore du soulagement. Un soulagement dont le cochon n'a que faire. Mais il compte pour moi. Cela fait partie de ma réflexion sur le fait de manger les animaux. Ne prenant pour l'instant en compte que ma partie de l'équation – celle de l'animal mangeant plutôt que de l'animal mangé –, je ne peux tout simplement pas me sentir entier si je l'oublie aussi sciemment, aussi *délibérément.*

Sans parler de la famille visible. Maintenant que j'ai bouclé mon enquête, il ne m'adviendra que très rarement de croiser le regard d'un animal de ferme. Mais plusieurs fois par jour, en de nombreux jours de ma vie, je croiserai celui de mon fils.

Il m'était nécessaire de décider de ne plus manger d'animaux, mais c'est une décision limitée – et personnelle. C'est un engagement pris dans le contexte de ma vie, et dans celle de personne d'autre. Et il y a encore une soixantaine d'années environ, l'essentiel de mon raisonnement n'aurait même pas été intelligible, parce que l'élevage industriel auquel je réagis n'occupait pas encore la position dominante qui est la sienne aujourd'hui. Si j'étais né à une autre époque, je serais peut-être parvenu à des conclusions différentes. Ce n'est pas parce que j'en suis arrivé à la ferme résolution que je ne mangerai plus d'animaux que je m'oppose, ou même que je remets en cause la consommation d'animaux *en général.* Refuser de battre un enfant pour lui « donner une leçon » ne veut pas dire que l'on s'oppose à une discipline parentale forte. Si je décide d'inculquer à mon enfant une certaine forme de discipline et non une autre, cela ne signifie pas obligatoirement que je souhaiterais imposer cette décision à d'autres parents. Décider pour sa famille et soi-même, ce n'est pas décider pour le pays, ni pour le monde entier.

Cela dit, si je vois l'intérêt qu'il y a à partager nos réflexions et décisions personnelles sur la consommation d'animaux, je n'ai pas écrit ce livre uniquement pour arriver à une conclusion personnelle. L'agriculture n'est pas seulement façonnée par des choix alimentaires, elle l'est aussi par des choix politiques. Le choix d'un régime personnel ne suffit pas. Mais jusqu'où suis-je prêt à aller pour défendre mes propres décisions et mes idées sur la meilleure solution pour l'élevage ? (Je ne mange peut-être pas leurs produits, mais mon engagement en faveur de formes d'élevage comme celles que pratiquent Paul et Frank s'est encore renforcé.) Qu'attends-je des autres ? Que devrions-nous tous attendre les uns des autres quand on en vient à la question de manger des animaux ?

S'il est très clair, je crois, que l'élevage industriel est bien plus qu'une chose que je déteste personnellement, les conclusions à en tirer ne sont en revanche pas évidentes. Le fait que l'élevage industriel se montre cruel envers les animaux, qu'il soit synonyme de gâchis écologique et de pollution, signifie-t-il que tout le monde doit boycotter tout le temps les produits de l'élevage industriel ? Un retrait partiel du système peut-il suffire – une sorte de programme d'achat préférentiel en faveur de produits traditionnels, sans aller jusqu'à un véritable boycott ? La question n'a-t-elle rien à voir avec nos choix de consommation personnels, et doit-elle être au contraire résolue par la législation et une action politique collective ?

À quel moment devrais-je afficher poliment mon désaccord, à quel moment devrais-je, au nom de valeurs plus profondes, prendre position et appeler les autres à faire de même ? À partir de quand des faits communément admis peuvent-ils inciter des gens raisonnables à formuler leur désaccord, et à partir de quand exigent-ils de nous tous que nous agissions ? Je n'ai pas affirmé qu'il était toujours mal, pour tout le monde, de consommer de la viande, ni que l'industrie de la viande était irrécupérable en dépit de sa triste situation actuelle. Mais alors quelles sont les attitudes à l'égard du fait de manger les animaux qui, selon moi, répondraient aux exigences de la décence morale ?

JE SAIS

Moins de 1 % des animaux
tués pour leur viande en Amérique
proviennent d'élevages traditionnels[104].

1.

Bill et Nicolette

Les routes qui mènent vers ma destination ne sont pas balisées, et la plupart des panneaux utiles ont été démontés par les habitants de la région. « Il n'y a pas de raison de venir à Bolinas, a déclaré l'un d'eux dans un regrettable article du *New York Times* sur la ville. Les plages sont sales, les pompiers sont nuls, les indigènes hostiles et enclins au cannibalisme. »

Pas vraiment. Les quarante-cinq kilomètres de littoral que j'ai parcourus depuis San Francisco ont été une pure merveille – alternant panoramas époustouflants et criques naturelles protégées – et une fois à Bolinas (2 500 habitants), j'ai eu du mal à me rappeler pourquoi il a pu m'arriver de considérer Brooklyn (2 500 000 habitants) comme un endroit agréable où vivre. Et j'ai mieux compris pourquoi ceux qui sont tombés par hasard sur Bolinas ont préféré empêcher les autres de faire de même.

Ce qui explique à moitié pourquoi je suis si surpris par le désir de Bill Niman de m'inviter chez lui. L'autre moitié tient à sa profession : il est éleveur de bétail.

Un danois gris, plus grand et plus calme que George, est le premier à me souhaiter la bienvenue, suivi de Bill et de Nicolette, son épouse. Après les gentillesses et les convivialités d'usage, ils m'invitent à entrer dans leur modeste demeure, blottie comme un monastère sur le flanc d'une colline. Des rochers moussus jaillissent de la terre noire parmi des massifs de fleurs vives et de plantes grasses. Un porche éclairé ouvre directement sur la pièce principale, la plus spacieuse de la maison, mais pas très grande. Une cheminée de pierre y domine, face à un sofa imposant (un sofa fait pour se relaxer, pas pour recevoir). Des livres sont entassés sur des étagères, dont quelques-uns, très peu, en rapport avec la cuisine et l'agriculture. Nous nous asseyons à une table de bois, dans une petite cuisine qui fleure encore bon le petit-déjeuner.

« Mon père avait émigré de Russie, m'explique Bill. J'ai grandi en travaillant dans l'épicerie familiale à Minneapolis. C'est comme ça que j'ai découvert la nourriture. Tout le monde y travaillait, toute la famille. Je n'aurais pas pu inventer ma vie. » Autrement dit : *comment un Américain de la première génération, un garçon juif de la ville, est-il devenu l'un des éleveurs les plus importants du pays ?* C'est une bonne question, et la réponse est à la hauteur.

« À l'époque, le principal facteur de motivation dans la vie des gens, c'était la guerre du Viêtnam. J'ai choisi de faire mon service dans la coopération, en enseignant dans les zones agricoles considérées comme pauvres au niveau fédéral. J'ai découvert certains aspects de l'existence rurale, et j'ai attrapé le virus. J'ai monté une ferme avec ma première femme. [La première épouse de Niman, Amy, est morte dans un accident du travail.] On a acquis un bout de terre, environ cinq hectares. On avait des chèvres, des poulets et des chevaux. On était très pauvres. Ma femme donnait des cours particuliers dans un des grands ranches, et on nous a fait cadeau de têtes de bétail nées par erreur de jeunes génisses. » Ces « erreurs » allaient permettre de lancer Niman Ranch. (Aujourd'hui, les revenus annuels de Niman Ranch sont évalués à 100 millions de dollars, et ils continuent de progresser.)

Quand je leur ai rendu visite, Nicolette passait plus de temps à gérer leur ranch que Bill. Lui était occupé à assurer les ventes de bœufs et de porcs produits par les centaines de petits éleveurs de sa société. Nicolette, qui donne l'impression d'être une avocate de la côte Est (ce qu'elle a d'ailleurs été), connaît chaque génisse, vache, taureau et veau paissant sur leurs terres, est capable d'anticiper leurs besoins et de les satisfaire, n'a rien du cliché de l'éleveuse, et semble en même temps parfaitement à sa place. Bill, qui, avec sa grosse moustache et sa peau tannée, aurait pu être envoyé par une agence de casting, se charge aujourd'hui essentiellement de la partie commerciale.

À première vue, ils ne paraissent pas faits l'un pour l'autre. Bill se révèle brut et instinctif : le genre de type qui, sur une île avec des survivants d'une catastrophe aérienne, susciterait le respect de tous et deviendrait à contrecœur le chef du groupe. Nicolette est une citadine, bavarde mais sur ses gardes, pleine d'énergie et de sollicitude. Bill est chaleureux, mais stoïque. Il a l'air plus à l'aise quand il écoute, ce qui tombe bien, puisque Nicolette semble préférer parler.

« Quand Bill et moi avons commencé à sortir ensemble, raconte-t-elle, c'était sous de faux prétextes. Je croyais qu'il s'agissait d'une rencontre pour affaires.

– En fait, tu avais peur que je m'aperçoive que tu étais végétarienne.

– Eh bien, je n'avais pas *peur*, mais ça faisait des années que je travaillais avec des éleveurs de bétail, et je savais que ces gens-là présentaient les végétariens comme des terroristes. Si vous vous trouvez à la campagne dans ce pays, que vous rencontriez des éleveurs d'animaux à viande et qu'ils comprennent que vous n'en mangez pas, ils se ferment. Ils croient que vous allez les juger durement, et même que vous pourriez être dangereux. Je n'avais pas peur que tu t'en aperçoives, mais je ne voulais pas te mettre sur la défensive.

– La première fois qu'on a déjeuné ensemble…

– J'ai commandé des pâtes aux légumes, et là, Bill fait : "Oh, vous êtes végétarienne ?" J'ai répondu oui. Et alors, il a dit quelque chose qui m'a surprise. »

2.

Je suis une éleveuse végétarienne

Six mois environ après m'être installée au ranch de Bolinas, j'ai dit à Bill : « Je ne veux pas simplement vivre ici. Je veux vraiment savoir comment fonctionne ce ranch, et je veux être capable de gérer les choses. » Donc, je me suis vraiment impliquée dans le travail. Au début, je me suis dit que ça allait être de plus en plus difficile pour moi d'admettre que je vivais dans un ranch de bétail, mais en fait, c'est le contraire qui s'est produit. Plus je passais de temps ici, plus je passais de temps avec nos bêtes, plus je constatais à quel point elles vivaient bien et plus j'ai compris que c'était une entreprise vraiment honorable.

Pour moi, la responsabilité d'un éleveur ne se limite pas à veiller à ce que ses animaux soient protégés des souffrances et des cruautés. Je pense que nous devons à nos bêtes le plus haut niveau d'existence. Parce que nous prenons leur vie pour nous nourrir, je pense qu'elles ont le droit de connaître les plaisirs simples de la vie – comme se dorer au soleil, se reproduire, élever leurs petits. Je pense qu'elles méritent de connaître la joie. Et c'est ce que nous nous efforçons de procurer à nos animaux ! Un des problèmes que j'ai avec la plupart des critères de production « humaine » de la viande, c'est qu'ils se concentrent uniquement sur la protection contre la souffrance. Ce qui, pour moi, devrait être une évidence. Aucun éleveur ne devrait tolérer que ses animaux souffrent inutilement. Mais quand on élève un animal dans le but de lui prendre la vie, on a tellement d'autres responsabilités !

Cette idée n'a rien de nouveau, ce n'est pas uniquement ma philosophie. Tout au long de l'histoire de l'élevage, la plupart des fermiers se sont sentis obligés de bien traiter les animaux. Le problème, aujourd'hui, c'est que l'élevage est remplacé, ou l'a été, par des méthodes industrielles qui viennent de ce que l'on appelle désormais les départements de recherche en « science animale ». La proximité qui liait individuellement un éleveur traditionnel à chaque animal de sa ferme s'est perdue au profit de systèmes gigantesques et impersonnels – il est littéralement impossible de connaître chaque animal dans un centre de confinement des porcs ou dans un parc d'engraissement industriel qui compte des milliers, voire des dizaines de milliers de têtes. Au lieu de cela, les opérateurs gèrent des problèmes liés aux eaux usées et à l'automatisation. Les animaux sont presque secondaires. Ce changement a engendré un état d'esprit entièrement différent, qui ne met plus l'accent sur les mêmes choses. La responsabilité de l'éleveur vis-à-vis de ses bêtes est oubliée, quand on ne la nie pas carrément.

Pour moi, c'est comme si les animaux avaient conclu un accord avec l'homme, une sorte d'échange. Quand l'élevage est pratiqué correctement, l'homme peut offrir à l'animal une vie meilleure que ce qu'il pourrait espérer dans la nature, et presque à coup sûr une meilleure mort. C'est très important. Il m'est arrivé à plusieurs reprises de laisser des enclos ouverts par inadvertance. Pas une de nos bêtes n'est partie. Elles ne partent pas parce que ce qu'elles trouvent ici, c'est la sécurité du troupeau, une pâture abondante, de l'eau, du foin de temps en temps, et une grande prévisibilité. Et leurs amies sont là. Dans une certaine mesure, elles choisissent de rester. Ce n'est pas un accord totalement libre, bien sûr. Nos bêtes n'ont pas décidé de leur propre naissance – mais au fond, c'est le cas de chacun d'entre nous.

Je crois qu'il est noble d'élever des animaux pour en faire de la nourriture saine – d'offrir à un animal une vie de joie et de liberté, dépourvue de souffrance. Nous prenons leur vie dans un but précis.

Et je pense que, fondamentalement, c'est ce à quoi nous aspirons tous : une bonne vie et une mort douce.

Une autre idée essentielle est que l'homme fait partie de la nature. Je me suis toujours tournée vers les systèmes naturels en quête de modèles. La nature est si économique. Même quand un animal n'est pas chassé, il sera consommé après sa mort. Dans la nature, les animaux finissent toujours dévorés par d'autres, que ce soit par des prédateurs ou par des charognards. Au fil des ans, nous nous sommes aperçus que même notre bétail, de temps à autre, rongeait des os de cervidés, alors que l'on considère généralement les bovins comme étant exclusivement herbivores. Il y a quelques années, une étude de l'US Geological Survey a montré que les cervidés consommaient beaucoup d'œufs d'oiseaux qui nichent dans le sol – ça a choqué les chercheurs ! La nature est plus souple que nous ne le pensons. Il est clair qu'il est normal et naturel pour des animaux de manger d'autres animaux, et puisque nous, les hommes, faisons partie de la nature, il est parfaitement normal que nous mangions des animaux.

Ce qui ne veut pas dire que nous y soyons obligés. *Personnellement, je m'estime en droit de choisir et de m'abstenir de consommer de la viande pour des raisons qui ne regardent que moi. Dans mon cas, c'est à cause du lien particulier que j'ai toujours ressenti avec les animaux. Je crois que, d'une certaine façon, ça me gênerait de manger de la viande. Ça me mettrait simplement mal à l'aise. Pour moi, l'élevage industriel est une mauvaise chose non parce qu'il produit de la viande, mais parce qu'il dépouille tous les animaux de la moindre once de bonheur. Pour le dire autrement, si je volais quelque chose, cela me pèserait sur la conscience parce que c'est intrinsèquement mal. La viande n'a rien d'intrinsèquement mauvais. Et si j'en mangeais, je n'éprouverais sans doute qu'une sorte de regret.*

Autrefois, je me disais que, puisque j'étais végétarienne, je n'avais pas à m'inquiéter de chercher à modifier la façon dont on traite les animaux d'élevage. Je pensais qu'en m'abstenant de manger de la viande, je jouais déjà un rôle. Aujourd'hui, ça me paraît idiot. L'industrie de la viande nous affecte tous, dans la mesure où nous vivons tous dans une société où la production de nourriture repose sur l'élevage industriel. Le fait d'être végétarienne ne me dégage d'aucune responsabilité quant à la façon qu'a notre pays d'élever les animaux – surtout à une époque où la consommation de viande augmente tant au niveau national que planétaire.

J'ai beaucoup de connaissances et d'amis végétariens, dont certains sont liés à PETA ou à Farm Sanctuary, et beaucoup sont persuadés que l'humanité finira par résoudre le problème de l'élevage industriel en amenant les gens à cesser de manger des animaux. Je ne suis pas d'accord. Du moins, pas de notre vivant. Si une telle évolution est possible, il faudra selon moi attendre plusieurs générations. Par conséquent, pendant ce temps, il faut faire autre chose pour réagir aux souffrances terribles qu'engendrent les élevages industriels. Il faut préconiser et défendre d'autres solutions.

Heureusement, il y a quelques lueurs d'espoir. On est sur le point d'assister à un retour à des méthodes d'élevage plus raisonnables. Une volonté collective est en train d'émerger – une volonté politique, mais aussi celle des consommateurs, des détaillants et des restaurateurs. Des impératifs divers se regroupent. Un de ces impératifs est un meilleur traitement des animaux. Nous prenons conscience du paradoxe de notre comportement, quand nous cherchons du shampoing qui n'a pas été testé sur des animaux tout en achetant (plusieurs fois par jour) de la viande produite dans des systèmes d'une incroyable cruauté.

Les impératifs économiques sont également en train de changer, avec le prix du carburant, des engrais chimiques et des céréales qui ne cesse d'augmenter. Et les subventions agricoles, qui ont favorisé l'élevage industriel durant des décennies, peuvent de moins en moins être maintenues, surtout face à la crise financière actuelle. Les choses commencent à se réajuster.

Du reste, le monde n'a pas besoin de produire autant d'animaux qu'aujourd'hui. L'élevage industriel n'est pas né de la nécessité de produire davantage de nourriture – de « nourrir les affamés » – mais de celle de produire d'une façon qui soit profitable pour les entreprises du secteur agroalimentaire. L'élevage industriel n'est qu'une question d'argent. C'est pour cette raison que ce système est défaillant et qu'il ne pourra pas fonctionner à long terme. Qui peut franchement croire que les groupes qui contrôlent la grande majorité de l'élevage en Amérique ne sont pas là pour faire des bénéfices ? Dans la plupart des secteurs, c'est une force motrice tout à fait normale. Mais quand les marchandises sont des animaux, que c'est la terre elle-même qui est l'usine, et que les produits sont consommés physiquement, les enjeux ne sont pas les mêmes et on ne peut pas penser de la même façon.

*Par exemple, il est absurde de développer des animaux physiquement incapables de se reproduire si ce que l'on veut, c'est nourrir les gens, mais ça devient logique si votre premier souci est de gagner de l'argent. Bill et moi avons maintenant quelques dindes dans notre ranch, et ce sont des oiseaux protégés – les mêmes races que celles qui étaient élevées au début du XX*e *siècle. Nous avons dû remonter aussi loin pour développer nos reproducteurs, parce que les dindes modernes sont à peine capables de marcher, et encore moins de se reproduire naturellement ou d'élever leurs petits. Voilà ce qui arrive dans un système qui ne s'intéresse qu'accessoirement à la nécessité de nourrir les gens, et absolument pas aux animaux eux-mêmes. Quand on a pour objectif de nourrir les gens de façon responsable sur le long terme, on ne crée pas un système comme l'élevage industriel.*

Le paradoxe, c'est que si les élevages industriels ne profitent pas au public, ils ont besoin de nous non seulement pour leur faire gagner de l'argent, mais aussi pour payer leurs erreurs. Ils font porter les coûts du traitement de leurs déchets à l'environnement et aux communes dans lesquelles ils sont installés. Leurs prix sont artificiellement maintenus à un bas niveau – ce qui n'apparaît pas à la caisse, c'est ce que tout le monde doit payer pendant des années.

Ce qu'il faut, aujourd'hui, c'est revenir à l'élevage en liberté. Ce n'est pas du délire, en fait, il y a des précédents historiques. Avant l'avènement des élevages industriels au milieu du XXe siècle, l'élevage, en Amérique, était étroitement lié à l'herbe et dépendait nettement moins des céréales, des produits chimiques et des machines. Les animaux élevés en liberté vivent des vies plus agréables, et ils coûtent moins cher à l'environnement. Pour de simples raisons économiques, l'herbe constituera de plus en plus une solution évidente. L'augmentation du prix du maïs va bouleverser notre façon de manger. On va permettre de plus en plus au bétail de paître, de manger de l'herbe comme la nature l'avait prévu. Et quand l'élevage industriel sera contraint de gérer le problème de l'accumulation du fumier, au lieu de simplement laisser le public s'en débrouiller, l'élevage en liberté n'en deviendra que plus intéressant sur le plan économique. Et c'est là qu'est l'avenir : un élevage plus humain et écologiquement viable.

Pourtant, elle sait

Merci de m'avoir permis de lire la transcription des réflexions de Nicolette. Je travaille pour PETA et elle produit de la viande, mais je la considère comme une compagne dans la lutte contre l'élevage industriel, et comme une amie. Je suis d'accord avec tout ce qu'elle dit sur le fait qu'il est essentiel de bien traiter les animaux, et sur le caractère artificiel des bas prix pratiqués par l'élevage industriel. J'adhère tout à fait à l'idée que si nous devons manger des animaux, autant que ce soient des animaux élevés en liberté, surtout les bovins. Mais en réalité, c'est bien là qu'est le problème majeur : pourquoi diable manger des animaux ?

Tout d'abord, considérons la crise environnementale et alimentaire : sur le plan éthique, il n'y a pas de différence entre le fait de manger de la viande et celui de jeter d'énormes quantités de nourriture, puisque les animaux que nous mangeons ne peuvent transformer en calories qu'une petite fraction des aliments que nous leur donnons – il faut entre 6 et 26 calories à un animal pour produire une seule calorie de viande[105]. *La grande majorité de ce que nous faisons pousser aux États-Unis sert à nourrir les animaux – ce sont des sols et de la nourriture que nous pourrions utiliser pour nourrir les humains ou protéger la nature – et il en va de même dans le reste du monde, avec des conséquences désastreuses.*

L'émissaire des Nations unies sur la question de l'alimentation a estimé que le fait de consacrer 100 millions de tonnes de blé et de maïs à la production d'éthanol était un « crime contre l'humanité » quand près d'un milliard de personnes ne mangent pas à leur faim. Dans ce cas, quel crime constitue donc l'élevage, qui consomme chaque année 756 millions de tonnes de blé et de maïs, plus qu'assez pour nourrir convenablement le 1,4 milliard d'êtres humains qui vivent dans la misère la plus noire ? Et à ces 756 millions de tonnes, il faut ajouter le fait que 98 % des 225 millions de tonnes de soja récoltées dans le monde servent aussi à nourrir les animaux d'élevage. Même en ne consommant que de la viande de Niman Ranch, vous apportez votre soutien à ce gaspillage gigantesque et contribuez à l'augmentation du prix de la nourriture pour les plus démunis de la planète. C'est d'abord ce gaspillage – plus que les dégâts pour l'environnement ou même le bien-être des animaux – qui m'a incité à ne plus manger de viande.

Certains éleveurs aiment à rappeler qu'il existe des biotopes marginaux où l'on ne peut rien faire pousser mais où il est possible d'élever du bétail, ou que le bétail peut fournir de la nourriture en cas de mauvaise récolte. Mais ces arguments ne s'appliquent sérieusement qu'au monde en voie de développement. Le plus grand spécialiste de cette question, R. K. Pachauri, dirige le Groupe d'experts intergouvernemental sur l'évolution du climat. Ses travaux lui ont valu le prix Nobel de la paix, et il affirme que, pour des questions environnementales, les citoyens du monde industrialisé devraient adopter le régime végétarien.

Si je fais partie de PETA, c'est pour les droits des animaux. De plus, la science la plus élémentaire nous montre que les autres animaux sont, tout comme nous, faits de chair, de sang et d'os. Au Canada, un éleveur de porcs a assassiné des dizaines de femmes, qu'il pendait à des crochets que l'on utilise d'ordinaire pour les carcasses de porcs. À son procès, l'affaire a suscité un dégoût viscéral et une horreur profonde quand il a été révélé que certaines des femmes qu'il avait tuées avaient été servies à des gens qui pensaient manger du porc provenant de son élevage. Les consommateurs n'avaient pas pu faire la différence entre la viande de porc et la chair humaine. Évidemment qu'ils ne pouvaient pas faire la distinction ! Les différences entre l'anatomie de l'homme et du cochon (et de la volaille, des bovins, etc.) sont insignifiantes comparées aux similitudes – un cadavre reste un cadavre, et la chair est toujours de la chair.

Les autres animaux ont cinq sens, comme nous. Et nous découvrons de plus en plus qu'ils ont des besoins comportementaux, psychologiques et émotionnels que l'évolution a créés en eux exactement comme en nous. Les autres animaux, tels que l'homme, ressentent plaisir et douleur, joie et tristesse[106]*. Le fait qu'ils connaissent beaucoup des mêmes émotions que nous est bien établi. Il est stupide de rassembler toutes leurs émotions et tous leurs comportements complexes sous le vocable « instinct », ce que Nicolette reconnaît clairement. Dans le monde moderne, il est facile d'ignorer les implications morales évidentes de ces similitudes – c'est pratique, politique et courant. Et c'est mal. Mais il ne suffit pas de savoir ce qui est bien ou mal. La compréhension morale a un autre versant, plus important : l'action.*

L'amour que Nicolette éprouve pour ses animaux est-il noble ? Oui, quand il l'amène à les considérer comme des individus et à ne pas vouloir leur faire de mal. Mais quand il la rend complice de leur marquage, de la séparation des petits d'avec leurs mères, de l'égorgement des animaux, j'ai plus de difficultés à le comprendre. Et voici pourquoi : appliquez ses arguments en faveur de la consommation de viande à l'élevage de chiens et de chats – ou même d'hommes. Là, nous ne ressentons plus aucune sympathie. En fait, ses arguments rappellent étrangement (structurellement, ils sont identiques) ceux des esclavagistes qui prétendaient vouloir mieux traiter les esclaves sans pour autant abolir l'esclavage. On pouvait contraindre quelqu'un à l'esclavage tout en lui garantissant « une bonne vie et une mort douce », comme le dit Nicolette à propos des animaux d'élevage. Cela vaut-il mieux que de maltraiter ses esclaves ? Bien sûr. Mais personne ne veut de ça.

Ou alors, livrons-nous à cette réflexion : castreriez-vous des animaux sans anesthésiant ? Les marqueriez-vous ? Leur trancheriez-vous la gorge ? Essayez simplement de regarder de telles pratiques (on trouve sans difficulté la vidéo Meet your Meat *sur Internet, et elle constitue un bon point de départ). La plupart des gens ne feraient pas de telles choses. La plupart d'entre nous ne souhaiteraient même pas les voir. Par conséquent, en quoi est-ce intègre de payer quelqu'un d'autre pour le faire à votre place ? C'est de la cruauté, de l'assassinat sur commande, et pour quoi ? Pour un produit dont personne n'a besoin, la viande.*

Il est peut-être « naturel » de manger de la viande, et c'est peut-être acceptable pour la plupart d'entre nous – il est certain que l'homme le fait depuis très longtemps –, mais ce ne sont pas des arguments moraux. En fait, toute l'histoire de la société humaine et des progrès moraux représente une transcendance explicite de ce qui est « naturel ». Et le fait que la plupart des Sudistes aient été favorables à l'esclavage ne lui confère pas pour autant une valeur morale. La loi de la jungle n'est pas un critère moral, même si elle permet aux mangeurs de viande de se sentir plus à l'aise.

Après avoir fui la Pologne occupée par les nazis, le lauréat du prix Nobel de littérature Isaac Bashevis Singer avait comparé les préjugés concernant la hiérarchie des espèces aux « théories racistes les plus extrémistes ». Singer affirmait que les droits des animaux constituaient la forme la plus pure de justice sociale, car les animaux sont les plus vulnérables des opprimés. Pour lui, les mauvais traitements infligés aux animaux incarnent parfaitement la logique qui veut que le pouvoir ait tous les droits. Si nous foulons aux pieds leurs intérêts fondamentaux au nom d'intérêts humains passagers, c'est parce que nous avons le pouvoir de le faire. Certes, l'animal humain est différent des autres animaux. L'homme est unique, mais pas d'une façon qui permet de négliger la souffrance animale. Réfléchissez : si vous mangez du poulet, est-ce parce que vous connaissez les articles scientifiques qui ont été écrits au sujet de ces bêtes et que vous avez décrété que leurs souffrances sont sans importance, ou parce que ça a bon goût ?

En général, prendre une décision éthique revient à choisir entre des conflits d'intérêts inévitables et graves. Dans ce cas, les intérêts en conflit sont les suivants : le désir de l'homme d'éprouver un plaisir gustatif, et l'intérêt de l'animal à ne pas se retrouver la gorge tranchée. Nicolette vous dira que son mari et elle procurent à l'animal une « bonne vie et une mort douce ». Mais la vie qu'ils offrent aux animaux est loin d'être aussi bonne que celle que la plupart d'entre nous offrent à leurs chiens et chats. (Peut-être donnent-ils aux animaux une vie et une mort meilleures que Smithfield, mais une bonne *vie ?) Quoi qu'il en soit, quel genre d'existence prend fin à douze ans, ce qui serait l'équivalent pour l'homme de l'âge qu'atteignent les animaux autres que reproducteurs dans des élevages comme celui de Bill et Nicolette ?*

Nicolette et moi sommes d'accord sur l'importance de l'influence qu'ont nos choix alimentaires sur les autres. Si vous êtes végétarien, cela représente une unité de végétarisme dans votre existence. Si vous convainquez une autre personne, vous avez multiplié par deux votre engagement en tant que végétarien. Et vous pouvez en influencer beaucoup plus, évidemment. L'aspect public de l'alimentation est fondamental, quel que soit votre régime de prédilection.

La décision de consommer de la viande quelle qu'elle soit (même provenant de producteurs moins brutaux) incitera des gens que vous connaissez à manger de la viande d'élevage industriel, ce qu'ils n'auraient peut-être pas fait sans cela. Que prouve le fait que les chefs de file du mouvement de la « viande éthique », comme mes amis Eric Schlosser et Michael Pollan[107]*, et même les éleveurs de Niman Ranch, sortent régulièrement de l'argent de leur poche pour le donner aux élevages industriels ? Pour moi, cela prouve que l'idée du « carnivore éthique » est un échec. Même ses partisans les plus fervents ne la respectent pas tout le temps. J'ai rencontré énormément de gens qui ont été touchés par les arguments d'Eric et Michael, mais aucun d'entre eux ne consomme plus que des viandes de type Niman. Soit ils sont végétariens, soit ils continuent à consommer, au moins en partie, de la viande d'élevage industriel.*

Prétendre que la consommation de viande peut être éthique a un côté « gentil » et « tolérant » uniquement parce que les gens aiment qu'on leur dise qu'il est moral de faire tout ce que l'on veut. Quand une végétarienne comme Nicolette permet aux mangeurs de viande d'oublier le véritable défi moral que représente la viande, elle ne peut qu'être populaire. Mais les conservateurs sociaux d'aujourd'hui sont les « extrémistes » d'hier sur des questions comme les droits des femmes, les droits civiques, les droits de l'enfance, et ainsi de suite. (Qui oserait préconiser des demi-mesures sur la question de l'esclavage ?) Pourquoi, quand il s'agit de manger les animaux, est-il soudain problématique de souligner ce qui, scientifiquement, est évident et irréfutable, à savoir que les autres animaux sont plus proches de nous que différents ? Comme le dit Richard Dawkins, ce sont nos « cousins ». Même le fait de déclarer : « Vous mangez un cadavre », ce qui est irréfutable, passe pour une hyperbole. Alors qu'au fond, c'est la simple vérité.

En fait, il n'y a rien de dur ou d'intolérant à suggérer que l'on ne devrait pas payer des gens – quotidiennement – pour infliger des brûlures au troisième degré à des animaux, leur arracher les testicules ou leur trancher la gorge. Observons la réalité : ce morceau de viande provient d'un animal qui, dans le meilleur des cas – et rares sont ceux qui s'en tirent à si bon compte –, a été brûlé, mutilé et assassiné au nom de quelques minutes de plaisir humain. Ce plaisir justifie-t-il les moyens ?

Lui aussi, il sait

Je respecte l'opinion de ceux qui, pour quelque raison que ce soit, décident de ne plus manger de viande. D'ailleurs, c'est ce que j'ai dit à Nicolette lors de notre premier rendez-vous quand elle m'a déclaré qu'elle était végétarienne. J'ai dit : « Très bien, c'est quelque chose que je respecte. »

J'ai passé l'essentiel de ma vie d'adulte à essayer de trouver une solution afin d'échapper à l'élevage industriel, en particulier en travaillant au Niman Ranch. Je suis absolument d'accord, beaucoup de méthodes modernes de production industrialisée de la viande, qui ne sont apparues qu'au cours de la seconde moitié du XXe siècle, violent les valeurs fondamentales longtemps associées à l'élevage et à l'abattage. Dans bien des cultures traditionnelles, il était généralement admis que les animaux méritaient le respect et que l'on ne devait prendre leur vie qu'avec déférence. Du fait de cette conscience, les traditions ancestrales du judaïsme, de l'islam, des Amérindiens et d'autres cultures dans le monde prévoyaient des rituels et des pratiques spécifiques quant au traitement et à l'abattage des animaux destinés à être consommés. Malheureusement, le système industrialisé a abandonné l'idée que les animaux ont le droit de bien vivre et qu'ils devraient toujours être traités avec respect. C'est pourquoi je me suis opposé avec vigueur à ce qui se passe aujourd'hui dans la production animale industrialisée.

Cela étant dit, je vais vous expliquer pourquoi je suis heureux d'élever des animaux destinés à être mangés en ayant recours à des méthodes traditionnelles et naturelles. Comme je vous l'ai dit il y a quelques mois, j'ai grandi à Minneapolis et je suis fils d'immigrés russes juifs qui avaient ouvert l'épicerie Niman. C'était le genre d'endroit où le service était la première des priorités. On connaissait les clients par leur nom, et beaucoup de commandes étaient passées au téléphone et livrées à domicile. Quand j'étais gosse, je me suis chargé de pas mal de ces livraisons. J'accompagnais aussi mon père sur les marchés, je disposais l'étalage, emballais les produits et faisais toutes sortes d'autres tâches. Ma mère, qui travaillait elle aussi à la boutique, était bonne cuisinière, capable de tout préparer à partir de rien en utilisant, bien sûr, ce que nous vendions. La nourriture était toujours considérée comme une chose précieuse, qu'il ne fallait ni prendre pour acquise ni gaspiller. Elle n'était pas non plus vue comme un simple carburant pour nos organismes. La collecte, la préparation et la consommation de nourriture dans notre famille nécessitaient du temps, de l'attention et répondaient à un rituel.

Aux environs de ma vingtième année, je suis arrivé à Bolinas, où j'ai acheté une propriété. Ma défunte épouse et moi, nous avons cultivé une grande partie du terrain pour en faire un potager. Nous avons planté des arbres fruitiers et nous sommes procuré des chèvres, des poulets et des cochons. Pour la première fois de ma vie, l'essentiel de ce que je mangeais était le fruit de mon propre labeur, et c'était incroyablement satisfaisant.

C'est aussi à cette époque que j'ai été directement confronté à la gravité du fait de manger de la viande. Nous vivions littéralement avec nos animaux, et je connaissais personnellement chacun d'entre eux. Donc, leur prendre la vie était une réalité, et ce n'était pas facile. Je me souviens parfaitement d'être resté éveillé toute la nuit la fois où nous avons tué notre premier cochon. Je me demandais si j'avais fait ce qu'il fallait. Mais dans les semaines qui ont suivi, quand nous, nos amis et la famille avons mangé la viande de ce porc, j'ai compris qu'il était mort pour une raison importante – pour nous donner cette nourriture savoureuse, saine et hautement nutritive. J'ai décidé que dans la mesure où je veillerais constamment à offrir à nos bêtes une bonne vie, une vie naturelle, et à ce que leur mort soit libre de toute peur ou de toute souffrance, il serait moralement acceptable à mes yeux d'élever des animaux pour leur viande.

Certes, la plupart des gens n'ont pas à être confrontés au fait déplaisant que les nourritures animales (y compris les laitages et les œufs) nécessitent de tuer des animaux. Ils restent coupés de cette réalité, ils achètent leur viande, leur poisson et leur fromage dans des restaurants et des supermarchés, déjà cuits ou présentés en morceaux, et il leur est ainsi plus facile de ne presque pas penser aux animaux d'où proviennent ces aliments. C'est un problème. Ça a permis à l'industrie agroalimentaire de transformer l'élevage de bétail et de volaille en des systèmes malsains et inhumains pratiquement fermés au public. Rares sont les gens qui ont vu l'intérieur des laiteries industrielles, des productions d'œufs en batterie ou des élevages porcins. La plupart des consommateurs n'ont aucune idée de ce qui s'y passe. Je suis convaincu que la grande majorité des gens seraient horrifiés de le savoir.

Autrefois, les Américains étaient étroitement liés à la façon dont était produite leur nourriture, et aux lieux d'où elle venait. Cette connexion, cette familiarité, garantissait des méthodes de production qui correspondaient aux valeurs des citoyens. Mais l'industrialisation de l'élevage a brisé ce lien et nous a propulsés dans l'époque moderne de la déconnexion. Notre système actuel de production de nourriture, en particulier l'élevage des animaux en confinement, constitue une violation des principes éthiques de la plupart des Américains, qui considèrent l'élevage comme étant moralement acceptable mais pensent que chaque animal devrait pouvoir mener une vie normale et connaître une mort indolore. Ça a toujours fait partie du système de valeurs américain. Quand le président Eisenhower a signé la loi sur les méthodes humaines d'abattage en 1958, il a déclaré qu'à en juger par le courrier qu'il avait reçu à propos de cette loi, on pouvait en déduire que les Américains s'intéressaient exclusivement *à la nature humaine de l'abattage des animaux.*

Dans le même temps, la grande majorité des Américains et des habitants d'autres pays a toujours cru qu'il était moralement acceptable de manger de la viande. C'est à la fois culturel et naturel. C'est culturel, dans la mesure où les gens qui ont grandi dans des familles où l'on consommait des laitages et de la viande reproduisent généralement les mêmes schémas. L'esclavage est une mauvaise analogie. L'esclavage – bien que très répandu à certaines époques et dans certains endroits – n'a jamais été une pratique universelle, quotidienne, qui nourrissait chaque foyer, comme la consommation de viande, de poisson ou de laitages l'a toujours fait dans les sociétés humaines de par le monde.

Je dis qu'il est naturel de manger de la viande parce que, dans la nature, un grand nombre d'animaux se nourrissent de la chair d'autres animaux. Ce qui inclut, bien sûr, l'homme et nos ancêtres préhumains, qui ont commencé à manger de la viande il y a plus de 1,5 million d'années. Presque partout dans le monde, et durant l'essentiel de l'histoire animale et humaine, le fait de manger de la viande n'a jamais été seulement une question de plaisir. C'était la condition de la survie.

Pour moi, l'apport nutritif de la viande et l'omniprésence de sa consommation dans la nature tendent à prouver que c'est un acte approprié. Certains voudraient démontrer qu'il est erroné de se référer aux systèmes naturels pour établir ce qui est moralement acceptable car des comportements comme le viol et l'infanticide existent dans la nature. Mais cet argument ne tient pas parce qu'il se fonde sur des comportements aberrants. De tels événements ne se produisent pas de façon régulière parmi les populations animales. Il serait clairement absurde de se fonder sur des comportements aberrants pour déterminer ce qui est normal et acceptable. Mais les normes des écosystèmes naturels recèlent des trésors de sagesse en matière d'économie, d'ordre et de stabilité. Et le fait de manger de la viande est (et a toujours été) la norme dans la nature.

Qu'en est-il alors de l'argument qui veut que nous, les hommes, devrions décider de ne pas manger de la viande, quelles que soient les normes naturelles, car la viande représente un gaspillage intrinsèque de ressources? Cette affirmation est elle aussi infondée. Ces chiffres partent du principe que le bétail est élevé dans des sites de confinement intensif et qu'on le nourrit de céréales et de soja provenant de champs artificiellement amendés. Or ces données ne concernent pas les animaux qui broutent et qui vivent à l'année dans les pacages, comme les bovins, les chèvres, les moutons et les cervidés qui se nourrissent d'herbe.

Depuis longtemps, David Pimentel, de l'université Cornell, est le meilleur spécialiste de la consommation d'énergie dans la production de nourriture. Pimentel ne défend pas le végétarisme. Il précise même que « toutes les preuves disponibles laissent penser que l'homme est omnivore ». Il écrit souvent sur le rôle important du bétail dans la production mondiale de nourriture. Par exemple, dans son ouvrage fondateur, Food, Energy, and Society, *il souligne que le bétail joue « un rôle important* […] *dans l'alimentation de l'homme ». Il développe son propos comme suit : « Pour commencer, le bétail convertit efficacement le fourrage poussant dans le biotope marginal en nourriture convenable pour l'homme. Ensuite, les troupeaux constituent des réserves de ressources alimentaires. Enfin, le bétail peut remplacer* […] *les céréales les années de faibles précipitations et de mauvaises récoltes. »*

De plus, affirmer que l'élevage est intrinsèquement mauvais pour l'environnement, c'est ne pas comprendre la production nationale et mondiale de nourriture d'un point de vue holistique. Le fait de labourer le sol et d'y semer des graines est fondamentalement dommageable pour l'environnement[108]*. En fait, les ruminants font partie intégrante de nombreux écosystèmes depuis des dizaines de milliers d'années. Les ruminants représentent le moyen écologiquement le plus sain de garantir l'intégrité de ces prairies et de ces herbages.*

Comme Wendell Berry l'a expliqué avec éloquence dans ses textes, les exploitations les plus saines sur le plan écologique élèvent du bétail et font pousser des végétaux en même temps. *Elles sont calquées sur les écosystèmes naturels, avec leur interaction continue et complexe entre faune et flore. Beaucoup (la plupart probablement) d'agriculteurs bio dépendent des engrais venant du fumier du bétail et de la volaille.*

La réalité, c'est que, dans une certaine mesure, toute production de nourriture entraîne une altération de l'environnement. L'objectif de l'agriculture durable est de minimiser ces conséquences. L'agriculture à base de pâture, surtout dans le cadre d'une exploitation diversifiée, est la solution la moins intrusive de produire de la nourriture, de minimiser la pollution de l'eau et de l'air, l'érosion des sols et les impacts sur la faune. Elle permet également aux animaux de prospérer. Favoriser les exploitations de ce genre est l'œuvre de ma vie, et j'en suis fier.

3.

Et nous, que savons-nous ?

Bruce Friedrich, de PETA (l'intervenant qui a répondu à Nicolette dans le chapitre précédent), d'un côté, et les Niman, de l'autre, représentent les deux principales réactions institutionnelles à notre système d'élevage actuel. Leurs deux visions constituent également deux stratégies. Bruce défend les *droits* des animaux. Bill et Nicolette défendent leur *bien-être*.

Sous un certain angle, ces deux réactions semblent correspondre : l'une et l'autre réclament moins de violence. (Quand les défenseurs des droits des animaux déclarent que *les animaux ne sont pas là pour que nous en disposions*, ils appellent à une réduction des souffrances que nous leur infligeons.) De ce point de vue, la différence la plus importante entre ces deux positions – celle qui fait que l'on penchera plutôt en faveur de l'une ou de l'autre – tient au mode de vie qui, selon les uns ou les autres, aboutira effectivement à cette réduction de la violence.

Les défenseurs des droits des animaux que j'ai rencontrés au cours de mon enquête ne perdent pas de temps à critiquer (et encore moins à manifester contre) un scénario qui verrait des générations d'animaux élevés par de bons pasteurs comme Frank, Paul, Bill et Nicolette. Ce scénario – l'idée d'un élevage d'une saine humanité – n'est pas tant contestable, pour la plupart des gens qui œuvrent en faveur des droits des animaux, que désespérément romantique. Ils n'y croient pas. De leur point de vue, la position des partisans du bien-être animal reviendrait à proposer de priver les enfants de tout droit fondamental, d'offrir de juteuses compensations financières pour pouvoir les tuer à la tâche, de n'imposer aucun tabou social à l'utilisation de produits fabriqués par les enfants, tout en espérant que des lois sans réelle force en faveur du « bien-être des enfants » suffiront à garantir qu'ils seront bien traités. L'analogie ne signifie pas que les enfants se situent moralement au même niveau que les animaux, mais que les uns comme les autres sont vulnérables et presque exploitables à l'infini si personne n'intervient.

Bien sûr, ceux qui « croient à la viande » et veulent que l'on continue à en manger sans élevage industriel pensent que ce sont les végétariens qui ne sont pas réalistes. Certes, un petit (ou même un grand) groupe est peut-être prêt à devenir végétarien, mais en général, les gens veulent de la viande, en ont toujours voulu et en voudront toujours, un point c'est tout. Les végétariens sont au mieux gentils, mais irréalistes. Au pire, ils vivent dans un délire sentimentaliste.

Il ne fait aucun doute qu'il s'agit de conclusions différentes sur le monde où nous vivons et sur les aliments qui devraient se trouver dans nos assiettes, mais dans quelle mesure ces différences font-elles la différence ? L'idée d'un système d'élevage juste, enraciné dans les meilleures traditions du respect du bien-être animal *et* celle d'une agriculture végétarienne reposant sur une éthique des droits des animaux sont toutes deux des stratégies visant à limiter (jamais à éliminer) la violence inhérente au fait d'être vivant. Ce ne sont pas seulement des valeurs opposées, comme on les présente souvent. Elles constituent des façons différentes de parvenir à un objectif que toutes deux considèrent comme indispensable. Elles sont le reflet de perceptions distinctes de la nature humaine, mais font appel l'une et l'autre à la compassion et à la prudence.

Ces deux propositions sont au fond des actes de foi, et elles exigent beaucoup de nous en tant qu'individus – et en tant que société. Pour les appliquer, il faut militer, et pas seulement prendre une décision et s'y tenir. Ces deux stratégies, si l'on veut qu'elles atteignent leur but, impliquent que nous fassions un peu plus que changer de régime alimentaire. Il nous faut en inviter d'autres à se joindre à nous. Et si les différences entre ces deux positions ont une importance, elles sont mineures au regard de leurs points communs, et sans conséquence au vu de ce qui les distingue des partisans de l'élevage industriel.

Longtemps après avoir pris personnellement la décision de devenir végétarien, je ne savais toujours pas clairement dans quelle mesure je pouvais vraiment respecter un autre choix. Les autres stratégies ont-elles tout simplement tort ?

4.

Je ne peux pas utiliser le mot « mal »

Bill, Nicolette et moi nous promenons dans les prairies ondulantes le long des falaises. En contrebas, les vagues de l'océan se brisent sur de sculpturales formations rocheuses. Un par un, les bœufs apparaissent, points noirs dans une mer d'émeraude, crâne baissé, les muscles des mâchoires broyant des touffes d'herbe. Honnêtement, c'est incontestable, ces bovins, du moins quand ils broutent, mènent la belle vie.

« Et le fait de manger un animal que vous connaissez en tant qu'individu ? » demandé-je.

BILL : *Ce n'est pas comme si on mangeait un animal familier. En tout cas, je parviens à établir une distinction. C'est peut-être parce que nous en avons en assez grand nombre, et que dans ce cas, il y a un moment où vos animaux ne sont plus des individus... Mais je ne les traiterais ni mieux ni moins bien, même si je ne comptais pas les manger.*

Vraiment ? Marquerait-il son chien ?

« Et les mutilations, comme le marquage ? »

BILL : *Ça s'explique entre autres par le fait que ce sont des animaux qui coûtent cher, et qu'il y a un système en place qui est peut-être archaïque aujourd'hui, ou pas. Pour vendre les animaux, il faut qu'ils soient marqués et inspectés. Et ça empêche pas mal de vols. Ça protège l'investissement. Actuellement, on étudie de meilleures façons de le faire – des scanners rétiniens, ou des puces. Nous pratiquons le marquage au fer rouge, et nous avons testé le marquage à froid, mais les deux sont douloureux pour les bêtes. Tant que nous n'aurons pas trouvé un meilleur système, nous considérons le marquage au fer rouge comme une nécessité.*

NICOLETTE : *La seule chose que nous faisons qui me dérange, c'est le marquage. Nous en parlons depuis des années... Il y a un vrai problème de vol de bétail.*

J'ai demandé à Bernie Rollin, spécialiste de réputation internationale du bien-être animal de l'université d'État du Colorado, ce qu'il pensait de l'argument de Bill, et du fait que le marquage restait nécessaire pour empêcher le vol.

« Vous voulez que je vous dise comment se passe le vol de bétail, de nos jours ? Ils rappliquent en camion et abattent l'animal sur place – vous croyez que le marquage va faire une différence, dans ce cas-là ? Le marquage, c'est culturel. Ces marques sont dans les familles depuis des années, et les ranchers ne veulent pas y renoncer. Ils savent que c'est douloureux, mais ils l'ont fait avec leurs pères et avec leurs grands-pères. Je connais un éleveur, un bon rancher, qui m'a dit que ses enfants ne revenaient pas à la maison pour Thanksgiving, ni pour Noël, mais qu'ils revenaient chaque fois pour le marquage[109]. »

Niman Ranch s'efforce de promouvoir son modèle sur plusieurs fronts, et c'est sans doute ce qu'il y a de mieux à faire si l'on veut que le modèle en question puisse être reproduit immédiatement. Mais l'accent mis sur l'immédiateté implique des concessions. Le marquage est un de ces domaines de compromis – une concession non à la nécessité, à des besoins pratiques ou à des goûts particuliers, mais à une habitude de violence inutile et irrationnelle, à une tradition.

Le secteur bovin est, de loin, le segment de l'industrie de la viande le plus impressionnant sur le plan éthique, et j'aimerais donc que la vérité ne soit pas aussi laide. Les protocoles de respect des animaux approuvés par l'Animal Welfare Institute, que Niman Ranch applique – une fois encore, ce sont les meilleurs que l'on puisse trouver – autorisent également l'ébourgeonnage (l'ablation des bourgeons de corne au fer chaud ou à la pâte caustique) et la castration. Autre problème, mineur à première vue, mais plus grave sur le plan du bien-être : le bétail de Niman Ranch vit ses derniers mois en enclos d'engraissement. Un parc d'engraissement de Niman Ranch ne ressemble pas à son équivalent industriel (du fait de ses dimensions plus réduites, de la non-injection de médicaments, d'une meilleure nourriture, de meilleurs soins et de la plus grande attention apportée au bien-être des animaux), mais Bill et Nicolette n'en soumettent pas moins leurs bêtes à un régime qui convient mal au système digestif d'une vache, et ce, pendant des mois. Oui, Niman leur fournit des granulés moins nocifs que ce que l'on trouve dans le secteur. Mais le comportement le plus « spécifique » des animaux est malgré tout méprisé pour des questions de goût.

BILL : *Ce qui compte pour moi aujourd'hui, c'est que j'ai vraiment le sentiment que l'on peut changer la façon de manger des gens et des animaux. Ça va nécessiter un effort commun pour trouver un terrain d'entente. Pour moi, quand je considère mon existence et ce que je veux avoir fait quand j'arriverai au bout, si je peux me retourner et dire que nous avons créé un modèle et que tout le monde peut nous copier, même si nous nous faisons écraser sur le marché, au moins, nous aurons lancé ce changement.*

C'était le pari de Bill, et il y a consacré sa vie. Mais Nicolette ?

« Pourquoi ne mangez-vous pas de viande ? lui demandé-je. Ça m'a travaillé tout l'après-midi. Vous n'arrêtez pas de dire qu'il n'y a rien de mal à ça, mais visiblement, c'est mal pour vous. Je ne parle pas des autres, je parle de vous. »

NICOLETTE : *J'ai le sentiment de pouvoir faire un choix, et je ne veux pas avoir ça sur la conscience. Mais c'est à cause de mon lien personnel avec les animaux. Ça me gênerait. Je crois que ça me met simplement mal à l'aise.*

« Pouvez-vous expliquer pourquoi ? »

NICOLETTE : *Je crois que c'est parce que je sais que ce n'est pas nécessaire. Mais je n'ai pas le sentiment que ce soit mal. Vous voyez, je ne peux pas utiliser le mot « mal ».*

BILL : *Ce moment de l'abattage, pour moi, selon mon expérience – et je pense que c'est la même chose pour la plupart des éleveurs sensibles –, c'est là que l'on comprend l'idée de destin et de domination. Parce que vous avez mené cet animal à sa mort. Il est vivant, et vous savez que quand cette porte se lèvera et qu'il passera par là, ce sera fini. C'est le moment le plus troublant pour moi, ce moment où ils font la queue à l'abattoir. Je ne sais pas vraiment comment l'expliquer. C'est le mariage de la vie et de la mort. C'est là qu'on se dit : « Mon Dieu, est-ce que je tiens vraiment à exercer ma domination et à transformer cette merveilleuse créature vivante en produit, en nourriture ? »*

« Et comment résolvez-vous ça ? »

BILL : *Eh bien, on inspire profondément. Ce n'est pas parce qu'ils sont plus nombreux que ça devient plus facile. C'est ce que croient les gens.*

Vous prenez une profonde inspiration ? Un instant, cette réaction paraît tout à fait raisonnable. Ça a l'air romantique. Un instant, l'élevage semble plus honnête : faire face aux questions épineuses de la vie et de la mort, de la domination et du destin.

Ou la profonde inspiration en question n'est-elle en réalité qu'un soupir résigné, une promesse, comme à contrecœur, d'y repenser plus tard ? L'inspiration profonde est-elle une confrontation ou une fuite superficielle ? Et qu'en est-il de l'expiration ? Il ne suffit pas d'inspirer la pollution du monde. Ne pas réagir, c'est une réaction – nous sommes tout autant responsables de ce que nous ne faisons pas. Dans le cas de l'abattage des animaux, baisser les bras, c'est comme si vous empoigniez le manche du couteau.

5.

Inspirez profondément

Presque toutes les vaches connaissent le même sort : l'ultime voyage vers la zone de tuerie. Le bétail élevé pour la viande est encore adolescent quand il meurt. Si, autrefois, les ranchers américains gardaient leurs bêtes pendant quatre ou cinq ans, aujourd'hui, les animaux sont abattus à douze ou quatorze mois. Bien qu'il soit difficile d'avoir une relation plus intime que la nôtre avec le résultat de ce parcours (on le trouve dans nos foyers, dans nos bouches et dans celles de nos enfants…), pour la plupart d'entre nous, il reste méconnu, invisible.

Pour le bétail, le voyage lui-même est une succession de stress distincts. Les scientifiques ont identifié une série de réactions hormonales différentes à la manipulation, au transport et à l'abattage lui-même. Si la zone de tuerie fonctionne idéalement, le « stress » initial, celui de la manipulation, comme le montrent les niveaux hormonaux, peut se révéler supérieur à celui du transport ou de l'abattage.

S'il est assez facile de reconnaître les signes d'une douleur aiguë, il faut bien connaître les espèces – ou même le troupeau, voire les animaux individuellement – pour savoir ce qui est considéré comme une vie agréable pour eux. L'abattage est sans doute ce qui révulse le plus les citadins d'aujourd'hui, mais, du point de vue de la vache, on comprend aisément comment, après une vie passée dans une communauté bovine, les interactions avec d'étranges créatures bipèdes, bruyantes et sources de douleur, peuvent sembler plus effrayantes que l'instant contrôlé de la mort.

En me promenant au milieu du troupeau de Bill, j'ai commencé à entrevoir pourquoi. Quand je restais à bonne distance des bêtes en train de brouter, elles étaient apparemment inconscientes de ma présence. Ce qui n'est pas le cas : les vaches disposent d'une vision à presque 360 degrés et surveillent constamment les environs. Elles connaissent les animaux qui les entourent, se choisissent des chefs et défendront leur troupeau[110]. Chaque fois que j'approchais d'une vache au point de pouvoir la toucher, c'était comme si j'avais franchi une sorte de limite invisible, et elle s'écartait rapidement. En règle générale, elles ont une bonne dose d'instinct de fuite face aux espèces prédatrices, et nombre de procédures de manipulation courante – la capture, les cris, le fait de leur tordre la queue, de les frapper ou d'utiliser des aiguillons électriques – les terrifient.

D'une façon ou d'une autre, on les pousse dans des camions ou des wagons. Une fois embarqués, les animaux sont confrontés à un voyage qui peut durer jusqu'à quarante-huit heures, sans eau ni nourriture. En conséquence, presque tous perdent du poids et beaucoup montrent des signes de déshydratation. Ils sont souvent exposés au froid ou à une chaleur extrême. Plusieurs en meurent, ou arrivent à l'abattoir trop malades pour être aptes à la consommation humaine.

Je n'ai jamais pu pénétrer dans un grand abattoir industriel. Pour quelqu'un d'extérieur à la profession, la seule solution, pour assister à l'abattage industriel, est d'y entrer sous couverture. Non seulement c'est un projet qui peut prendre plus d'un an et demi, mais en outre, c'est dangereux. La description de l'abattage que je vais vous fournir maintenant repose donc sur des témoignages oculaires et sur les statistiques de l'industrie. Je vais m'efforcer de laisser les ouvriers de la zone de tuerie dépeindre leur réalité autant que possible avec leurs propres mots.

Dans son best-seller *The Omnivore's Dilemma,* Michael Pollan retrace l'existence de « N° 534 », une vache à viande issue de l'élevage industriel qu'il a rachetée. Le récit de Pollan est une description riche et détaillée de l'élevage du bétail, mais il effleure à peine la question de l'abattage, qu'il aborde de loin, sur un plan éthique et abstrait, et c'est là le défaut majeur de son étude souvent révélatrice et sans concession.

« Sa mise à mort, écrit-il, est le seul événement de sa vie auquel je n'ai pas pu assister, et dont je n'ai même rien pu savoir, en dehors de sa date probable. Ce qui ne m'a pas vraiment surpris : l'industrie de la viande sait que plus les gens en découvriront sur ce qui se passe dans la zone de tuerie, plus ils risquent de ne pas manger de viande. » Bien dit.

Mais, poursuit Pollan, « ce n'est pas parce que l'abattage est obligatoirement inhumain, mais parce que la plupart d'entre nous préféreraient que l'on ne nous rappelle pas ce qu'est la viande ou ce qu'il faut faire pour qu'elle se retrouve dans notre assiette ». Ce qui me semble se situer à mi-chemin entre une demi-vérité et une échappatoire. Comme l'explique Pollan, « pour manger de la viande industrielle, il faut accomplir un acte presque héroïque dans le refus de savoir ou l'oubli ». Un héroïsme nécessaire justement parce qu'il faut oublier bien plus que le simple *fait* de la mort de l'animal : il ne faut pas seulement oublier que les animaux sont tués, mais aussi *comment* ils sont tués.

Même parmi les auteurs qui méritent d'être salués pour avoir révélé la réalité de l'élevage industriel au grand public, on se heurte souvent au désaveu insipide de la véritable horreur que nous infligeons. Dans sa critique provocatrice et souvent brillante de *The Omnivore's Dilemma*, B. R. Myers explique cette mode intellectuelle reconnue : « La technique est la suivante : on débat avec l'autre camp de façon rationnelle jusqu'à ce que l'on se retrouve le dos au mur. Là, on laisse tout simplement tomber la discussion et on se défile, en affirmant non pas être à bout de raison, mais en prétendant au contraire l'avoir *transcendée*. L'incapacité à concilier ses convictions personnelles et la raison est alors présentée comme un grand mystère. Et le fait d'être humblement prêt à accepter de vivre avec ce mystère nous place alors au-dessus des esprits mesquins et de leurs misérables certitudes. »

Ce jeu comporte une autre règle : il ne faut jamais, absolument jamais souligner que, presque chaque fois, on a le choix entre la cruauté et la destruction écologique, et cesser de manger des animaux.

Il n'est pas difficile de comprendre pourquoi l'industrie du bœuf ne laissera jamais approcher personne, pas même un carnivore enthousiaste, de ses abattoirs. Même dans ceux où le bétail meurt rapidement, on imagine mal qu'il puisse se passer une seule journée sans que plusieurs bêtes (des dizaines, des centaines ?) ne connaissent une fin particulièrement horrible. Une industrie de la viande respectueuse de l'éthique que nous défendons tous pour la plupart (offrir une bonne vie et une mort indolore aux animaux sans engendrer trop de déchets) n'est pas un fantasme, mais elle ne serait pas en mesure de produire les énormes quantités de viande à bas prix par habitant dont nous profitons aujourd'hui.

Dans un abattoir classique, les bêtes descendent par un toboggan jusqu'au box d'étourdissement – en général, un grand habitacle cylindrique d'où ne sort que la tête. Le responsable de l'opération, le *knocker*, appuie un grand pistolet pneumatique entre les yeux du bovin. Une tige en acier s'enfonce dans le crâne de l'animal, ce qui le plonge dans l'inconscience, voire le tue, puis se rétracte dans le canon. Parfois, la tige ne fait qu'étourdir la bête qui, dans ce cas, reste consciente, ou se réveille plus tard en plein « traitement ». L'efficacité du pistolet dépend de la qualité de sa fabrication et de son entretien, mais aussi du savoir-faire de l'opérateur – il suffit qu'il y ait une fuite dans le système pneumatique, ou que l'opérateur tire avant qu'une pression suffisante ait été accumulée, pour que la tige jaillisse avec une puissance atténuée, ce qui infligera des blessures atroces à des animaux toujours douloureusement conscients.

L'efficacité de l'étourdissement est également réduite parce que certains directeurs d'abattoir pensent que les animaux risquent d'être « trop morts » et que par conséquent, leur cœur ne fonctionnant plus, ils risquent de saigner trop lentement, ou insuffisamment. (Pour les abattoirs industriels, il est « important » que la saignée ne dure pas trop pour des questions de rendement et parce que le sang subsistant dans la viande favorise le développement de bactéries, ce qui réduit la durée de vie du produit.) Aussi certains abattoirs choisissent délibérément des méthodes d'étourdissement moins efficaces. Ce qui a pour effet secondaire qu'un fort pourcentage d'animaux doit subir plusieurs chocs, que d'autres restent conscients, ou se réveillent durant le traitement.

Finies les plaisanteries, il faut regarder les choses en face. Parlons clairement : les animaux sont saignés, écorchés et démembrés alors qu'ils sont encore conscients. Cela arrive tout le temps, et l'industrie comme les autorités le savent. Plusieurs abattoirs accusés de saigner, écorcher ou démembrer des animaux vivants ont défendu leurs actes en affirmant que ces pratiques étaient courantes et ont demandé, peut-être non sans raison, pourquoi eux étaient particulièrement pris pour cible.

Quand Temple Grandin a réalisé un audit de l'ensemble de la profession en 1996, ses études ont révélé que la grande majorité des abattoirs de bovins étaient souvent incapables de rendre le bétail inconscient d'un seul coup. L'USDA, l'agence fédérale chargée de faire appliquer des méthodes humaines d'abattage, a réagi à ces informations non en veillant à mieux surveiller l'application des règlements en vigueur, mais en modifiant sa politique. Elle a cessé de contrôler le nombre de violations dans ce domaine et a supprimé toute mention sur l'abattage humain de la liste des missions de ses inspecteurs. Depuis, la situation s'est améliorée, ce que Grandin attribue essentiellement aux audits réclamés par les entreprises de restauration rapide (qu'elles-mêmes ont exigés après avoir été dénoncées par des groupes de défense des droits des animaux), mais elle reste inquiétante. Les estimations les plus récentes de Grandin – qui, de manière optimiste, s'appuie sur les données obtenues lors d'audits préalablement annoncés – concluent encore qu'un abattoir de bovins sur quatre est incapable de rendre les animaux inconscients du premier coup de façon fiable. Aucun chiffre ou presque n'est disponible pour les établissements plus modestes, et les spécialistes reconnaissent que ces abattoirs sont susceptibles d'infliger un traitement encore pire au bétail. Personne n'est tout blanc.

À l'autre bout de la chaîne qui les entraîne vers l'aire d'abattage, les animaux, apparemment, n'ont aucune idée de ce qui les attend, mais s'ils survivent au premier choc, manifestement, ils comprennent très bien qu'ils sont en train de se battre pour leur survie. Comme le raconte un ouvrier : « Ils lèvent la tête, ils regardent partout, cherchent à se cacher. Ils ont déjà été touchés par ce truc, et ils n'ont pas l'intention de le laisser recommencer. »

Entre la vitesse de la chaîne, qui a augmenté de près de 800 % en un siècle, et un personnel mal formé qui travaille dans des conditions cauchemardesques, les erreurs sont inévitables. (Les ouvriers des abattoirs connaissent le plus fort taux de blessures de tous les secteurs professionnels – 27 % par an – et touchent de bas salaires pour tuer jusqu'à 2 050 animaux par vacation.)

Temple Grandin affirme que des gens ordinaires peuvent se transformer en sadiques à cause du caractère déshumanisant du travail en abattoir. C'est un problème persistant, souligne-t-elle, contre lequel les patrons de ces structures doivent se prémunir. Parfois, les animaux ne sont pas étourdis *du tout*. Dans un abattoir, des employés (et non des défenseurs des droits des animaux) ont tourné clandestinement une vidéo qu'ils ont transmise au *Washington Post*. On y voit des animaux conscients défiler le long de la chaîne de traitement. À un moment, un aiguillon électrique est enfoncé dans la bouche d'un bouvillon. D'après le *Post*, « plus de vingt ouvriers ont signé des déclarations sous serment affirmant que les violations dénoncées dans le film sont très fréquentes et que les responsables sont au courant ». Dans une de ces déclarations, un employé explique : « J'ai vu des milliers et des milliers de vaches subir vivantes le processus d'abattage. [...] Elles peuvent se trouver depuis sept minutes dans la chaîne et être encore en vie. J'ai travaillé à l'écorchage, et j'en ai vu qui étaient encore vivantes. À cette étape du processus, on leur arrache toute la peau à partir du cou. » Et quand la direction daigne écouter les salariés qui se plaignent, c'est souvent pour les licencier ensuite.

« Je rentrais chez moi de mauvaise humeur [...] et j'allais me coucher tout de suite. Je râlais après les gosses, des trucs comme ça. Une fois, j'étais vraiment bouleversé – [mon épouse] le sait. Une génisse de trois ans est arrivée dans la zone de tuerie. Et elle était en train de vêler, juste là, il était à moitié sorti. Je savais qu'elle allait mourir, alors j'ai tiré le veau. Bon sang, mon patron était fou de rage. [...] Ces veaux, ils les appellent des "avortons". Ils se servent du sang pour la recherche sur le cancer. Et il le voulait, ce veau. En général, ce qu'ils font, c'est que quand les tripes de la vache tombent sur le plan de travail, les ouvriers ouvrent l'utérus et ils en sortent le veau. C'est pas rien d'avoir une vache qui pend devant vous, et de voir le veau à l'intérieur qui se débat, qui cherche à sortir. [...] Mon patron voulait ce veau, mais je l'ai renvoyé vers le parc à bétail. [...] [Je me suis plaint] aux contremaîtres, aux inspecteurs, au responsable de la zone de tuerie. Même au chef du département bovins. Un jour, on a eu une longue discussion à la cafétéria, sur toute cette merde qui se passait. J'étais devenu tellement dingue que certains jours je cognais dans le mur parce qu'ils ne voulaient rien faire. [...] Je n'ai jamais vu un véto [de l'USDA] à proximité de la zone d'étourdissement. Personne ne veut y retourner. Vous savez, je suis un ancien marine. Moi, le sang et les tripes, ça ne me dérange pas. Mais le traitement inhumain, il y en a tout simplement trop. »

En douze secondes ou moins, la vache assommée – inconsciente, à demi consciente, tout à fait consciente ou morte – progresse le long de la chaîne et arrive entre les mains de l'« entraveur », qui fixe une chaîne à l'une de ses pattes arrière et la soulève dans les airs.

Après l'entraveur, la bête, désormais suspendue par une patte, est déplacée mécaniquement jusqu'au « pointeur », qui lui tranche les carotides et une jugulaire dans le cou. Ensuite, toujours mécaniquement, l'animal est entraîné vers un « rail de saignée », et vidé de son sang pendant plusieurs minutes. Une vache contient environ une vingtaine de litres de sang, donc il faut du temps. L'arrêt de l'afflux de sang au cerveau tue l'animal, mais pas immédiatement (c'est pour cette raison que les bêtes sont censées être inconscientes). Si l'animal est en partie conscient ou que le pointeur ait mal fait son travail, cela peut limiter le flot de sang et prolonger encore l'état de conscience. « Parfois, elles clignent des yeux, étirent le cou d'un côté et de l'autre, regardent autour d'elles ; elles sont littéralement folles de peur », explique un ouvrier de la chaîne.

Maintenant, la vache est théoriquement une carcasse qui va se déplacer le long de la chaîne jusqu'à l'« écorcheur de tête », qui fait très exactement ce que son nom indique – il retire la peau de la tête de l'animal. Le pourcentage d'animaux encore conscients à ce moment est faible, mais il n'est pas nul. Dans certains abattoirs, c'est un problème récurrent – à tel point qu'il existe des procédures tacites pour traiter ces animaux. Comme l'explique un ouvrier habitué à ces pratiques : « Souvent, l'écorcheur s'aperçoit qu'une bête est encore consciente quand il lui entaille le côté de la tête et qu'elle commence à donner de violents coups de pattes. Si c'est le cas, ou si une vache s'agite déjà quand elle arrive à leur poste, l'écorcheur leur enfonce un couteau dans l'arrière du crâne pour sectionner la moelle épinière. »

Or cette pratique, si elle immobilise l'animal, ne le rend pas inconscient. Je ne peux pas vous dire combien d'animaux en sont victimes, puisque personne n'est autorisé à enquêter comme il conviendrait. Tout ce que nous savons, c'est que c'est une conséquence inévitable du système actuel d'abattage, et que cela va continuer à se produire.

Après l'écorcheur de tête, la carcasse (ou la vache) atteint les « coupeurs de pattes », qui tranchent le bas des pattes de la bête. « Quand il y en a qui se réveillent, explique un employé de la chaîne, on a l'impression qu'elles cherchent à grimper le long des murs. [...] Et quand elles arrivent au niveau des coupeurs, eh bien, les coupeurs de pattes ne tiennent pas à attendre que quelqu'un vienne assommer de nouveau la vache pour commencer à travailler. Donc, ils leur coupent simplement le bas des pattes avec les pinces. Quand ils le font, les bêtes deviennent folles, elles donnent des coups de pied dans tous les sens. »

L'animal est ensuite complètement écorché, éviscéré et coupé en deux, et finit enfin par ressembler à l'image stéréotypée que nous avons d'une carcasse de bœuf – suspendue dans une chambre froide, figée dans une sinistre immobilité.

6.

Propositions

Dans l'histoire, pas si lointaine, des associations américaines de protection des animaux, celles qui défendaient le végétarisme, peu nombreuses mais bien organisées, étaient clairement en désaccord avec celles qui préconisaient une attitude de *consommation responsable*. La généralisation de l'élevage et de l'abattage industriels a changé la donne et comblé le fossé autrefois considérable qui séparait des associations à but non lucratif comme PETA, partisan du végétalisme, et d'autres comme la Humane Society of the United States (HSUS), qui n'ont rien contre le végétalisme mais se battent avant tout pour le bien-être des animaux.

De tous les éleveurs que j'ai rencontrés au fil de mon enquête, Frank Reese occupe une place à part, et ce, pour deux raisons. La première, c'est qu'il est le seul qui ne fasse rien de délibérément cruel sur son exploitation. Il ne castre pas ses animaux comme Paul, ne les marque pas comme Bill. Alors que d'autres éleveurs disent « Nous sommes obligés de le faire pour survivre » ou « C'est ce que veulent les consommateurs », Frank prend des risques énormes (il perdrait sa maison s'il venait à interrompre son activité) et incite sa clientèle à manger différemment (il faut faire cuire ses volailles plus longtemps, sinon elles n'ont pas le goût désiré. Elles sont en outre plus savoureuses, et peuvent donc être utilisées plus économiquement dans des soupes et toutes sortes d'autres plats, si bien qu'il propose des recettes et va même parfois jusqu'à préparer des repas à ses clients pour leur réapprendre des façons plus anciennes de faire la cuisine). Son travail nécessite une formidable compassion, ainsi qu'une énorme dose de patience. Et la valeur de ce travail n'est pas que morale, elle est aussi économique quand une nouvelle génération d'omnivores exige que les animaux soient effectivement bien traités.

Frank est l'un des rares éleveurs que je connaisse à avoir réussi à préserver le patrimoine génétique de la volaille (il est le premier et *l'unique* éleveur autorisé par l'USDA à présenter sa volaille comme « du patrimoine »). Sa défense de la génétique traditionnelle est incroyablement importante, car le plus grand obstacle actuel à l'émergence d'élevages de dindes et de poulets tolérables tient à la dépendance du secteur vis-à-vis des couvoirs industriels qui fournissent des poussins aux éleveurs – et qui sont pratiquement les seuls couvoirs disponibles. Quasiment aucun de ces oiseaux disponibles commercialement n'est capable de se reproduire, et en les créant, on a fini par développer des animaux souffrant de graves problèmes de santé (les poulets que nous consommons, comme les dindes, sont des impasses animales – ils sont conçus pour ne pas atteindre un âge leur permettant de se reproduire). Le petit éleveur n'ayant en général pas les moyens de gérer son propre couvoir, la concentration de la génétique entre les mains de l'industrie enferme les éleveurs et leurs animaux dans le système. À l'exception de Frank, la plupart des autres petits éleveurs de volailles – même les rares qui sont prêts à payer pour obtenir des animaux présentant un patrimoine génétique convenable et qui élèvent leurs oiseaux en respectant leur bien-être – doivent se faire expédier chaque année leurs poussins par des couvoirs de type industriel. Comme on peut l'imaginer, l'envoi de poussins par la poste n'est pas favorable au bien-être des oiseaux, mais les conditions dans lesquelles les parents et les grands-parents de ces poussins sont élevés sont encore moins saines. Le besoin de faire appel à ces couvoirs, où la situation des oiseaux reproducteurs est aussi lamentable que dans les pires élevages industriels, constitue le talon d'Achille de bien des petites exploitations qui, sinon, seraient tout à fait honorables. Pour ces raisons, grâce à la génétique traditionnelle telle qu'il l'applique et à son don pour l'élevage reproducteur, Frank incarne une alternative exceptionnelle aux élevages de volailles en batterie.

Mais comme tant de ces éleveurs qui maintiennent des techniques d'élevage traditionnelles, il ne lui sera évidemment pas possible de réaliser son potentiel sans aide. À eux seuls, l'intégrité, le talent et la génétique ne suffisent pas à créer un élevage à succès. La première fois que je l'ai rencontré, jamais il n'avait connu une telle demande pour ses dindes (aujourd'hui, il élève également des poulets) – en général, on lui passait commande six mois avant l'abattage. Si ses clients les plus fidèles venaient des milieux ouvriers, ses oiseaux étaient appréciés des chefs et des gourmets, de Dan Barber et Mario Batali à Martha Stewart. Malgré tout, Frank perdait de l'argent et devait subventionner son élevage en travaillant ailleurs.

Il dispose de son propre couvoir, mais il lui faut aussi avoir accès à d'autres services, en particulier un bon abattoir. La disparition non seulement des couvoirs locaux, mais aussi des abattoirs, des stations de pesage, des entrepôts de grain et d'autres services dont ont besoin les agriculteurs est un obstacle presque insurmontable au développement des petits élevages. Ce n'est pas que les consommateurs n'achèteront pas les animaux de ces éleveurs. Le problème, c'est que les éleveurs ne peuvent les produire sans réinventer une infrastructure rurale aujourd'hui détruite.

J'en étais à peu près à la moitié de la rédaction de ce livre quand j'ai appelé Frank, comme je l'avais souvent fait pour lui poser diverses questions sur la volaille (comme le font bien des gens du secteur). Son ton d'ordinaire calme, toujours patient et optimiste, avait changé du tout au tout. Il était paniqué. Le seul abattoir qu'il avait réussi à trouver et qui était susceptible de tuer ses oiseaux conformément à des critères qu'il jugeait acceptables (mais pas idéaux) venait, au bout de plus d'un siècle d'existence, d'être racheté et fermé par une compagnie industrielle. Le problème n'était pas seulement pratique. Il ne restait littéralement aucun autre abattoir dans la région capable de se charger de son abattage d'avant Thanksgiving. Frank était confronté à la menace de pertes économiques terribles et, ce qui le terrifiait plus que tout, de devoir tuer ses oiseaux ailleurs que dans un abattoir approuvé par l'USDA. Par conséquent, il ne pourrait pas vendre sa volaille, qui n'aurait plus qu'à pourrir sur place.

La fermeture de cet abattoir n'a rien d'inhabituel. L'Amérique a été le théâtre de la destruction presque totale de l'infrastructure de base dont dépendaient les petits éleveurs de volailles. À un certain niveau, cela n'est que le résultat normal du processus par lequel les grandes entreprises accroissent leurs profits en veillant à priver leurs concurrents de l'accès à certaines ressources. Il y a de toute évidence énormément d'argent en jeu : des milliards de dollars, que se partage une poignée de mégacorporations, alors qu'ils pourraient être répartis entre des centaines de milliers de petits exploitants. Mais la question de savoir si les gens comme Frank finiront engloutis ou parviendront à grignoter un peu des 99 % de parts de marché que détient l'élevage industriel n'est pas que d'ordre financier. Ce qui est en jeu, c'est l'avenir d'un patrimoine éthique que des générations avant nous ont patiemment édifié. Ce qui est en jeu, c'est tout ce qui se fait au nom de l'« agriculteur américain » et des « valeurs rurales américaines » – et l'invocation de ces idéaux exerce une formidable influence. Une politique de subventions publiques à l'agriculture se comptant par milliards de dollars ; une politique agricole qui façonne notre paysage et a un impact sur l'air que nous respirons et l'eau que nous buvons ; et une politique étrangère qui a des répercussions sur des problèmes planétaires, depuis la faim dans le monde jusqu'au changement climatique. Toutes sont, dans notre démocratie, menées au nom de nos agriculteurs et des valeurs qui les guident. Sauf qu'il ne s'agit plus vraiment d'agriculteurs. Ce sont de grandes entreprises. Et ce ne sont pas simplement des magnats des affaires (tout à fait capables de faire preuve de conscience). Ce sont généralement des corporations gigantesques qui ont l'obligation légale de maximiser leur rentabilité. Pour favoriser leurs ventes et soigner leur image, elles défendent le mythe selon lequel elles seraient des Frank Reese alors même qu'elles font tout pour faire disparaître les véritables Frank Reese.

L'autre solution serait que les petits éleveurs et leurs alliés – les partisans de la durabilité et du bien-être des animaux – finissent par s'emparer de ce patrimoine. Peut-être seront-ils peu nombreux à travailler effectivement à la campagne mais, pour reprendre les mots de Wendell Berry, nous serons tous des éleveurs par procuration. Et à qui donnerons-nous cette procuration ? Dans le premier scénario, nous confierons une immense force morale et financière à un petit nombre d'hommes qui ont eux-mêmes un contrôle limité sur les bureaucraties quasi mécaniques de l'industrie agroalimentaire qu'ils gèrent en en retirant de copieux bénéfices personnels. Dans le second scénario, nous donnerons procuration non seulement à de véritables éleveurs, mais aussi à des milliers de spécialistes qui consacrent leur vie aux questions civiques plutôt qu'aux bilans des grandes sociétés – des gens comme le Dr Aaron Gross, le fondateur de Farm Forward, une organisation de défense de l'agriculture et de l'élevage durables qui ouvre de nouvelles perspectives en faveur d'un système alimentaire qui refléterait la diversité de nos valeurs.

L'élevage industriel a réussi à couper les gens de leur alimentation, à éliminer les agriculteurs et à soumettre l'agriculture à la loi de l'entreprise. Mais que se passerait-il si Frank et ses fidèles alliés, comme l'American Livestock Breeds Conservancy[111], s'associaient à des groupes plus jeunes comme Farm Forward, qui sont connectés avec des réseaux d'omnivores fièrement sélectifs et des végétariens actifs : des étudiants, des scientifiques et des universitaires ; des parents, des artistes et des responsables religieux ; des juristes, des cuisiniers, des hommes d'affaires et des agriculteurs ? Que se passerait-il si Frank, au lieu de devoir se battre constamment pour trouver un abattoir, pouvait consacrer, grâce à ces nouvelles alliances, de plus en plus d'énergie pour associer les dernières technologies modernes aux techniques d'élevage traditionnelles afin de réinventer un système plus humain et durable – et plus *démocratique* – d'élevage ?

Je suis végétalien et je construis des abattoirs

Cela fait maintenant plus de la moitié de ma vie que je suis végétalien, et si cet engagement en faveur du végétalisme est motivé par plusieurs raisons – la durabilité et les conditions de travail avant tout, mais aussi la santé individuelle et publique –, ce sont les animaux qui sont au cœur de mes préoccupations. C'est pour cela que les gens qui me connaissent bien sont surpris d'apprendre que j'ai participé à la conception d'un abattoir.

Je défends des régimes à base de végétaux dans un certain nombre de contextes, et je continue à dire que la solution passe nécessairement par une consommation réduite – voire nulle – de produits animaux. Mais j'ai aujourd'hui une vision différente des priorités de l'activisme, et il en va de même de la compréhension que j'ai de moi-même. Autrefois, j'avais tendance à considérer le végétalisme comme une affirmation résolument moderne et contre-culturelle. Il est aujourd'hui manifeste que les valeurs qui m'ont amené à adopter un régime végétalien viennent, plus qu'autre chose, du passé de ma famille, qui a toujours travaillé sur de petites exploitations agricoles.

Quand vous connaissez les pratiques de l'élevage industriel et que vous avez hérité d'une sorte d'éthique traditionnelle de l'élevage, il est difficile de ne pas être instinctivement et profondément écœuré par ce qu'est devenu l'élevage. Et je ne vous parle pas d'une éthique d'une blancheur immaculée. Je vous parle d'une éthique qui tolérait la castration, le marquage, où l'on tuait les avortons et où, un beau jour, on choisissait des animaux, qui vous connaissaient comme celui qui leur apportait à manger, et on leur tranchait la gorge. Il y a beaucoup de violence dans les techniques traditionnelles. Mais il y a aussi de la compassion, quelque chose dont on a tendance à moins se souvenir, peut-être par nécessité. La formule pour créer un bon élevage a été tout bonnement inversée. Quand on aborde le bien-être des animaux, au lieu de parler de l'attention dont on peut faire preuve envers les bêtes, les éleveurs répondent presque automatiquement : « Personne ne fait ce métier parce qu'il hait les animaux. » C'est bizarre, comme déclaration. C'est une déclaration qui en dit long sans rien dire. Ce qui est sous-entendu, bien sûr, c'est que ces hommes ont souvent voulu devenir éleveurs parce qu'ils aimaient *les animaux, parce qu'ils aimaient s'occuper d'eux et les protéger. Je ne dis pas que ce n'est pas contradictoire, mais on y trouve une certaine vérité. C'est aussi une façon implicite de demander pardon. Pourquoi, après tout, éprouver le besoin de préciser qu'ils* ne haïssent pas *les animaux ?*

Malheureusement, les gens qui travaillent aujourd'hui dans l'élevage sont de moins en moins susceptibles d'être porteurs de valeurs rurales traditionnelles. Beaucoup de membres d'associations de défense des animaux vivent en ville et, qu'ils en soient conscients ou non, sont d'un point de vue strictement historique de bien meilleurs représentants des valeurs rurales, comme le respect des voisins, la franchise, la gestion de la terre et, bien sûr, le respect des créatures qu'ils se voient confier. Le monde a tellement changé que les mêmes valeurs n'aboutissent plus aux mêmes choix.

Je vois avec beaucoup de satisfaction se développer des ranches à bétail plus durables et je constate une vigueur nouvelle parmi les petits élevages de porcs qui subsistent, mais dans le domaine de la volaille, j'avais pratiquement renoncé à tout espoir jusqu'à ce que je rencontre Frank Reese et que je visite son incroyable élevage. Frank et la poignée d'agriculteurs à qui il a donné certains de ses oiseaux sont les seuls à être en mesure de développer une autre solution, plus appropriée, au modèle de l'élevage de volailles en batterie, à commencer par la sélection génétique – et c'est ce qui est nécessaire.

Quand j'ai demandé à Frank de me parler des obstacles auxquels il est confronté, il a surtout mis l'accent sur une demi-douzaine de problèmes qu'il lui est impossible de résoudre sans un apport financier substantiel. Une autre chose est claire : la demande pour ses produits n'est pas seulement significative, elle est carrément gigantesque – le rêve de tout créateur d'entreprise. Frank doit fréquemment refuser des commandes pour une quantité d'oiseaux supérieure à tous ceux qu'il a élevés durant toute sa vie, parce qu'il n'a pas les moyens de les satisfaire. L'organisation que j'ai fondée, Farm Forward, a proposé de l'aider à mettre en place un projet commercial. Quelques mois plus tard, notre directeur et moi nous trouvions dans le salon de Frank avec le premier investisseur potentiel.

Ensuite nous nous sommes attelés à la tâche extrêmement épineuse consistant à fédérer les considérables influences respectives de beaucoup d'admirateurs de Frank – des journalistes, des universitaires, des gourmets, des personnalités politiques – et à coordonner leur énergie de façon à déboucher sur des résultats rapides. Les projets d'expansion suivaient leur cours. Frank avait ajouté plusieurs races de poulets protégés à son cheptel de dindes. Le premier d'une série de nouveaux bâtiments dont il avait besoin était en construction, et il était en négociation avec un grand détaillant au sujet d'un gros contrat. Et c'est là que l'abattoir qu'il utilisait a été racheté et fermé.

Nous nous y attendions, en réalité. Mais les éleveurs qui travaillent avec Frank – les petits exploitants qui élèvent beaucoup des volailles qu'il produit et qui risquaient de perdre les revenus de toute une année – ont pris peur. Frank a décidé que la seule solution à long terme était de construire un abattoir dont il serait le propriétaire – dans l'idéal, un abattoir mobile qui irait d'une propriété à l'autre et éliminerait ainsi le stress du transport. Il avait évidemment raison. Nous avons donc commencé à réfléchir au problème sous un angle technique et sous un angle économique. Pour moi, c'était un domaine entièrement nouveau – en termes intellectuels, certes, mais aussi au niveau émotionnel. Je me suis dit que je devrais me sermonner régulièrement pour surmonter ma répugnance face à l'acte qui consiste à tuer des animaux. Mais s'il y a une chose qui m'a mis mal à l'aise, c'est bien mon absence de malaise. Pourquoi cela ne me dérange-t-il pas plus que cela ? ne cessais-je de me demander.

Mon grand-père maternel aurait voulu continuer dans l'agriculture. Il a dû mettre la clé sous la porte, comme tant d'autres, mais ma mère a quand même grandi dans une vraie ferme. Elle a vécu dans une petite ville du Midwest qui ne comptait qu'une quarantaine d'élèves de terminale. Pendant un temps, mon grand-père a élevé des cochons. Il les castrait, et procédait même à une sorte de confinement qui allait dans le sens des élevages industriels d'aujourd'hui. Mais pour lui, c'étaient des animaux, et si l'un d'entre eux tombait malade, il veillait à ce qu'il bénéficie d'attention et de soins particuliers. Il ne sortait pas une calculatrice pour voir s'il ne serait pas plus profitable de laisser la bête dépérir. Cela lui aurait paru antichrétien, lâche, inconvenant.

Cette petite victoire sur la calculatrice suffit à expliquer pourquoi je suis devenu végétalien. Et pourquoi je contribue à construire des abattoirs. Cela n'a rien de paradoxal ni d'ironique. C'est la même impulsion qui me pousse personnellement à renoncer à la viande, aux œufs et aux produits laitiers, et à consacrer mon temps à la création d'un abattoir qui appartiendra à Frank et qui pourra servir de modèle à d'autres. Alors, si vous ne pouvez pas les battre, vous joignez-vous à eux ? Non. L'essentiel, c'est de parvenir à identifier qui sont les eux *en question.*

7.

Mon pari

Après avoir passé près de trois années à m'informer sur l'élevage, je me suis senti doublement conforté dans mes convictions. D'une part, je suis désormais un fervent végétarien, alors que, auparavant, j'hésitais entre toutes sortes de régimes, des changements que j'ai aujourd'hui du mal à imaginer. Je ne veux tout simplement plus avoir quoi que ce soit à voir avec l'élevage industriel, et la seule solution réaliste d'y arriver pour moi, c'est de m'abstenir de consommer de la viande.

Mais d'autre part, j'ai été touché par le spectacle d'exploitations durables qui offrent une bonne vie à leurs animaux (aussi bonne que celle que nous offrons à nos chiens et nos chats) et une mort douce (aussi douce que celle que nous procurons à nos compagnons quand ils souffrent et n'ont plus aucune chance de survivre). Paul, Bill, Nicolette, et surtout Frank ne sont pas que des gens bien, ce sont des gens extraordinaires. Ce sont eux que le Président devrait consulter avant de nommer un secrétaire à l'Agriculture. C'est leur type de ferme que je veux voir créé par nos responsables politiques et soutenir par notre économie.

L'industrie de la viande cherche à faire passer ceux qui adoptent une double position comme la mienne pour des végétariens absolutistes dissimulant des projets extrémistes. Mais des éleveurs peuvent être végétariens, des végétaliens peuvent construire des abattoirs, et je peux être un végétarien qui soutient ce qui se fait de mieux dans l'élevage.

Je suis certain que l'élevage de Frank sera géré comme il faut, mais comment puis-je être sûr de la gestion quotidienne d'autres exploitations suivant son exemple ? Jusqu'où ai-je besoin d'être sûr ? La stratégie de l'omnivore sélectif est-elle plus « naïve » que le végétarisme ?

Comment peut-on se sentir responsable des êtres qui sont soumis à notre pouvoir tout en ne les élevant que pour les tuer ? Marlene Halverson décrit l'étrange situation de l'éleveur en termes éloquents : « La relation éthique entre les éleveurs et leurs bêtes est unique. L'exploitant doit élever une créature vivante qui, au bout du compte, sera abattue pour être transformée en nourriture, ou tuée après une vie de production, sans s'attacher émotionnellement à ses animaux ni, à l'opposé, devenir négligent face à leurs besoins tant qu'ils sont en vie. L'éleveur doit, d'une certaine façon, élever l'animal comme une entreprise commerciale sans le considérer comme une simple marchandise. »

Peut-on raisonnablement exiger cela des éleveurs ? Compte tenu des pressions engendrées par notre ère industrielle, la viande est-elle par nécessité un désaveu, une frustration, pour ne pas dire un déni pur et simple de la compassion ? L'agriculture moderne a de quoi susciter notre scepticisme, mais personne ne peut dire à quoi ressembleront les fermes de demain.

Ce que nous savons en revanche, c'est que si l'on mange de la viande aujourd'hui, on a généralement le choix entre des animaux élevés avec plus (poulet, dinde, poisson et porc) ou moins (bœuf) de cruauté. Pourquoi un si grand nombre d'entre nous ont-ils l'impression qu'ils sont obligés de faire un tel choix ? Comment rendre obsolète ce calcul utilitaire de l'option la moins abominable ? À quel moment le choix absurde qui est le nôtre aujourd'hui devrait-il céder la place à une résolution d'une ferme simplicité : *ceci est inacceptable* ?

Jusqu'à quel point une pratique culinaire doit-elle être destructrice avant que nous décidions de manger autre chose ? Si le fait de savoir que l'on contribue aux souffrances de milliards d'animaux qui mènent des vies misérables et (bien souvent) meurent dans des conditions atroces ne parvient pas à nous motiver, qu'est-ce qui le fera ? Si le fait d'être le premier contributeur à la principale menace qui pèse sur la planète (le réchauffement climatique) n'est pas suffisant, qu'est-ce qui le sera ? Et si vous avez envie de repousser ces questions de conscience à plus tard, de dire *pas maintenant*, alors, *quand* ?

Pour des raisons identiques, nous avons laissé l'élevage industriel remplacer les fermes, et nos cultures ont relégué les minorités au rang de citoyens de deuxième classe et maintenu les femmes sous le pouvoir des hommes. Nous traitons les animaux comme nous le faisons parce que nous le voulons et que nous le pouvons. (Quelqu'un est-il seulement prêt à le nier encore aujourd'hui ?) Le mythe du consentement est peut-être l'histoire même de la viande, et tout, ou presque, revient à la question de savoir si cette histoire, quand on la considère avec réalisme, est plausible.

Elle ne l'est pas. Elle ne l'est plus. Elle ne peut satisfaire que ceux qui ont intérêt à ce que l'on mange des animaux. Au bout du compte, l'élevage industriel n'est pas là pour nourrir les gens, il est là pour faire de l'argent. Et, à défaut de bouleversements juridiques et économiques radicaux, il continuera à exister. Et qu'il soit juste ou non de tuer des animaux pour se nourrir, nous savons que, dans les systèmes qui dominent aujourd'hui, il est impossible de les tuer sans (au moins) leur infliger des tortures occasionnelles. C'est pourquoi même Frank – le mieux intentionné de tous les éleveurs que l'on puisse imaginer – demande pardon à ses animaux quand il les envoie à l'abattoir. C'est un compromis qu'il a conclu, plutôt qu'un contrat équitable.

Récemment, Niman Ranch a vécu un événement qui n'a rien de très amusant. Juste avant que ce livre ne soit mis sous presse, Bill a été expulsé de la société qui porte son nom. Selon ses dires, ce sont les membres de son propre conseil d'administration qui l'ont contraint à partir, tout simplement parce qu'ils voulaient faire les choses de façon plus rentable et moins morale que ce qu'il aurait autorisé s'il était resté aux commandes. Apparemment, même cette société – littéralement le producteur national de viande le plus impressionnant des États-Unis – a renoncé à ses principes. J'ai inclus Niman Ranch dans ce livre parce que cette entreprise était la meilleure preuve que la stratégie des omnivores sélectifs était viable. Que dois-je – que devons-nous – conclure de sa chute ?

Pour l'heure, Niman Ranch reste la seule marque de niveau national qui, selon moi, est synonyme d'une sérieuse amélioration des conditions de vie des animaux (pour les porcs plus que pour les bovins). Mais dans quelle mesure êtes-vous prêts à donner de l'argent à ces gens-là ? Si l'élevage n'est plus qu'une plaisanterie, alors, voici peut-être le mot de la fin : même Bill Niman a annoncé qu'il ne mangerait plus de bœuf Niman Ranch.

J'ai parié sur un régime végétarien et j'ai assez de respect pour des gens comme Frank, qui ont eux parié sur un élevage plus humain, pour les soutenir. Cela ne met pas fin à mon dilemme. Pas plus qu'il ne faut y voir un argument masqué en faveur du végétarisme. Bien sûr, c'est un argument en faveur du végétarisme mais qui défend aussi une autre forme d'élevage, plus sage, et un comportement omnivore plus digne.

Si l'on n'a pas la possibilité d'opter pour une vie sans violence, on peut en revanche choisir de centrer nos repas sur les récoltes plutôt que sur l'abattage, sur l'agriculture plutôt que sur la guerre. Nous avons choisi l'abattage. Nous avons choisi la guerre. C'est là la version la plus vraie de notre histoire de mangeurs d'animaux.

Pourrions-nous raconter une nouvelle histoire ?

Où cela se terminera-t-il ?

1.

Le dernier Thanksgiving de mon enfance

Toute mon enfance, nous avons fêté Thanksgiving chez mon oncle et ma tante. Mon oncle, le plus jeune frère de ma mère, a été la première personne, de ce côté-là de la famille, à naître en Amérique. Ma tante peut faire remonter sa famille jusqu'au *Mayflower*. Cette improbable fusion entre deux histoires a largement contribué à faire de ces Thanksgivings des moments si particuliers, si mémorables, et, au meilleur sens du terme, si américains.

En général, nous arrivions vers 14 heures. Les cousins jouaient au football sur le bout de terrain en pente jusqu'à ce que mon petit frère se blesse, moment où nous filions tous dans le grenier pour continuer à jouer au football, mais avec des jeux vidéo, cette fois. Deux étages plus bas, Maverick salivait en surveillant le poêle, pendant que mon père parlait de politique et de cholestérol, que les Lions de Detroit donnaient tout ce qu'ils avaient sur un écran de télévision que personne ne regardait, et que ma grand-mère, entourée des siens, pensait dans la langue de ses parents disparus.

Deux dizaines de chaises dépareillées entouraient quatre tables de tailles et de hauteurs légèrement différentes, qui avaient été rassemblées et recouvertes de nappes assorties. Personne n'aurait imaginé que la disposition était parfaite, et pourtant elle l'était. Ma tante plaçait sur chaque assiette un petit tas de grains de maïs que, au fil du repas, nous étions censés transférer sur la table, symboles de ce pour quoi nous étions reconnaissants. Les plats se succédaient sans interruption : parfois dans le sens des aiguilles d'une montre, parfois dans le sens contraire, d'autres fois zigzaguant d'un bout à l'autre de la tablée : patates douces en casserole, petits pains faits maison, haricots verts aux amandes, sauce aux canneberges, ignames, purée au beurre, les *kugels* incroyablement incongrus de ma grand-mère, des plats entiers de concombres saumurés, d'olives et de champignons marinés, et une dinde grosse comme dans les dessins animés qui avait dû être mise au four l'année précédente, quand la dernière en avait été retirée. Et nous parlions, et parlions encore : des Orioles et des Redskins, des changements dans le voisinage, de nos réussites, et de l'inquiétude des autres (jamais des nôtres), et pendant tout ce temps-là, ma grand-mère passait d'un petit-fils ou d'une petite-fille à l'autre, pour être sûre que nous ne mourions pas de faim.

Thanksgiving est le jour férié par excellence. Tous, du Martin Luther King Day au Arbor Day en passant par Noël et la Saint-Valentin, tous représentent, d'une façon ou d'une autre, une expression de reconnaissance. Mais Thanksgiving n'a plus aucun rapport avec quoi que ce soit qui pourrait susciter notre reconnaissance. Nous ne célébrons pas les Pèlerins, mais ce que les Pèlerins célébraient. (Il a même fallu attendre la fin du XIXe siècle pour qu'ils soient inclus dans la fête.) Thanksgiving est une fête américaine, mais elle n'a rien de particulièrement américain – nous ne célébrons pas l'Amérique, mais ses idéaux. Son côté ouvert fait qu'elle peut être fêtée par quiconque a envie d'exprimer sa reconnaissance, et elle occulte les crimes qui ont permis à l'Amérique d'exister, ainsi que la commercialisation, le kitsch et le chauvinisme dont la fête a également été affublée.

C'est à Thanksgiving que nous voudrions que ressemblent tous nos repas. Bien sûr, la plupart d'entre nous ne peuvent (ni ne veulent) passer chaque jour à cuisiner toute la journée, et, évidemment, une telle abondance de nourriture serait fatale si elle était consommée de façon régulière. Et puis, franchement, qui tient vraiment à être entouré de toute sa famille tous les soirs ? (J'ai déjà parfois du mal à manger avec moi-même.) Mais il est plaisant d'imaginer que tous les repas puissent être aussi soigneusement préparés. Sur les quelque mille repas que nous prenons chaque année, le dîner de Thanksgiving est celui que nous essayons vraiment de réussir. Il recèle l'espoir que ce sera un *bon* repas, dont les ingrédients, les efforts qu'il a nécessités, le décorum et la consommation sont autant d'expressions de ce qu'il y a de meilleur en nous. Plus que tout autre repas, il est question là de bien manger et de bien penser.

Et plus que tout autre mets, la dinde de Thanksgiving incarne les paradoxes qu'il y a à manger des animaux : ce que nous infligeons à ces oiseaux pendant leur existence est à peu près le pire de ce que l'homme a jamais fait à un animal dans l'histoire du monde. Pourtant, ce que nous faisons de leurs cadavres nous donne un puissant sentiment de justice et de bien. La dinde de Thanksgiving nourrit des instincts concurrents, celui du souvenir et celui de l'oubli.

J'écris ces mots de conclusion quelques jours avant Thanksgiving. Je vis aujourd'hui à New York, et ne retourne que rarement – du moins, d'après ma grand-mère – à Washington. Plus aucun d'entre nous n'est jeune. Quelques-uns de ceux qui disposaient les grains de maïs à côté des assiettes sur la table ne sont plus là. Et la famille s'est agrandie. (En ce qui me concerne, *je* suis maintenant *nous*.) Comme si les chaises musicales auxquelles je jouais durant les anniversaires m'avaient préparé à toutes ces fins et tous ces débuts.

Cette année, ce sera la première fois que nous fêterons Thanksgiving chez nous, la première fois que je préparerai le repas, le premier véritable repas de Thanksgiving auquel mon fils sera assez grand pour participer. Si tout ce livre devait se résumer à une unique question – pas une question facile, biaisée ou de mauvaise foi, mais une question qui saisirait l'essence même du fait de manger ou non des animaux –, ce pourrait être celle-ci : faut-il servir de la dinde à Thanksgiving ?

2.

Qu'ont à voir les dindes avec Thanksgiving ?

Qu'apporte de plus la présence d'une dinde sur la table de Thanksgiving ? Peut-être qu'elle a bon goût, mais le goût n'est pas la raison essentielle de sa présence – les gens mangent rarement de la dinde pendant l'année. (Thanksgiving représente 18 % de la consommation annuelle de dinde.) Et malgré le plaisir que nous tirons du fait de manger en grande quantité, Thanksgiving ne célèbre pas la gloutonnerie, mais son contraire.

Peut-être la dinde est-elle là car elle occupe une place centrale dans le rituel – c'est ainsi que nous célébrons Thanksgiving. Pourquoi ? Parce que les Pèlerins en auraient mangé pour leur premier Thanksgiving ? Il est probable que non. Nous savons qu'ils n'avaient ni maïs, ni pommes, ni pommes de terre, ni canneberges, et les deux seuls textes écrits faisant référence à ce légendaire repas donné à Plymouth mentionnent de la venaison et du gibier à plume. Si l'on peut supposer qu'ils ont mangé de la dinde sauvage, nous savons que la dinde n'a été intégrée au rituel qu'au XIXe siècle. Et entre-temps, les spécialistes ont découvert l'existence d'un Thanksgiving plus ancien que celui de 1621 à Plymouth, rendu célèbre par les historiens anglais-américains. Un demi-siècle avant Plymouth, les premiers colons auraient célébré Thanksgiving avec la tribu des Timucua, dans ce qui est aujourd'hui la Floride – tout porte à croire que ces colons étaient catholiques plutôt que protestants, et qu'ils parlaient espagnol plutôt qu'anglais. Ils auraient dîné d'une soupe aux pois.

Mais admettons que les Pèlerins aient inventé Thanksgiving et qu'ils aient mangé de la dinde. Si l'on met de côté le fait qu'ils faisaient bien des choses que nous refuserions de faire aujourd'hui (et que nous en faisons beaucoup qu'ils ne faisaient pas), les dindes que *nous* mangeons ont à peu près autant de rapports avec celles qu'ils auraient pu consommer que le *tofurkey** si souvent tourné en dérision. L'animal qui trône au centre de *nos* tables de Thanksgiving n'a jamais respiré une bouffée d'air pur ni vu le ciel avant d'être convoyé vers l'abattage. Au bout de *nos* fourchettes se trouve un animal qui était incapable de se reproduire sexuellement. Dans *nos* estomacs finit un animal bourré d'antibiotiques. Le code génétique même de ces volailles est radicalement différent. Si les Pèlerins avaient pu voir l'avenir, qu'auraient-ils pensé de ces volailles sur nos tables ? Sans exagération, il est peu probable qu'ils les aient considérées comme des dindes.

Et qu'adviendrait-il s'il n'y avait pas de dinde ? La tradition serait-elle brisée, insultée si, au lieu d'un oiseau, nous nous contentions de patates douces, de petits pains maison, de haricots verts aux amandes, de sauce aux canneberges, d'ignames, de purée au beurre, de tartes au potiron et aux noix de pécan ? Peut-être pourrions-nous faire de la place pour la soupe aux pois des Timucua. Ce n'est pas si difficile à imaginer. Regardez, rassemblés autour de la table, tous ceux qui vous sont chers. Écoutez les bruits, sentez les odeurs. Il n'y a pas de dinde. La fête est-elle pour autant gâchée ? Thanksgiving n'est-il plus Thanksgiving ?

Ou cela ne ferait-il que lui donner plus de sens ? Le choix de

* *Tofurkey* : association de tofu et *turkey* (dinde), produit à base de tofu ou de seitan, farci de céréales ou de pain, que certains végétariens consomment pour Thanksgiving et d'autres fêtes.

ne pas manger de dinde ne serait-il pas un moyen plus actif de célébrer à quel point nous sommes reconnaissants ? Essayez d'imaginer la conversation qui se déroulerait. *C'est pour cela que notre famille célèbre Thanksgiving de cette façon.* Une telle conversation serait-elle déprimante, ou enthousiasmante ? De la sorte, transmettrions-nous moins ou davantage de valeurs ? La joie serait-elle en quoi que ce soit diminuée du fait que nous ne mangerions pas cet animal en particulier ? Imaginez les Thanksgivings de votre famille quand vous n'y serez plus, quand la question ne sera plus « Pourquoi ne mangeons-nous pas de dinde ? » mais plutôt, et logiquement « Comment ont-ils pu en manger ? » Imaginez quel pourrait être le regard que porteront sur nous les générations futures ; nous fera-t-il suffisamment honte pour que, comme le disait Kafka, le souvenir nous revienne ?

Le secret dont s'était entouré l'élevage industriel est en train de se fendiller. Ainsi, au cours des trois années que j'ai consacrées à la rédaction de ce livre, il a été dévoilé que le bétail contribuait plus que toute autre chose au réchauffement planétaire. Pour la première fois, une grande institution de recherche (la Pew Commission) a recommandé la suppression totale des multiples pratiques de confinement intensif qui dominent. Pour la première fois, un État (le Colorado) a condamné des pratiques courantes de l'élevage industriel (les cages de gestation et celles pour les veaux), à la suite de négociations avec l'industrie (plutôt qu'à l'issue de campagnes contre elle). Pour la première fois, une chaîne de supermarchés (Whole Foods) s'est engagée à lancer un programme d'étiquetage systématique et exhaustif en faveur du bien-être des animaux. Et pour la première fois, un grand quotidien national (le *New York Times*) s'en est pris à l'élevage industriel dans son ensemble, affirmant que « l'élevage est devenu une entreprise de maltraitance », et que « le fumier [...] a été transformé en déchets toxiques ».

Quand Celia Steele a élevé ses premiers poulets en batterie, elle ne pouvait pas prévoir quelles seraient les conséquences de ses actes. Quand Charles Vantress a croisé un coq de Cornouailles à plumage roux et un poulet du New Hampshire pour donner le « poulet de demain » en 1946, l'ancêtre des poulets de chair industriels d'aujourd'hui, il ne pouvait pas savoir à quoi il contribuait.

Nous ne pouvons pas plaider l'ignorance, seulement l'indifférence. Les générations d'aujourd'hui sont celles qui ont appris. Nous avons la charge, mais aussi la chance de vivre au moment où les critiques à l'encontre de l'élevage industriel se sont frayé un chemin dans la conscience populaire. C'est à nous que l'on pourra demander, à bon droit : *Qu'est-ce que vous avez fait quand vous avez su la vérité sur le fait de manger des animaux ?*

3.

La vérité sur la consommation des animaux

Depuis 2000 – *après* que Temple Grandin a signalé une amélioration dans les conditions d'abattage –, on a rapporté que des salariés utilisaient des matraques grosses comme des battes de baseball pour frapper les dindonneaux, qu'ils piétinaient les poulets pour les voir « exploser », qu'ils frappaient les porcs malades à coups de barre de fer, et qu'ils démembraient sciemment du bétail encore conscient. Il n'est pas nécessaire d'avoir recours aux vidéos clandestines tournées par les associations de défense des droits des animaux pour être au courant de ces atrocités, même si ces films suffisent largement et existent en grand nombre. J'aurais pu écrire plusieurs tomes – une encyclopédie de la cruauté – avec les témoignages d'ouvriers des abattoirs.

Gail Eisnitz n'est pas loin d'avoir créé une telle encyclopédie dans son livre, *Slaughterhouse* (Abattoir). Fruit de dix années de recherches, il regorge d'entretiens avec des ouvriers qui, à eux tous, représentent plus de deux millions d'heures d'expérience des abattoirs. Aucun autre travail de journalisme d'investigation n'a été aussi exhaustif sur le sujet.

« Une fois, le pistolet d'abattage est resté en panne toute la journée, alors, ils se sont servis d'un couteau pour ouvrir la nuque des vaches alors qu'elles étaient encore debout. Là, elles tombaient par terre en tremblant. Et ils enfonçaient la lame dans les fesses des vaches pour les faire avancer. Ils leur cassaient la queue. Ils les battaient, c'est terrible. […] Et la vache, elle beuglait, la langue sortie. »

« C'est difficile d'en parler. Il y a tellement de stress, tellement de pression. Et ça peut paraître horrible, mais je prenais des aiguillons [électriques] et je les enfonçais dans les yeux. Et je les laissais un bon moment. »

« En bas, dans la zone de saignée, on dit que l'odeur du sang vous rend agressif. Et c'est vrai. On finit par se dire que si ce porc nous donne un coup de pied, on va se venger. De toute façon, vous allez le tuer, mais ça ne suffit pas. Il faut qu'il souffre. […] On y va à fond, on appuie à fond, on lui écrase la trachée, qu'il se noie dans son sang. On lui fend le groin. Y a ce cochon qui court dans la zone. Il me regarde, et moi, je le pique, je prends mon couteau et – chlak – je lui arrache l'œil alors qu'il se tient là devant moi. Et il se met à hurler. Une fois, j'ai pris le couteau – il est assez aiguisé pour ça – et j'ai tranché le bout du groin d'un cochon, comme une tranche de saucisson. Il est devenu dingue pendant quelques secondes. Puis il est juste resté là, l'air un peu idiot. Alors j'ai pris une poignée de saumure et je la lui ai plaquée sur le groin. Là, il est vraiment devenu cinglé, à se frotter le nez partout. Il me restait de la saumure dans la main – je portais des gants en caoutchouc

– et je la lui ai fourrée carrément dans le cul. Le pauvre porc ne savait plus s'il devait chier ou devenir aveugle. […] Je n'étais pas le seul à faire ce genre de trucs. Je connais un type qui les poursuit pour les faire entrer vivants dans la cuve d'échaudage. Et tout le monde – les conducteurs, les entraveurs, le personnel de service – bat les cochons avec des tuyaux de plomb. Tout le monde le sait. »

Ces déclarations sont aussi inquiétantes que représentatives de ce qu'Eisnitz a découvert à l'occasion de ces entretiens. Et ce n'est pas parce que les événements qu'elles dépeignent ne sont pas punis par l'industrie qu'il faut les croire exceptionnelles.

Les enquêtes sous couverture ont régulièrement révélé que les ouvriers des élevages industriels, qui travaillent eux-mêmes dans des conditions qui, selon Human Rights Watch, constituent des « violations systématiques des droits de l'homme », défoulent souvent leurs frustrations sur les animaux, ou succombent simplement aux exigences des responsables, qui tiennent à ce que la chaîne fonctionne à tout prix, sans faire de sentiments. Certains de ces ouvriers sont sans aucun doute des sadiques au sens littéral du terme. Mais je n'en ai jamais rencontré. J'en ai croisé plusieurs dizaines, et c'étaient tous des gens bien, intelligents et honnêtes qui faisaient de leur mieux dans une situation impossible. La faute en incombe à la mentalité de l'industrie de la viande, qui traite à la fois les animaux et le « capital humain » comme des machines. Ainsi que le dit un ouvrier :

« Le pire, pire que le danger physique, c'est le coût émotionnel. Quand on travaille un temps dans la zone de piquage, on adopte une attitude qui vous permet de tuer des choses sans vous en soucier. Vous regardez un porc dans les yeux, il marche dans la zone de saignée, et vous vous dites : “Mon Dieu, il n'a pas l'air méchant, cet animal.” Vous pouvez être tenté de le cajoler. Dans la zone de tuerie, il y en a qui sont venus se frotter contre moi comme des chiots. Deux minutes après, il fallait que je les tue – que je les batte à mort avec un tuyau. [...] Quand je travaillais en haut, à les éviscérer, je pouvais me raconter que je travaillais sur une chaîne de production, que j'aidais à nourrir les gens. Mais en bas, dans la zone de piquage, je ne nourrissais personne, je tuais des choses. »

Quelle doit être la fréquence de ces sauvageries pour qu'une personne normale finisse par ne plus en tenir compte ? Si vous saviez qu'un animal sur mille destinés à être consommés était victime d'actes tels que ceux que nous venons d'évoquer, continueriez-vous à manger des animaux ? Un sur cent ? Un sur dix ? Vers la fin de *The Omnivore's Dilemma*, Michael Pollan écrit : « Je dois dire qu'une partie de moi envie la clarté morale du végétarien. [...] Pourtant, une autre partie a pitié de lui. Il en va ainsi des rêves d'innocence. Ils dépendent généralement d'un déni de la réalité qui peut être une forme d'orgueil. » Il a raison, les réactions émotionnelles peuvent nous entraîner vers une arrogance coupée des réalités. Mais la personne qui choisit d'agir en fonction d'un rêve d'innocence est-elle vraiment celle qu'il faut prendre en pitié ? Et qui, dans ce cas, nie la réalité ?

Quand Temple Grandin a commencé pour la première fois à quantifier l'étendue des mauvais traitements dans les abattoirs, elle a assuré avoir été témoin d'« actes de cruauté délibérés et réguliers » dans 32 % des sites qu'elle a visités aux États-Unis après avoir annoncé sa venue. Un chiffre si choquant que j'ai dû le relire à trois reprises. Des actes *délibérés*, se produisant *régulièrement*, en présence d'un *témoin*, au cours d'audits *annoncés* qui avaient donné à l'abattoir le temps de dissimuler les pires pratiques. Qu'en est-il des cruautés qu'elle n'a pas vues ? Et des accidents, qui doivent être beaucoup plus courants ?

Grandin a souligné que les conditions se sont améliorées – car de plus en plus de détaillants exigent que leurs fournisseurs fassent l'objet d'audits –, mais jusqu'à quel point? Analysant le tout dernier audit de l'abattage de volailles effectué par le National Chicken Council, Grandin s'est aperçue que 26 % des abattoirs commettaient des violences si graves qu'ils *auraient dû* être invalidés. (De façon inquiétante, l'industrie a, pour sa part, trouvé que les résultats de l'audit étaient parfaitement acceptables et approuvé tous les sites, même ceux où des oiseaux vivants étaient jetés aux ordures ou encore échaudés à vif.) D'après l'étude la plus récente réalisée par Grandin dans les abattoirs de bovins, 25 % sont coupables d'abus si catastrophiques qu'ils ont été automatiquement recalés par son audit (exemple d'acte entraînant un recalage automatique : la « suspension d'un animal conscient sur le rail »). Dans d'autres études, Grandin a vu un ouvrier démembrer une vache totalement consciente[112], des vaches se réveiller sur le rail de saignée, et des ouvriers « enfonçant des aiguillons électriques dans l'anus des bovins ». Mais que n'a-t-elle pas vu ? Et que dire de l'immense majorité des abattoirs qui, pour commencer, n'ouvrent même pas leurs portes à ces audits ?

Les éleveurs ont perdu – on leur a ôté – la relation directe et humaine qu'ils entretenaient avec leur travail. De plus en plus, ils ne possèdent pas les animaux, ne peuvent pas décider de leurs méthodes de travail, ne sont pas autorisés à appliquer ce qu'ils savent et n'ont d'autre solution que le recours à des abattoirs industriels à grande échelle. Le modèle industriel les a rendus étrangers non seulement à leur façon de travailler (hacher, trancher, scier, piquer, couper), mais aussi à ce qu'ils produisent (de la nourriture dégoûtante et malsaine) et à la vente de ces produits (anonyme et bon marché). Dans les conditions qui règnent dans un élevage ou un abattoir industriels, l'homme ne peut plus être humain (et encore moins faire preuve d'humanité). C'est aujourd'hui l'exemple le plus accompli d'aliénation sur le lieu de travail. En dehors, évidemment, de ce que vivent les animaux.

4.

La table américaine

Ne nous leurrons pas quant au choix moral dont nous disposons. Il n'y a pas assez de poulets d'élevage traditionnel en Amérique pour nourrir la population de Staten Island, ni assez de porcs d'élevage traditionnel pour alimenter New York, pour ne rien dire du reste du pays[113]. La viande éthique est une promesse, non une réalité. Quiconque souhaite défendre sérieusement ce principe devra en passer par un régime nettement plus végétarien.

Beaucoup de gens sont tentés par l'idée de continuer à soutenir les élevages industriels tout en achetant de temps à autre de la viande en dehors de ce système. C'est bien. Mais si notre imagination morale ne peut pas aller plus loin, on peine à envisager l'avenir avec optimisme. Un plan qui prévoit de continuer à procurer de l'argent à l'élevage industriel ne pourra pas y mettre fin. Quelle aurait été l'efficacité du boycott des bus de Montgomery si les protestataires avaient pris le bus chaque fois que cela leur était malcommode de ne pas le prendre ? Quelle serait l'efficacité d'une grève si les salariés annonçaient qu'ils reprendraient le travail dès qu'il deviendrait difficile de continuer la grève ? Si, en lisant ce livre, vous vous sentez encouragé à acheter de la viande provenant d'autres sources tout en achetant aussi de la viande industrielle, sachez que tel n'était pas mon propos.

Si nous tenons vraiment à mettre un terme à l'élevage industriel, alors le moins que nous puissions faire, c'est de cesser de donner de l'argent aux pires de ces criminels. Pour certains, il sera facile de prendre la décision d'éviter les produits industriels. Pour d'autres non. Pour ceux à qui cette décision paraît difficile (autrefois, j'aurais estimé faire partie de ce groupe), la question ultime, au fond, est de savoir si le jeu en vaut la chandelle. Nous *savons*, en tout cas, que cette décision permettra de lutter contre la déforestation, contre le réchauffement climatique, la pollution et qu'elle permettra de préserver les réserves pétrolières, allégera le fardeau qui pèse sur l'Amérique rurale, limitera les violations des droits de l'homme, améliorera la santé publique et contribuera à éliminer le pire exemple de mauvais traitements infligés aux animaux dans l'histoire du monde. Mais ce que nous ne savons pas pourrait être tout aussi important. En quoi une telle décision pourrait nous changer, *nous* ?

Mis à part les bouleversements matériels directement liés au refus du système de l'élevage industriel, la décision de manger de façon aussi volontariste est une force synonyme d'un formidable potentiel. Quel monde créerions-nous si, trois fois par jour, nous faisions preuve de compassion et de raison quand nous prenons nos repas, si nous avions l'imagination morale et la volonté pragmatique de modifier cet acte de consommation fondamental ? Tolstoï a souligné un jour que l'existence des abattoirs et celle des champs de bataille étaient liées. D'accord, nous ne faisons pas la guerre parce que nous mangeons de la viande, et certaines guerres doivent être menées – rappelons en outre que Hitler était végétarien[114]. Mais la compassion est un muscle qui se renforce en travaillant, et l'exercice régulier consistant à choisir la bonté plutôt que la cruauté ne pourrait que nous transformer.

Il peut paraître naïf de suggérer que le fait de commander un roulé au poulet ou un hamburger végétarien est une décision d'une importance capitale. Une fois encore, si, dans les années 1950, on vous avait dit que la place que vous choisiriez dans un restaurant ou un bus pourrait aider à lutter contre le racisme, cela vous aurait semblé délirant. De même, au début des années 1970, avant les campagnes de César Chávez pour les droits des ouvriers agricoles, il vous aurait paru improbable que le refus de manger du raisin puisse contribuer à libérer les saisonniers de ce qui était un véritable esclavage. Cela peut sembler irréaliste, mais quand on s'y intéresse vraiment, on ne peut pas nier que nos choix de tous les jours façonnent le monde. Quand les premiers colons américains ont décidé d'orchestrer une *tea party* à Boston, ils ont libéré des forces assez puissantes pour accoucher d'une nation. Décider de ce que l'on mange (et de ce que l'on jette par-dessus bord) est un acte de production et de consommation fondateur qui modèle tous les autres. Choisir la plante plutôt que la chair, la tradition plutôt que l'industrie, ne changera pas en soi le monde, mais le fait d'apprendre nous-mêmes, mais aussi d'enseigner à nos enfants, à nos communautés, à notre pays à préférer la conscience plutôt que la facilité le peut. C'est dans nos assiettes que se trouve l'une des plus grandes chances de vivre selon nos valeurs – ou de les trahir. Et nous les vivrons, ou les trahirons, non seulement en tant qu'individus, mais aussi en tant que nations.

Nous avons de plus belles traditions que la quête des produits bon marché. Martin Luther King Jr a écrit avec ferveur sur le moment où « quelqu'un doit prendre une position qui n'est ni sans danger, ni politique, ni populaire[115] ». Parfois, nous devons simplement prendre une décision parce que « [notre] conscience [nous] dit que c'est juste ». Ces paroles célèbres de King et la lutte des United Farm Workers de Chávez font également partie de notre héritage. Nous pourrions être tentés de dire que ces mouvements favorables à la justice sociale n'ont rien à voir avec la situation de l'élevage industriel. Qu'il ne faut pas confondre l'oppression des hommes et les mauvais traitements infligés aux animaux. King et Chávez luttaient au nom des souffrances de l'humanité, non des poulets ou du réchauffement climatique. Effectivement. On peut certes ergoter, ou même être ulcéré par la comparaison qu'implique le fait de les citer ici, mais il est bon de rappeler que César

Chávez et l'épouse de King, Coretta Scott King, étaient des végétaliens, tout comme Dexter, le fils de King. Nous nous livrons à une interprétation trop étroite du legs de Chávez et de King – du legs de l'Amérique – si nous partons du principe qu'ils ne peuvent nous permettre de nous insurger contre l'oppression de l'élevage industriel.

5.

La table planétaire

La prochaine fois que vous vous assiérez à table, imaginez que vous êtes avec neuf autres personnes, et qu'ensemble, vous représentiez tous les habitants de la planète. Organisés en nations, deux de vos commensaux seront chinois, deux indiens, un cinquième représentera tous les autres pays de l'Asie centrale, du Nord-Est et du Sud. Un sixième représentera les nations de l'Asie du Sud-Est et de l'Océanie, un septième l'Afrique subsaharienne, un huitième le reste de l'Afrique et le Moyen-Orient. Un neuvième représentera l'Europe. Et la dernière place, celle des pays d'Amérique centrale, du Sud et du Nord, sera la vôtre.

Si l'on attribuait des places par langue natale, seuls les locuteurs de chinois auraient leur propre représentant. Tous les locuteurs d'anglais et d'espagnol devraient se partager une chaise.

Distribuées par religions, trois personnes seraient chrétiennes, deux musulmanes, et trois pratiqueraient le bouddhisme, une des religions chinoises traditionnelles ou l'hindouisme. Deux autres appartiendraient à d'autres traditions religieuses ou se considéreraient comme non religieuses. (Ma propre communauté, le judaïsme, plus petite encore que la marge d'erreur du recensement en Chine, ne parviendrait même pas à glisser un bout de fesse sur une chaise.)

Dispatchées en fonction du type de nutrition, une personne sur les dix présentes mourrait de faim, et deux seraient obèses[116]. Plus de la moitié suivraient un régime essentiellement végétarien, mais cette proportion diminue. Les végétariens stricts et les végétaliens occuperaient tout juste une place[117]. Et plus de la moitié des fois où l'un d'entre vous se servirait d'œufs, de poulet ou de porc, il s'agirait de produits de l'élevage industriel. Si la tendance se maintenait pendant encore vingt ans, ce serait également le cas pour le bœuf et le mouton.

Quand on organise la tablée selon la population, les États-Unis sont loin d'avoir leur place à eux, mais ils en occuperaient entre deux et trois si le plan de table dépendait de la quantité de nourriture consommée. Personne n'aime autant manger que nous, et quand nous changeons d'alimentation, c'est le monde entier qui est bouleversé.

Je me suis essentiellement cantonné à exposer l'impact de nos choix alimentaires sur l'écologie de la planète et sur la vie de ses animaux, mais j'aurais tout aussi bien pu consacrer tout mon livre à la santé publique, aux droits de la main-d'œuvre, à la disparition des communautés rurales ou à la misère mondiale – autant d'éléments qui sont profondément affectés par l'élevage industriel. Bien sûr, l'élevage industriel n'est pas la source de tous les problèmes du monde, mais il est important de noter qu'un grand nombre d'entre eux s'y recoupent. Tout comme il est important de noter, même si cela reste totalement improbable, que des gens comme vous et moi pourraient avoir une influence sur l'élevage industriel. Mais personne ne peut sérieusement douter de l'influence qu'exercent les consommateurs américains sur les pratiques agricoles du monde entier.

Je m'aperçois que je suis tout près de suggérer, idée saugrenue, que chacun d'entre nous peut faire la différence. La réalité est évidemment plus compliquée. En tant que « mangeur solitaire », vos décisions, en elles-mêmes, ne changeront rien à l'industrie agroalimentaire. Cela dit, à moins d'acheter votre nourriture en secret et de prendre vos repas enfermé, vous ne mangez pas seul. Nous mangeons en tant que fils et filles, en tant que familles, que communautés, que générations, nations et, de plus en plus, en tant que planète. Même si nous le voulions, nous ne pourrions pas empêcher notre activité de mangeurs d'avoir une influence.

Comme vous le dirait quiconque pratique le végétarisme depuis plusieurs années, l'influence qu'a ce simple choix alimentaire sur ce que mange votre entourage peut être étonnante. L'organisation professionnelle de la restauration américaine, la National Restaurant Association, a conseillé à tous les établissements du pays de proposer au moins une entrée végétarienne. Pourquoi ? C'est simple : d'après leurs propres sondages, plus d'un tiers des restaurateurs ont constaté une augmentation de la demande de plats végétariens. Un grand périodique du secteur, *Nation's Restaurant News*, suggère aux établissements « d'ajouter des plats végétariens ou végétaliens à l'ensemble. Les plats végétariens, outre qu'ils sont moins chers [...], permettent d'éviter qu'un client s'oppose à entrer chez vous. En général, si un groupe comprend un végétalien, c'est lui qui déterminera le lieu où le groupe mangera ».

Des millions et des millions de dollars sont dépensés en publicité pour seulement veiller à ce que l'on voie des gens boire du lait ou manger du bœuf dans les films. Et des sommes bien plus importantes encore sont dépensées pour être certain que, lorsqu'un acteur a un soda à la main, le spectateur soit en mesure de dire de loin si c'est du Coca ou du Pepsi. La National Restaurant Association ne se livre pas à ce genre de publicité et les multinationales n'engagent pas des millions en placement de produits simplement pour que nous soyons fiers de l'influence que nous avons sur notre entourage. Ils ne font que constater le fait que manger est un acte social.

Quand nous levons nos fourchettes, c'est comme si nous nous installions quelque part. Nous nous inscrivons dans telle ou telle relation avec les animaux d'élevage, les ouvriers agricoles, les économies nationales et les marchés mondiaux. Ne pas prendre de décision en ce domaine – manger « comme tout le monde » –, c'est prendre la plus facile des décisions, une décision de plus en plus problématique. Il est évident que presque partout et à presque toutes les époques, choisir son régime en ne décidant justement rien – c'est-à-dire en mangeant comme tout le monde – était sans doute une bonne idée. Mais aujourd'hui, manger comme tout le monde, c'est verser une goutte d'eau supplémentaire dans le vase. Ce n'est peut-être pas notre goutte qui le fera déborder, mais cet acte se répétera – chaque jour de nos vies, et peut-être chaque jour de la vie de nos enfants et des enfants de nos enfants…

Le plan de notre table planétaire et ce que l'on y sert changent. Nos deux Chinois ont dans leurs assiettes quatre fois plus de viande qu'il y a quelques décennies – et leur part ne cesse de croître. Dans le même temps, les deux personnes qui n'ont pas même accès à l'eau potable regardent la Chine avec des yeux effarés. Aujourd'hui, les produits animaux ne représentent toujours que 16 % du régime alimentaire des Chinois, mais les animaux d'élevage boivent d'ores et déjà plus de 50 % de l'eau consommée dans le pays – et ce, à un moment où la pénurie d'eau en Chine suscite déjà l'inquiétude du reste de la planète. La personne désespérée à notre table, celle qui se bat pour trouver de quoi se nourrir, pourrait se faire encore plus de souci, non sans raison, en voyant de vastes régions du monde se tourner avidement vers une consommation de viande à l'américaine, ce qui risque de rendre encore plus inabordables les céréales de base dont cette personne déshéritée dépend pour vivre. Plus de viande signifie une plus grande demande en céréales, et plus de gens prêts à se battre pour elles. D'ici 2050, le bétail de la planète dévorera autant de nourriture que quatre milliards de personnes. Si la tendance se maintient, notre convive affamé pourrait bientôt être deux (chaque jour, 270 000 personnes de plus souffrent de la faim dans le monde). Ce qui ne manquera pas d'arriver, puisque les obèses aussi vont s'emparer d'une place supplémentaire[118]. Il n'est malheureusement pas difficile d'imaginer une table planétaire qui, à l'avenir, sera occupée soit par des obèses, soit par des gens mal nourris.

Pourtant, une telle évolution n'est pas inévitable. La meilleure raison de croire en un avenir plus souriant tient au fait que nous savons justement à quel point cet avenir pourrait être néfaste.

D'un point de vue rationnel, le caractère nocif de l'élevage industriel est, par de multiples aspects, évident. Malgré toutes mes lectures et mes conversations, je n'ai pas encore trouvé un seul argument crédible en sa faveur. Mais la nourriture n'a rien de rationnel. La nourriture est affaire de culture, d'habitudes et d'identité. Pour certains, cette irrationalité aboutit à une sorte de résignation. Les choix alimentaires sont comparés à des choix de mode ou à des préférences de style de vie – ils ne sont pas opérés en fonction de jugements sur notre façon de vivre. Et, j'en conviens, le désordre de la nourriture, la prolifération presque infinie de ses significations rendent la question de l'alimentation – et notamment le fait de manger des animaux – extrêmement épineuse. Certains activistes avec lesquels je me suis entretenu ne parvenaient pas à appréhender la rupture qu'il y a chez les gens entre la pensée rationnelle et leurs choix alimentaires. Je comprends leur frustration, mais je me demande aussi si ce n'est pas précisément le caractère irrationnel de l'alimentation qui est le plus prometteur.

La nourriture ne se résume jamais à un calcul pour savoir quel régime consomme le moins d'eau ou engendre le moins de souffrance. Et c'est peut-être là que réside notre plus grand espoir si nous voulons réussir à changer. D'un côté, l'élevage industriel a besoin que nous substituions l'envie à la conscience. Mais de l'autre, la capacité à rejeter l'élevage industriel pourrait être exactement ce que nous désirons le plus.

J'en suis venu à considérer que le désastre de l'élevage industriel n'est pas qu'un problème d'ignorance – contrairement à ce que disent souvent les activistes, il n'est pas apparu parce que « les gens ne sont pas au courant des faits ». C'est vrai, c'en est une des causes. J'ai déjà truffé ce livre d'un grand nombre de faits parce qu'ils constituent un point de départ nécessaire. Et j'ai présenté ce que nous savons scientifiquement de ce que nous allons laisser derrière nous en raison de nos choix alimentaires quotidiens, parce que cela compte tout autant. Je ne suis pas en train de suggérer que nous ne devrions pas être guidés par notre raison, mais simplement que le fait d'être humain, de faire preuve d'humanité, dépasse le cadre de la raison. Pour réagir à l'élevage industriel, il faut faire appel à une capacité d'empathie qui se situe au-delà de l'information, au-delà des oppositions entre désir et raison, fait et mythe, et même humain et animal.

L'élevage industriel prendra fin un jour à cause de l'absurdité de son économie. Il n'est tout simplement pas viable. La Terre finira par se débarrasser de l'élevage industriel comme un chien se débarrasse de ses puces. La seule question est de savoir si elle ne se débarrassera pas de nous par la même occasion.

Quand on aborde la question de manger les animaux, surtout en public, on libère des forces inattendues sur le monde. Les débats sont plus houleux que jamais. D'un certain point de vue, la viande n'est qu'une chose de plus que nous consommons, et elle n'importe ni plus ni moins que la consommation de serviettes en papier ou l'usage d'un 4 × 4 – sur une échelle plus vaste toutefois. Mais essayez de changer de serviettes en papier pour Thanksgiving – même avec emphase, en gratifiant vos hôtes d'un sermon sur l'immoralité de tel ou tel fabricant – et vous peinerez à soulever un débat. Alors que si vous évoquez l'éventualité d'un Thanksgiving végétarien, vous n'aurez aucun mal à susciter des opinions vigoureuses – pour ne pas dire plus. La question de manger des animaux fait vibrer des cordes qui entrent en résonance profonde avec le sentiment que nous avons de nous-même – nos souvenirs, nos désirs, nos valeurs. Ces résonances sont potentiellement sujettes à controverse, potentiellement menaçantes, potentiellement exaltantes, mais toujours chargées de sens. La nourriture importe, les animaux importent, et le fait de s'en nourrir importe plus encore. La question de manger des animaux dépend, au bout du compte, de la perception que nous avons de cet idéal que nous appelons, peut-être imparfaitement, « le fait d'être humain ».

6.

Le premier Thanksgiving de son enfance

De quoi suis-je reconnaissant à Thanksgiving ? Enfant, le premier grain de maïs que je transférais sur la table symbolisait la grâce que je rendais pour ma santé et celle de ma famille. Choix étrange pour un enfant. Peut-être s'expliquait-il par le poids d'une famille sans arbre généalogique, ou en réaction à ma grand-mère, qui me répétait sans cesse « Tu dois être en bonne santé » – ce qui, inévitablement, sonnait comme une accusation, du style « Tu n'es pas en bonne santé, alors que tu devrais l'être ». Quelle qu'en ait été la raison, même petit, je considérais la santé comme quelque chose qui n'était pas fiable. (Ce n'était pas seulement à cause de l'argent et du prestige que tant d'enfants et de petits-enfants de rescapés des camps devenaient médecins.) Le grain suivant représentait mon bonheur. Le suivant mes êtres chers – la famille qui m'entourait, bien sûr, mais aussi mes amis. Et ce seraient encore mes trois premiers grains aujourd'hui : santé, bonheur et êtres chers. Mais ce n'est plus pour ma propre santé, mon propre bonheur et mes êtres chers que je rends grâce. Peut-être cela changera-t-il quand mon fils sera assez âgé pour participer au rituel. En attendant, en tout cas, je rends grâce à travers lui, et pour lui.

Comment Thanksgiving peut-il être ce véhicule de l'expression d'une reconnaissance aussi sincère ? Quels rituels, quels symboles traduiraient le remerciement pour la santé, le bonheur et les êtres chers ?

Nous célébrons les fêtes ensemble, ce qui paraît logique. Et nous ne faisons pas que nous réunir, nous mangeons. Cela n'a pas toujours été le cas. Au début, le gouvernement fédéral avait envisagé de promouvoir Thanksgiving comme un jour de jeûne, puisque c'est ainsi qu'on l'avait souvent fêté pendant des décennies. D'après Benjamin Franklin, que je considère comme une sorte de saint patron de cette fête, « un fermier pétri de bon sens » avait suggéré que le jeûne « conviendrait mieux à la gratitude ». L'avis de ce fermier, que je soupçonne Franklin d'avoir inventé, représente aujourd'hui la conviction de toute une nation.

Historiquement, le fait de produire et de manger notre propre nourriture est en grande partie ce qui a contribué à faire de nous des Américains et non des sujets de puissances européennes. Tandis que d'autres dépendaient d'importations massives pour leur survie, les premiers immigrants américains, grâce à l'aide des Amérindiens, devinrent presque totalement autosuffisants. La nourriture n'est pas tant un symbole de liberté que sa condition première. Nous mangeons ce qui se trouve ici en Amérique pour Thanksgiving en reconnaissance de cette réalité. Sous bien des aspects, Thanksgiving est à l'origine d'un idéal typiquement américain de consommation éthique. Le repas de Thanksgiving est l'acte fondateur de la consommation délibérée en Amérique.

Mais que dire de la nourriture dont nous festoyons ? Ce que nous consommons a-t-il un sens ?

À l'exception d'une minorité négligeable, la plupart des 45 millions de dindes qui finissent sur nos tables pour Thanksgiving étaient malades, malheureuses et – en restant bien en deçà de la vérité – mal aimées. Nous pouvons avoir des avis différents quant à la place de la dinde sur la table de Thanksgiving, mais nous ne pouvons qu'être d'accord sur ces trois points.

Les dindes d'aujourd'hui sont des insectivores naturels soumis à un régime grossièrement artificiel, qui peut inclure « de la viande, de la sciure, des déchets de tannerie », et d'autres choses qui, bien que leur utilisation soit amplement prouvée, dépasseraient probablement votre entendement. Compte tenu de leur vulnérabilité face aux maladies, les dindes sont peut-être les animaux les moins adaptés à l'élevage industriel. On leur fournit donc encore plus d'antibiotiques que les autres animaux d'élevage. Ce qui encourage la résistance aux antibiotiques. Ce qui fait que ces médicaments indispensables perdent de leur efficacité chez l'homme. D'une façon tout à fait directe, les dindes sur nos tables font qu'il devient plus difficile de soigner les maladies humaines.

Ce n'est pas au consommateur qu'il devrait incomber de savoir ce qui est cruel et ce qui ne l'est pas, ce qui est destructeur et ce qui est viable pour l'environnement. Les produits alimentaires cruels et destructeurs devraient être interdits. Nous ne devrions pas avoir à choisir des jouets contenant de la peinture au plomb, des aérosols avec des chlorofluorocarbones, ou des médicaments présentant des effets secondaires non indiqués. Et nous ne devrions pas avoir la possibilité d'acheter des animaux d'élevage industriel.

Nous aurons beau l'occulter ou l'ignorer, nous savons que l'élevage industriel est une pratique inhumaine au sens le plus profond du terme. Et nous savons qu'il y a quelque chose d'essentiel, de fondamental dans l'existence que nous réservons aux êtres vivants qui sont le plus soumis à notre pouvoir. Notre comportement face à l'élevage industriel est, au bout du compte, une mise à l'épreuve de notre comportement face à ceux qui sont impuissants, à ceux qui sont loin, à ceux qui n'ont pas voix au chapitre – c'est un test sur la façon dont nous agissons quand personne ne nous oblige à nous comporter d'une façon ou d'une autre. Ce n'est pas une question de cohérence, mais d'engagement.

Les historiens racontent qu'Abraham Lincoln, alors qu'il revenait de Springfield à Washington, contraignit toute sa suite à faire halte afin d'aider des oisillons tombés du nid. Quand les autres se moquèrent de lui, il répondit simplement : « Je n'aurais pu fermer l'œil de la nuit si je n'avais pas rendu ces pauvres créatures à leur mère. » Il ne défendit pas (il l'aurait pu) la valeur morale des oisillons, leur valeur pour eux-mêmes, pour l'écosystème ou Dieu. Au lieu de cela, il se contenta, très simplement, de déclarer que dès l'instant où il avait vu ces oiseaux qui souffraient, il s'était senti chargé d'un fardeau moral. Il n'aurait pas été lui-même s'il s'était détourné d'eux. Lincoln était un personnage d'une grande inconstance, et il mangea des oiseaux bien plus souvent qu'il n'en aida. Mais, confronté aux souffrances d'une créature, il avait réagi.

Que je sois ou non assis à la table planétaire, avec ma famille ou face à ma conscience, l'élevage industriel ne me semble pas seulement déraisonnable. L'accepter me paraît inhumain. Si j'acceptais l'élevage industriel – si je donnais à ma famille la nourriture qu'il produit, que je le finançais avec mon argent –, je serais un peu moins moi-même, un peu moins le petit-fils de ma grand-mère, le fils de mon père.

Et c'est exactement *cela* que voulait dire ma grand-mère quand elle a déclaré : « Si plus rien n'a d'importance, il n'y a rien à sauver. »

Remerciements

Little, Brown a été l'éditeur idéal pour ce livre et pour moi. Je tiens à remercier Michael Pietsch pour le soutien sans faille qu'il lui a très tôt apporté. Geoff Shandler pour sa sagesse, sa précision et son humour. Liese Mayer pour des mois d'une aide vitale et éclectique. Michelle Aielli, Amanda Tobier et Heather Fain pour leur créativité, leur énergie et leur ouverture apparemment inépuisables.

Les encouragements de Lori Glazer, Bridget Marmion, Debbie Engel et Janet Silver ont été essentiels quand ce livre n'était encore qu'une idée, et sans leur soutien je ne sais pas si j'aurais eu la force de travailler sur un sujet qui m'était aussi étranger.

Il m'est impossible de citer tous ceux qui m'ont offert leur savoir et leur expertise, mais je tiens particulièrement à remercier Diane et Marlene Halverson, Paul Shapiro, Noam Mohr, Miyun Park, Gowri Koneswaran, Bruce Friedrich, Michael Greger, Bernie Rollin, Daniel Pauly, Bill et Nicolette Niman, Frank Reese, la famille Fantasma, Jonathan Balcombe, Gene Baur, Patrick Martins, Ralph Meraz, la Ligue des travailleurs indépendants de la vallée de San Joaquin, et tous les ouvriers qui ont préféré garder l'anonymat.

Danielle Krauss, Matthew Mercier, Tori Okner et Johanna Bond ont contribué aux recherches (et à la collecte d'informations) au cours des trois dernières années, et ont été pour moi des partenaires indispensables.

L'œil de juriste de Joseph Finnerty m'a donné la confiance nécessaire pour partager mes recherches. Grâce à Betsy Uhrig, qui a traqué les erreurs, petites et grandes, ce livre est mieux conçu et plus exact – toute erreur qui subsisterait ne pourrait être que de mon fait.

Les ouvertures de chapitre de Tom Manning permettent de conférer une force et une immédiateté à des chiffres qui, seuls, n'auraient pas le même impact. Sa vision m'a été d'une aide formidable.

Ben Goldsmith, de Farm Forward, m'a apporté un soutien inestimable, et son travail sur la défense des petites exploitations est une source d'inspiration.

Comme toujours, Nicole Aragi a été une amie précieuse, une lectrice attentive et le meilleur agent que l'on puisse imaginer.

Aaron Gross m'a accompagné dans mon périple au sein de l'élevage industriel. Il a été le Chewbacca de mon Han Solo, mon Jiminy Cricket. Plus que tout, il a su être un merveilleux partenaire de discussion et une source intarissable de connaissances, et si ce livre raconte une quête intimement personnelle, il n'aurait pu voir le jour sans lui. Quand on écrit sur la nourriture animale, il faut prendre en compte non seulement une quantité phénoménale d'informations statistiques, mais aussi une histoire culturelle et intellectuelle complexe. Beaucoup de gens brillants ont déjà écrit sur ce sujet – des philosophes de l'Antiquité aux scientifiques contemporains. L'aide d'Aaron m'a permis de rassembler davantage d'intervenants, d'élargir les horizons du livre et d'en approfondir les investigations. Il a été mon partenaire à part entière. On dit souvent que telle ou telle chose n'aurait pas été possible sans Untel ou Unetelle. Mais, au sens le plus littéral du terme, je n'aurais pas écrit ce livre sans Aaron, je ne l'aurais pas pu. C'est un esprit remarquable, un grand défenseur d'un élevage plus raisonnable et plus humain, et un ami cher.

Notes de l'auteur

Histoires

1. Le site http://www.pfaf.org/leaflets/edible_uses.php indique qu'il existe plus de 20 000 espèces de plantes comestibles dans le monde, mais que moins d'une vingtaine d'entre elles fournissent 90 % de notre nourriture.

2. Il s'agit de mon propre calcul fondé sur les données le plus couramment disponibles. Il y a infiniment plus de poulets élevés pour leur chair que toute autre sorte d'animal d'élevage, et la quasi-totalité d'entre eux sont issus de la production industrielle. Voici les pourcentages de chaque catégorie animale élevée industriellement :

Poulets de chair : 99,94 % (statistiques provenant du recensement des ressources agricoles de 2007 et de chiffres donnés par l'EPA [Agence de protection de l'environnement])

Poules élevées pour leurs œufs : 96,57 % (*idem*)

Dindes : 97,43 % (*idem*)

Porcs : 95,41 % (*idem*)

Vaches laitières : 60,16 % (*idem*)

Bovins de boucherie : 78,2 % (rapport 2008 du National Agricultural Statistics Service de l'USDA)

3. Keith Thomas, *Le Jardin de la nature*, traduction Catherine Malamoud, Gallimard, 1985.

Tout ou rien, ou quelque chose d'autre

4. « Mon pire cauchemar serait que mes enfants me disent un jour : "Papa, je suis végétarien." Dans ce cas, je les assiérais sur la clôture et je les électrocuterais. » Cité par Victoria Kennedy dans le *Daily Mirror*, « Gordon Ramsay's Shocking Recipe for Raising Kids », 25 avril 2007.

5. « Des enquêtes ont révélé que la viande de chien était un mets recherché dans la région. ». Cité dans « Dog meat, a delicacy in Mizoram », *The Hindu*, 20 décembre 2004.

6. « Les peintures murales d'une tombe du royaume de Koguryo datant du IVe siècle montrent des chiens abattus avec des porcs et des moutons. » Rolf Potts, « Man Bites Dog », Salon.com, 28 octobre 1999.

7. L'impressionnante base de données Fishbase.org recense 31 200 espèces connues sous 276 500 appellations courantes dans le monde. Voir http://www.fishbase.org/search.php

8. « La quasi-totalité des femmes interrogées (99 %) déclarent parler fréquemment à leur animal de compagnie (contre 95 % des hommes) et, le plus incroyable, c'est que 93 % d'entre elles pensent que leur animal communique avec elles (contre 87 % des hommes). » *Business Wire*, 30 mars 2005.

9. « Pour se rendre sur un récif de corail, les jeunes poissons se guident d'après les crépitements et pétillements qu'il émet. Ils peuvent également percevoir à vingt kilomètres le bruit de bacon frit produit par les crevettes lorsqu'elles se détendent pour se déplacer. » *New Scientist*, 16 avril 2005.

10. « En sus des 142 milliards de dollars de ventes, des millions de dollars sont générés par les produits et services associés grâce aux répercussions économiques entraînées par l'industrie, parmi lesquelles des emplois dans les secteurs de l'emballage, du transport, de la manufacture et de la vente au détail. » American Meat Institute, « The United States at a Glance : Feeding our Economy », 2009.

11. La santé d'un océan n'est pas aisée à évaluer, mais grâce à un puissant outil statistique de conception récente, le Marine Trophic Index (MTI), les scientifiques sont désormais en mesure de se faire une image approximative de l'état de la vie océane. Et cette image n'est pas très jolie. Chaque organisme océanique vivant se voit attribuer un « niveau trophique » spécifique échelonné de 1 à 5, qui indique sa place dans la chaîne alimentaire. Le numéro 1 est dévolu aux plantes, car elles constituent la base des réseaux alimentaires marins. Les créatures qui mangent les plantes, comme le plancton, ont un niveau trophique 2. Les créatures qui mangent le plancton ont un niveau trophique 3 et ainsi de suite. Les prédateurs en bout de chaîne ont un niveau trophique 5. Si nous pouvions comptabiliser l'ensemble des créatures océaniques et leur attribuer un chiffre, nous serions en mesure de calculer le niveau trophique moyen de la vie océane – une sorte de cliché approximatif de la vie océane *dans son ensemble*. Ce vaste calcul est précisément ce qu'accomplit le MTI. Si le chiffre indiqué par le MTI

est élevé, cela signifie que les chaînes alimentaires sont diversifiées et les océans en pleine santé. Si l'océan, par exemple, ne recelait que des plantes, il aurait un MTI de 1. S'il n'abritait que des plantes et du plancton, son MTI se situerait entre 1 et 2. Si l'océan possède des chaînes alimentaires longues et des créatures diversifiées, son MTI sera plus élevé. On ne peut pas parler de bon ou de mauvais MTI, mais des fléchissements répétés de celui-ci traduisent sans conteste de mauvaises nouvelles : mauvaise nouvelle pour les gens qui mangent du poisson et mauvaise nouvelle pour les poissons eux-mêmes. Or le MTI baisse régulièrement depuis les années 1950, époque à laquelle les méthodes de pêche industrielle sont devenues la norme. (Daniel Pauly et Jay McLean, *In a Perfect Ocean*, Washington, Island Press, 2003.)

12. Le secteur du bétail est le plus gros générateur de gaz à effet de serre. FAO, rapport cité plus haut ; Pew Charitable Trusts, Johns Hopkins Bloomberg School of Public Health et Pew Commission on Industrial Animal Production, « Putting Meat on the Table : Industrial Farm Animal Production in America », 2008, http://www.ncifap.org

13. D'après les statistiques de la FAO (disponibles à l'adresse http://faostat.fao.org/site/569/DesktopDefault.aspx?PageID=569#ancor), sur environ 60 milliards d'animaux élevés chaque année, plus de 50 milliards sont des poulets de chair qui, dans leur écrasante majorité, sont élevés industriellement. Cela nous donne une idée approximative du nombre d'animaux élevés industriellement dans le monde.

14. Voir note 2.

15. « Cette ligne secondaire est pourvue d'hameçons appâtés avec du calmar, de l'encornet ou, comme nous avons pu le constater dans certains cas, de la viande fraîche de dauphin. » Cité dans « What is a Longline ? », Sea Shepherd Conservation Society, 2009. Voir http://www.seashepherd.org/sharks/longlining.html

16. L'évocation de Benjamin, Derrida et Kafka dans ce passage découle de conversations que j'ai eues avec le professeur de religion et théoricien critique Aaron Gross.

17. Max Brod, *Franz Kafka, Souvenirs et documents*, traduction Hélène Zylberbeg, Gallimard, 1945.

18. Jacques Derrida, *L'Animal que donc je suis*, Galilée, 2006.

19. Timothy Ingold, *What Is an Animal?*, Boston, Unwin Hyman, 1988. Le remarquable travail ethnographique réalisé par Eduardo Batalha Viveiros de Castro sur le peuple araweté d'Amérique du Sud constitue un exemple

frappant des différentes façons dont le monde animal est conceptualisé dans d'autres cultures : « La différence entre hommes et animaux n'est pas très nette. [...] Je n'ai pas réussi à trouver une manière simple de caractériser la place de la "nature" dans la cosmologie araweté [...] ; il n'existe pas de taxon pour désigner l'"animal" ; il existe quelques termes génériques tels que "poisson", "oiseau", et un certain nombre d'autres mots pour désigner les autres espèces selon leur habitat, leurs habitudes alimentaires, la fonction qu'elles remplissent par rapport à l'homme (*do pi*, « pour manger », *temina ni*, « possible animal de compagnie »), leur lien avec le chamanisme et les tabous alimentaires. Les distinctions opérées dans le domaine animal sont exactement les mêmes que celles appliquées à d'autres catégories d'êtres [...] comme les humains [...] ou les esprits. » Eduardo Viveiros de Castro, *From the Enemy's Point of View : Humanity and Divinity in an Amazonian Society*, Chicago, University of Chicago Press, 1992.

20. Des recherches interdisciplinaires récentes en sciences humaines ont montré qu'il existait une variété étourdissante de façons par lesquelles nos interactions avec les animaux reflètent ou façonnent notre compréhension de nous-même. Le livre *Animal Others and the Human Imagination*, établi sous la direction d'Aaron Gross et Anne Vallely (Columbia University Press, New York, à paraître), cite parmi d'autres exemples les histoires pour enfants mettant en scène des chiens ou encore la préoccupation manifestée par l'opinion à l'égard du bien-être animal.

21. Le terme « anthropodéni » a été forgé par Frans de Waal qui l'a utilisé comme titre d'un de ses livres : Frans de Waal, *Anthropodenial*, New York, Basic Books, 2001.

22. L'association professionnelle United Eggs Producers recommande que chaque poule dispose d'un espace d'au moins 430 cm^2. D'après la HSUS (Humane Society of the United States, équivalent de notre SPA), ce minimum est devenu la norme.

23. L'espace alloué à chaque poulet varie de 650 à 1 000 cm^2. C'est ce dont bénéficient les poulets de chair américains et européens ; en Inde (et ailleurs), ils sont souvent encagés.

24. Selon T. G. Knowles *et al.* (« Leg Disorders in Broiler Chickens », PLoS ONE, 2008), il est passé « de 25 à 100 grammes par jour ».

25. « Il est démontré que les émissions de gaz à effet de serre de différents régimes alimentaires varient selon une amplitude équivalant à la différence entre la pollution générée respectivement par une berline courante et par

un 4 × 4. » G. Eshel et P. A. Martin, « Diet, Energy, and Global Warming », *Earth Interactions* 10, n° 9, 2006.

26. Ce chiffre est en réalité inférieur à la réalité, car les Nations unies n'y ont pas intégré les gaz à effet de serre émis par le transport des animaux. Food and Agriculture Organization, « Livestock's Long Shadow ».

27. Les scientifiques du Comité intergouvernemental sur les changements climatiques soulignent que les transports représentent 13,1 % des émissions de gaz à effet de serre ; le chiffre de 18 % (cité plus haut) est donc supérieur de 38 % au pourcentage annoncé.

28. Pour savoir exactement à quoi correspondent les différents labels attribués par l'USDA, voir HSUS (Humane Society of the United States), « A Brief Guide to Egg Carton Labels and Their Relevance to Animal Welfare », mars 2009, www.hsus.org

29. Menée à l'université d'Oxford, cette étude sur les pigeons est commentée par Jonathan Balcombe dans *Pleasurable Kingdom : Animals and the Nature of Feeling Good*, New York, Macmillan, 2007.

30. Les porcs communiquent par des bruits de mâchoires, des claquements de dents, des grognements, ronflements, mugissements, ricanements et éternuements. Selon l'éminent éthologue Marc Bekoff, les cochons annoncent leur désir de s'amuser avec leurs congénères en recourant à tout un langage corporel, « comme la course bondissante ou le fait de tourner la tête d'un côté et de l'autre ». Marc Bekoff, *The Emotional Lives of Animals*, Novato, Californie, New World Library, 2008.

31. Nous savons aussi que les mères signalent l'heure de la tétée à leurs petits par des grognements, et que les petits eux-mêmes émettent un appel spécial pour réclamer leur mère quand ils en sont séparés. Peter-Christian Schön *et al.*, « Common Features and Individual Differences in Nurse Grunting of Domestic Pigs (*Sus scrofa*) : A Multi-Parametric Analysis », *Behaviour* 136, n° 1, 1999, et aussi http://www.humanesociety.org/animals/pigs

32. Temple Grandin a montré que non seulement les cochons aimaient les jouets, mais qu'ils avaient « des préférences marquées pour certains jouets ». Temple Grandin, « Environmental Enrichment for Confinement Pigs », Livestock Conservation Institute, 1988, et aussi : http://www.grandin.com/references/LCIhand.html

33. On a également vu des cochons sauvages venir en aide à des congénères en détresse dont ils n'étaient pas parents. Bekoff, *The Emotional Lives of Animals*, *op. cit.*

34. Il s'agit d'une estimation opérée à partir d'une consultation rapide de plus de 350 extraits collectés sur l'ISI Web of Knowledge.

35. « Tout comme les oiseaux, de nombreux poissons construisent des nids pour élever leurs petits ; d'autres ont des "terriers" ou des cachettes favorites. Mais comment faire lorsque vous êtes sans cesse en mouvement pour chercher de la nourriture ? Les *Labridae* édifient un nouvel abri chaque jour en collectant des graviers sur le fond marin. Une fois la construction terminée, le poisson s'y abrite pour dormir et abandonne son nid le lendemain matin. » Culum Brown, « Not Just a Pretty Face », *New Scientist*, n° 2451, 2004.

36. Par exemple, « la plupart des espèces de gobies forment des couples monogames ». M. Wall et J. Herler, « Postsettlement movement patterns and homing in a coral-associated fish », *Behavioral Ecology*, 2009.

37. « L'utilisation d'une enclume pour briser la coquille d'un crustacé est un exemple d'utilisation d'un support. Elle ne correspond toutefois pas à la définition restrictive d'utilisation d'un outil – selon laquelle un animal doit manipuler directement un agent pour accomplir une tâche (Beck, 1980). Un des exemples qui correspondent le mieux à cette stricte définition est l'utilisation de feuilles comme tablettes pour transporter les œufs en cas de danger, comme cela a été observé chez les cichlidés sud-américains (Timms et Keenleyside, 1975 ; Keenleyside et Prince, 1976). Le poisson-chat *Hoplosternum thoracatum* colle quant à lui ses œufs à des feuilles et, avec cette « poussette », peut les transporter dans son nid d'écume si les feuilles viennent à se détacher (Armbrust, 1958). » R. Bshary *et al.*, « Fish Cognition : A primate eye's view », *Animal Cognition* 5, n° 1, 2001.

38. « Les poissons sont aussi intelligents que les rats. […] Le Dr Mike Webster de l'université St Andrews a découvert que les poissons manifestaient un haut degré d'intelligence lorsqu'ils sont en danger. […] Le Dr Webster a procédé à une série d'expériences pour montrer comment les vairons échappent à leurs prédateurs grâce à des techniques de partage d'expérience. Il a découvert qu'un poisson isolé de son banc par une feuille de plastique transparent prendra ses propres décisions si aucun danger ne le menace. Mais lorsqu'on place un prédateur dans un autre compartiment du bac, le poisson isolé calque son comportement sur celui de ses congénères. "Ces expériences, commente le biologiste, apportent la démonstration claire que plus la menace d'un prédateur se précise, plus les vairons se fondent sur l'apprentissage social pour prendre leurs décisions." » Sarah

Knapton, « Scientist finds fish are as clever as mammals », telegraph.co.uk, 29 août 2008.

39. « En 2001, j'ai publié dans *Animal Cognition* (vol. 4, p. 109) un article au sujet de la mémoire à long terme du poisson arc-en-ciel qui vit dans les eaux douces australiennes. On a entraîné les poissons à détecter un trou dans un filet placé en travers de leur aquarium. Au bout de cinq tentatives, ils avaient repéré de façon assez précise l'emplacement du trou. Environ onze mois plus tard, on les a soumis une nouvelle fois au même test, et leur capacité à retrouver le trou était intacte, alors qu'ils n'avaient pas réexpérimenté le dispositif pendant tout ce temps. Un résultat plutôt honorable pour un poisson qui, dans la nature, ne vit que deux ou trois ans. » Brown, « Not Just a Pretty Face », *art. cit.*

40. Lesley J. Rogers, *The Development of Brain and Behavior in the Chicken* (Oxford, CABI, 1996). Un examen récent de la documentation scientifique est venu étayer ce point de vue. L'éminent éthologue Peter Marler a passé en revue les recherches disponibles sur la cognition sociale chez les oiseaux et primates non humains ; son étude a confirmé les observations de Rogers et l'a amené à affirmer que la documentation scientifique révèle plus de similitudes que de différences entre les cerveaux des oiseaux et ceux des primates. Balcombe, *Pleasurable Kingdom*, *op. cit.*

41. « Dans certaines études, les oiseaux blessés apprenaient à identifier (et à manger en priorité) la nourriture contenant des analgésiques. Dans d'autres études, les poulets apprenaient à éviter la nourriture teintée en bleu contenant des produits chimiques qui les rendaient malades. Même une fois les produits chimiques supprimés, les mères poules continuaient à enseigner à leurs petits à éviter de manger la nourriture de couleur bleue. Du fait que ni l'effet des analgésiques ni celui des produits chimiques nocifs n'étaient immédiats, arriver à déterminer que c'est la nourriture qui était la variable principale exigeait des oiseaux une analyse impressionnante. » Bekoff, *The Emotional Lives of Animals*, *op. cit.*

42. Il est fréquent qu'un coq, lorsqu'il trouve de la nourriture, signale par un appel sa découverte à une poule qu'il est en train de courtiser. La plupart du temps, la poule accourt. Il arrive cependant que certains coqs lancent leur appel sans avoir découvert de nourriture, et dans ce cas la poule accourra quand même (si elle est suffisamment éloignée pour ne pas s'apercevoir de la supercherie). Rogers, *Minds of Their Own* ; Balcombe, *Pleasurable Kingdom*, *op. cit.*

43. Par exemple, quand des poulets recevaient une petite récompense en

frappant du bec un certain levier, mais une récompense plus importante s'ils attendaient vingt-deux secondes, ils apprenaient à attendre dans 90 % des cas. (Les 10 % restants, semble-t-il, étaient des individus impatients, ou bien peut-être préféraient-ils la petite récompense instantanée.) *Ibid.*

44. « KFC achèterait 850 millions de poulets chaque année (un chiffre que l'entreprise refuse de confirmer). » Cité par Daniel Zwerdling, « A View to a Kill », *Gourmet*, juin 2007.

45. « Les dirigeants de KFC n'en démordent pas. Ils insistent sur le fait qu'ils "se préoccupent du bien-être et du traitement humain des poulets". » Cité par Daniel Zwerdling, « A View to a Kill », *Gourmet*, juin 2007.

46. Le fait a été constaté par des enquêteurs de PETA : « À neuf reprises, en des jours différents, l'enquêteur de PETA a vu des employés uriner dans la zone où les poulets encore vivants sont suspendus par les pattes, y compris sur le convoyeur qui emmène les animaux à l'abattage. » Voir : « Tyson Workers Torturing Birds, Urinating on Slaughter Line », PETA, http://getactive.peta.org/campaign/tortured_by_tyson

47. On trouvera le récit très documenté des péripéties de la saga d'Agriprocessors sur le blog juif orthodoxe FailedMessiah.com

48. Steve Kopperud, 12 janvier 2009, d'après une conversation téléphonique avec Lewis Ballard, un étudiant d'Harvard qui a consacré sa thèse aux campagnes sur le bien-être des animaux d'élevage organisées par la HSUS et PETA.

49. Wolfson et Sullivan, « Foxes in the Henhouse ». Ce chiffre comprend non seulement les animaux de compagnie mais aussi les animaux chassés, les oiseaux observés, les animaux disséqués à des fins pédagogiques, ainsi que les animaux des zoos, des laboratoires, des champs de courses, des arènes de combat et des cirques. Les auteurs indiquent les données sur lesquelles ils se sont fondés pour parvenir au chiffre de 98 % mais précisent que leurs calculs n'incluent pas les poissons d'élevage. Vu les vastes quantités de poissons d'élevage, il n'est pas excessif de rehausser le chiffre à 99 %.

Cacher / Chercher

50. Les caractéristiques d'un personnage, l'indication de date et de lieu, ainsi que l'identité des participants à certains des événements décrits dans ce chapitre ont été modifiées.

51. Ces dimensions sont celles de la plupart des élevages de dindes qu'on

peut voir en Californie (et ailleurs). John C. Voris « Poultry Fact Sheet n° 16c : California Turkey Production », Université de Californie, 1997.

52. Ce monologue a été rédigé à partir de conversations avec plusieurs éleveurs.

53. Le taux de mortalité moyen dans la production de poulets est d'environ 1 % par semaine, ce qui donne un taux de mortalité de 5 % sur la durée d'existence de la plupart des poulets de chair. Cela représente sept fois la mortalité observée parmi les poules pondeuses du même âge, et ce nombre élevé de décès est dû essentiellement à la rapidité de leur croissance. « The Welfare of Broiler Chickens in the EU », *Compassion in World Farming Trust*, 2005.

54. Il s'agit d'un terme familier désignant une certaine sorte de poulet « conçu » pour correspondre aux besoins des entreprises de restauration rapide, notamment McDonald's. Eric Schlosser, *Fast Food Nation*, New York, Harper Perennial, 2005.

55. « Combien de fois ai-je voulu rassembler tes enfants, comme la poule rassemble ses poussins sous ses ailes », Matthieu, 23-37.

56. Les spécialistes ont constaté depuis longtemps que les peintures des cavernes sont essentiellement des images d'animaux. Exemple : « L'art des cavernes est essentiellement un art animalier ; qu'il s'exprime sous forme de peinture, de gravure ou de sculpture, dans d'immenses frises ou par les tracés les plus délicats, il est toujours – ou quasiment toujours – inspiré par le monde animal. » Annette Laming-Emperaire, *Lascaux, peintures et gravures*, Paris, UGE, 1964.

57. L'observation attestant que l'ancienne éthique selon laquelle les intérêts des animaux et ceux des fermiers se recoupaient est devenue caduque avec l'émergence de l'élevage industriel est l'une des prémisses fondamentales du travail philosophique du spécialiste du bien-être animal et professeur de philosophie Bernard Rollin. Je le remercie pour les réflexions dont il m'a fait part.

58. L'ajout de vitamines A et D dans la nourriture des volailles permet aux oiseaux de survivre dans des conditions de confinement qui, sans elles, empêcheraient leur croissance et le développement normal de leurs os. Jim Mason, *Animal Factories*, New York, Three Rivers Press, 1990.

59. Cette compilation de citations extraites de revues professionnelles a été établie par Jim Mason dans le livre retentissant qu'il a consacré, avec le philosophe Peter Singer, à l'élevage industriel, *Animal Factories*. Les citations proviennent (respectivement) de : *Farmer and Stockbreeder*, 30 janvier

1962 ; J. Byrnes, « Raising Pigs by the Calendar at Maplewood Farm », *Hog Farm Management*, septembre 1976 ; « Farm Animals of the Future », *Agricultural Research*, U.S. Department of Agriculture, avril 1989.

Influence / Mutisme

60. Ce chiffre a été calculé par Noam Mohr à partir des statistiques de l'USDA.

61. Même si l'on ne prend en compte que l'estimation basse de 20 millions de victimes, la pandémie de 1918 reste la plus mortelle de l'histoire. (Y. Ghendon, « Introduction to pandemic influenza through history », *European Journal of Epidemiology*, n° 10, 1994.) Selon le bilan total que l'on accepte, la Seconde Guerre mondiale a sans doute fait dans l'absolu plus de victimes que la pandémie de 1918, mais elle a duré six ans, alors que la pandémie n'a sévi que deux ans.

62. Prévoir de façon précise la façon dont une pandémie va affecter des populations humaines est particulièrement difficile car cela implique une expertise embrassant de nombreuses disciplines scientifiques (pathologie, épidémiologie, sociologie et sciences vétérinaires, entre autres) et exige de prévoir des interactions complexes entre agents pathogènes, nouveaux moyens technologiques (tels que les systèmes d'information géographique, les capteurs à distance et l'épidémiologie moléculaire) et décisions politiques des différentes autorités sanitaires dans le monde (lesquelles dépendent des caprices des dirigeants mondiaux). « Report of the WHO/FAO/OIE joint consultation on emerging zoonotic diseases : in collaboration with the Health Council of the Netherlands », Genève, 3-5 mai 2004.

63. « Les travaux ultérieurs de Taubenberger et Reid ont mis en lumière un fait étonnant : la pandémie de grippe de 1918 n'a pas été déclenchée par les mêmes circonstances que celles de 1957 et 1968. Les virus de ces deux dernières pandémies avaient des protéines de surface qui provenaient directement des oiseaux et qui étaient couplées à des gènes du noyau adaptés à l'homme. Dans le virus de 1918, au contraire, les gènes de surface sont de nature mammalienne. Bien que provenant probablement à l'origine d'un oiseau, ils ont passé des années à s'adapter pour vivre sur des mammifères, qu'il s'agisse de porcs ou d'hommes. » Madeline Drexler, *Secret Agents*, New York, Penguin, 2003.

64. Un rapport regional de la World's Poultry Science Association conclut que « l'un des principaux facteurs responsables [des problèmes aux pattes que connaissent les poulets de chair dans les élevages conventionnels] est la rapidité de leur rythme de croissance ». G. S. Santotra *et al.*, « Monitoring Leg Problems in Broilers : A survey of commercial broiler production in Denmark », *World's Poultry Science Journal*, n° 57, 2001.

65. Citant des études publiées dans *Veterinary Record*, un rapport récent de la HSUS conclut : « Les recherches tendent à confirmer que les volailles [ayant des difficultés à marcher] souffrent. » HSUS, « An HSUS Report : The Welfare of Animals in the Chicken Industry », www.hsus.org

66. Les débats se poursuivent pour savoir si les oiseaux sont conscients ou pas après avoir été immobilisés. Il semble à peu près certain qu'un grand nombre restent conscients. Pour un survol exhaustif mais prudent de la documentation à ce sujet, voir S. Shields et M. Raj, « An HSUS Report : The Welfare of Birds at Slaughter », 3 octobre 2008, ou voir http://www.hsus.org/farm/resources/research/welfare/welfare_of_birds_at_slaughter.html#038

67. Le requête formulée au nom du Freedom of Information Act indique que 3 millions de poulets ont été ébouillantés vivants en 1993, année durant laquelle 7 milliards de poulets seulement ont été abattus. Puisque aujourd'hui ce sont 9 milliards de poulets qui sont abattus, nous pouvons raisonnablement conclure que 3,85 millions d'oiseaux sont ébouillantés vivants durant l'année. Freedom of Information Act #94-363, Poultry Slaughtered, Condemned, and Cadavers, 30 juin 1994, cité dans « Poultry Slaughter : The Need for Legislation », *United Poultry Concerns*. Voir www.upc-online.org/slaughter/slaughter3web.pdf

68. Cette estimation est fondée sur le nombre de poulets de chair abattus chaque année tel qu'il est donné par les statistiques les plus récentes de la FAO. Ces statistiques sont consultables sur le site http://faostat.fao.org/site/569/DesktopDefault.aspx?PageID=569#ancor

69. Selon la FAO, on estime que la moitié du 1,2 milliard de porcs dans le monde (chiffre disponible sur le site http://faostat.fao.org/site/569/DesktopDefault.aspx?PageID=569#ancor) sont confinés dans des élevages industriels. FAO, « Livestock Policy Brief 01 : Responding to the "Livestock Revolution" ». Voir ftp://ftp.fao.org/docrep/fao/010/a0260e/a0260e00.pdf

70. Une maladie zoonotique est définie comme « toute maladie et/ou infection qui est naturellement "transmissible des animaux vertébrés à

l'homme" » par la Pan American Health Organisation. *Zoonoses and Communicable Diseases Common to Man and Animals*, cité dans « Zoonoses and Veterinary Public Health (VPH) », Organisation mondiale de la santé, http://www.who.int/zoonoses/en/

71. Ce chiffre est celui indiqué par l'Animal Health Institute, que le *New York Times* décrit comme « un groupe commercial de Washington qui représente 31 fabricants de médicaments vétérinaires ». Denise Grady, « Scientists See Higher Use of Antibiotics on Farms », *New York Times*, 8 janvier 2001, http://www.nytimes.com/2001/01/08/us/scientists-see-higher-use-of-antibiotics-on-farms.html

72. « The Protein Myth », Physicians Committee for Responsible Medicine, http://www.pcrm.org/health/veginfo/vsk/protein_myth.html. Et d'après un spécialiste en nutrition sportive : « L'excès de protéines devrait être évité car il peut nuire au fonctionnement physiologique normal et, par conséquent, à la santé. [...] Il a également été prouvé que la décomposition puis l'excrétion des protéines augmentent le taux de calcium dans les urines. Les femmes qui sont déjà enclines aux maladies osseuses (autrement dit à l'ostéoporose) en raison d'une faible densité osseuse pourraient compromettre leur résistance osseuse en suivant un régime trop chargé en protéines. Certains régimes trop riches en protéines pourraient également exposer à des risques accrus d'infarctus. [...] Enfin, une consommation excessive de protéines est généralement associée à de possibles dysfonctionnements rénaux. » J. R. Berning et S. N. Steen, *Nutrition for Sport and Exercise*, 2e éd., Sudbury, Massachusetts, Jones & Bartlett, 2005.

73. Par exemple le National Dairy Council a largement commercialisé les produits laitiers auprès des Afro-Américains, alors que 70 % d'entre eux sont intolérants au lactose. « Support Grows for PCRM's Challenge to Dietary Guidelines Bias », *PCRM Magazine*, 1999, http://www.pcrm.org/magazine/GM99Summer/GM99Summer9.html

74. « Les pressions des entreprises alimentaires ont conduit les responsables gouvernementaux et les professionnels de la nutrition à publier des conseils diététiques qui remplacent les messages incitant à "manger moins" par des euphémismes. Leur véritable signification ne peut être décryptée que par une lecture, une interprétation et une analyse attentives. » M. Nestle, *Food Politics*.

75. Calcul basé sur les statistiques de l'USDA, de l'US Census Bureau et de la FAO. Mes remerciements à Noam Mohr pour son aide sur ce point.

Tranches de paradis / Tas de merde

76. Selon les critères que le secteur approuve par le biais de l'American Meat Institute, 80 % est un chiffre considéré comme un mauvais taux de réussite quand il s'agit d'étourdir les animaux du premier coup. Mais Mario m'a donné ce chiffre en passant et ne m'a pas expliqué comment il l'avait calculé. Il est tout à fait possible que si son taux de réussite était mesuré, par exemple, en utilisant les procédures mises en place par Temple Grandin, il serait nettement supérieur.

77. Martinez et Zering, « Pork Quality and the Role of Market Organization/AER-835 ». L'American Meat Science Association estime que 15 % de la viande de porc est PSE, estimation qui a été remise en question par une étude ultérieure, laquelle suggère qu'une grande partie de ces 15 % est en fait de la viande soit pâle, soit molle, soit gorgée d'eau. D'après ces nouvelles estimations, 3 % seulement de la viande de porc présenteraient ces trois caractéristiques négatives. American Meat Science Association, *Proceedings of the 59th Reciprocal Meat Conference*, 18-21 juin 2006, http://www.meatscience.org/Pubs/rmcarchv/2006/presentations/2006/Proceedings.pdf

78. Si les porcs sont victimes d'infarctus pendant le transport, ce que l'industrie définit comme le « syndrome du porc fatigué » est encore plus courant. Il s'agit de bêtes « qui deviennent non ambulatoires sans blessure, traumatisme ou maladie apparente, et qui refusent de marcher ». Madonna Benjamin, « Pig Trucking and Handling : Stress and Fatigued Pig », Advances in Pork Production, 2005, http://www.afac.ab.ca/careinfo/transport/articles/05benjamin.pdf

79. Voir note 2.

80. 90 % des porcelets mâles sont castrés. « The Use of Drugs in Food Animals : Benefits and Risks », Washington, National Academy Press, 1999.

81. On estime que 80 % des porcs industriels ont la queue coupée. *Ibid.*

82. Les organes du secteur sont les premiers à admettre le problème courant des agressions. Ainsi, le National Pork Producers Council et le National Pork Board ont signalé : « Les porcs étant en contact étroit les uns avec les autres, ils peuvent parfois chercher à mordre ou mâcher leurs congénères, surtout la queue. Une fois qu'une queue a commencé à saigner, elle peut faire l'objet d'autres morsures, et le porc agressé peut être entièrement dévoré. » *Swine Care Handbook,* publié par le National

Pork Producers Council en collaboration avec le National Pork Board, 2003.

83. Voir FarmForward.com pour savoir comment trouver des produits animaux ne provenant pas de l'élevage industriel.

84. L'USDA cite un rapport de la commission sénatoriale sur l'Agriculture, la Nutrition et les Forêts, commandité par Tom Harkin, sénateur démocrate de l'Iowa, qui estime que le bétail aux États-Unis produit chaque année 1,37 milliard de tonnes de déchets animaux solides. Divisé par le nombre de secondes que contient une année, on arrive à environ 39 tonnes de déchets par seconde. Pew Commission on Industrial Farm Animal Production, « Environment », http://www.ncifap.org/issues/environment/

85. Ce chiffre a été calculé par John P. Chastain, ingénieur agronome de l'université du Minnesota, en se fondant sur les données de l'Agence de protection de l'environnement de l'Illinois en 1991. University of Minnesota Extension, Biosystems and Agricultural Engineering, *Engineering Notes*, hiver 1995, http://www.bbe.umn.edu/extens/ennotes/enwin95/manure.html

86. D'après une étude de David Pimentel, qui cite les chiffres de l'USDA pour 2004, chaque porc produit 1 230 kilos de déchets par an. Par conséquent, les 31 millions de porcs de Smithfield ont produit plus de 38 millions de tonnes de déchets en 2008. La population des États-Unis étant évaluée à 299 millions d'habitants, cela revient à peu près à 127 kilos de merde produits pour chaque Américain. D. Pimentel *et al.*, « Reducing Energy Inputs in the US Food System », *Human Ecology* 36, n° 4, 2008.

87. Jeff Tietz, « Boss Hog », *Rolling Stone*, décembre 2006. La comparaison avec la superficie d'un casino est de moi – le Luxor et le Venetian ont des rez-de-chaussée de 11 000 mètres carrés.

88. Calcul basé sur les ventes de 2009, d'un montant de 12,5 milliards de dollars. « Smithfield Foods Reports Fourth Quarter and Full Year Results », *PR Newswire*, 16 juin 2009, http://investors.smithfieldfoods.com/releasedetail.cfm?ReleaseID=389871

89. Outre la pollution des cours d'eau, les élevages industriels ont contaminé les nappes phréatiques dans dix-sept États. Sierra Club, « Clean Water and Factory Farms », http://www.sierraclub.orf/factoryfarms/

90. En partant du principe qu'un poisson mesure en moyenne quinze centimètres de long.

91. Message téléphonique personnel. Après m'avoir laissé un message, il ne m'a jamais rappelé et je n'ai jamais pu le joindre.

92. Je n'ai connaissance d'aucun élevage ou abattoir industriel du pays qui ait accepté de communiquer sans restriction les informations obtenues dans le cadre d'audits en cours, indépendants et impromptus.

93. Informations recueillies par des enquêteurs de PETA. Voir « Belcross Farms Investigation », GoVeg.com, http://www.goveg.com/belcross.asp

94. Informations recueillies par des enquêteurs de PETA. Voir « Seaboard Farms Investigation », GoVeg.com, http://www.goveg.com/seaboard.asp

95. Informations recueillies par des enquêteurs de PETA. Voir « Tyson Workers Torturing Birds, Urinating on Slaughter Line », PETA, http://getactive.peta.org/campaign/tortured_by_tyson

96. Informations recueillies par des enquêteurs de PETA. Voir « Thousands of Chickens Tortured by KFC Supplier », Kentucky Fried Cruelty, PETA, http://www.kentuckyfriedcruelty.com/u-pilgrimspride.asp

97. Depuis, Pilgrim's Pride a fait faillite. Il n'y a pourtant pas de quoi se réjouir. Cela signifie simplement moins de concurrence et une plus grande concentration des pouvoirs, les autres géants ayant récupéré les actifs de Pilgrim's Pride. Michael J. de la Merced, « Major Poultry Producer Files for Bankruptcy Protection », *New York Times,* 1er décembre 2008.

98. Près de 90 % des truies prêtes à mettre bas sont confinées dans des cages. US Departement of Agriculture, « Swine 2006, Part I : Reference of swine health and management practices in the United States ».

99. Je remercie les spécialistes du bien-être des animaux Diane et Marlene Halverson pour cette analyse expliquant pourquoi les truies des élevages industriels risquent beaucoup plus d'écraser leurs petits que celles des élevages traditionnels.

100. « Les porcelets naissent avec huit dents appelées "coins", les canines et les troisièmes incisives, qu'ils utilisent pour mordre à la tête les autres porcelets de la portée quand ils se battent pour accéder aux tétines. » D. M. Weary et D. Fraser, « Partial tooth-clippings of suckling pigs : Effects on neonatal competition and facial injuries », *Applied Animal Behavior Science* 65, 1999.

101. C'est une méthode recommandée pour tuer le saumon. Voir Selina Stead et Lyndsay Laird, *Handbook of Salmon Farming*, Springer.

102. Ouvrir les ouïes d'un poisson vivant est non seulement douloureux, mais c'est une procédure difficile à exécuter sur des animaux pleinement conscients. De ce fait, certains élevages rendent les poissons inconscients (ou du moins les immobilisent) avant de leur ouvrir les ouïes. Pour le saumon, deux méthodes prévalent : on frappe les animaux sur la tête ou

on les anesthésie au dioxyde de carbone. On appelle le fait de les assommer l'« étourdissement percussif ». Frapper un poisson sur la tête afin de l'assommer nécessite un haut niveau « de qualification et d'adresse sur un poisson qui se débat », d'après le *Handbook of Salmon Farming*. Des coups mal portés peuvent faire souffrir le poisson sans l'assommer. Et l'imprécision de cette méthode garantit presque à coup sûr qu'un certain nombre d'animaux se réveilleront au moment où on leur ouvrira les ouïes. L'autre méthode d'étourdissement la plus courante passe par une anesthésie au dioxyde de carbone. Les poissons sont transférés dans des cuves saturées de dioxyde de carbone, et perdent conscience en quelques minutes. Le problème de cette méthode tient au stress du transfert dans la cuve et à la possibilité que tous ne soient pas totalement inconscients. *Ibid.*

103. Certains se demanderont comment nous pouvons être sûrs que les poissons et d'autres animaux marins connaissent tout simplement la douleur. Tout porte à croire que c'est bien le cas, du moins pour les poissons. L'anatomie comparative nous montre que les poissons disposent de nombre des caractéristiques anatomiques et neurologiques qui jouent apparemment un rôle important dans la perception consciente. Plus particulièrement, les poissons ont une grande quantité de nocicepteurs, ces récepteurs sensoriels qui semblent transmettre les signaux de douleur au cerveau (on peut même les compter). Nous savons aussi que les poissons produisent des opioïdes naturels, comme les enképhalines et les endorphines, que le système nerveux humain utilise pour contrôler la douleur.

Les poissons présentent également des « comportements de réaction à la douleur », ce que j'ai toujours considéré comme une évidence depuis le jour où je suis allé pêcher pour la première fois avec mon grand-père. Les gens de ma connaissance qui pratiquent la pêche durant leurs loisirs ne nient pas la douleur du poisson, ils font mine de l'oublier. Comme le dit David Foster Wallace en s'interrogeant sur la douleur des homards dans son superbe essai, « Consider the Lobster », « toute la question de la cruauté envers les animaux et de leur consommation n'est pas seulement complexe, elle est aussi gênante. En tout cas pour moi, et pour tous les gens que je connais qui apprécient toutes sortes de mets mais ne tiennent pas à être perçus comme cruels ou insensibles. Personnellement, ma façon de gérer ce conflit a généralement consisté à éviter de penser à ce sujet franchement déplaisant ». Plus tard, il décrit le sujet déplaisant auquel il s'était efforcé de ne pas penser : « Aussi endormi que puisse sembler le homard après le voyage, il a tendance à manifester une énergie des plus troublantes quand on le plonge dans de l'eau bouillante. Quand on l'approche du récipient fumant, il tente parfois de s'accrocher au rebord comme une personne qui s'efforcerait de ne pas tomber d'un toit. Et c'est encore pire quand le homard est complètement immergé. Même quand on pose un couvercle et que l'on se détourne, on peut généralement entendre le couvercle tinter et bouger alors que le homard cherche à le repousser. » Pour Wallace, pour moi et, je pense, pour la plupart d'entre nous, c'est là de la douleur physique, mais aussi psychique. Le homard ne se débat pas seulement parce qu'il souffre – il commence à lutter pour sa vie avant même d'avoir touché l'eau chaude. Il cherche à s'échapper ; et il est difficile de ne pas identifier une partie de ce comportement agité avec une certaine forme de peur et de panique. Contrairement aux poissons, les homards ne sont pas des vertébrés, et il est donc plus compliqué d'étudier scientifiquement dans quelle mesure ils ressentent de la douleur – ou, plus précisément, une douleur proche de celle que l'on trouve chez l'homme. Mais la science nous fournit bien assez de raisons de faire confiance à ces intuitions que nous ressentons quand nous compatissons au sort d'un homard qui tente de s'enfuir d'une marmite d'eau bouillante. Une science que Wallace a magnifiquement passée en revue. Les poissons étant des vertébrés dotés des systèmes anatomiques permettant de faire l'expérience et de manifester une réaction à la douleur, il est plus que probable qu'ils la ressentent, ce qui laisse peu de place au scepticisme. Kristopher Paul Chandroo, Stephanie Yue et Richard David Moccia, « An evaluation of current perspectives on consciousness and pain in fishes », *Fish and Fisheries* 5, 2004 ; Lynne U. Sneddon, Victoria A. Braithwaite et Michael J. Gentle, « Do Fishes Have Nociceptors ? Evidence for the Evolution of a Vertebrate Sensory System », *Proceedings : Biological Sciences* 270, n° 1520, 7 juin 2003.

Je sais

104. Voir note 2.

105. Calcul de Bruce Friedrich basé sur des sources gouvernementales et universitaires américaines.

106. Bruce Friedrich cite *La Filiation de l'homme,* de Darwin : « Il n'y a pas de différences fondamentales entre l'homme et les animaux supérieurs dans leurs facultés mentales. [...] Tel l'homme, les animaux inférieurs peuvent manifestement éprouver plaisir et douleur, joie et tristesse. »

Cité dans Bernard Rollin, *The Unheeded Cry : Animal Consciousness, Animal Pain, and Science*, New York, Oxford University Press, 1989.

107. Correspondance personnelle de Bruce Friedrich avec Michael Pollan (juillet 2009). Dans le film événement *Food, Inc.*, Eric Schlosser mange un hamburger à base de viande provenant de l'élevage industriel.

108. Cela détruit les racines de la couverture végétale naturelle, entraînant une érosion due au vent et à l'eau, cause principale de la disparition des nutriments présents dans les sols aux États-Unis. La production végétale est particulièrement nuisible là où la couche supérieure du sol est mince et où la topographie est vallonnée. En revanche, les terres de ce genre sont adaptées au pacage du bétail qui, s'il est bien géré, peut effectivement améliorer la couche supérieure du sol et la couverture végétale.

109. Correspondance personnelle.

110. Les vaches peuvent se souvenir de soixante-dix individus différents, établir des hiérarchies à la fois pour les mâles et les femelles (les hiérarchies femelles étant plus stables), se choisir des amies, et traiter des congénères comme des ennemies. Les bovins « élisent » des chefs qu'ils choisissent sur la base de l'« attrait social » et d'une véritable connaissance de la région et de ses ressources. Certains troupeaux suivent leur chef presque tout le temps, d'autres sont plus indépendants (ou désorganisés) et ne suivent leur chef que la moitié du temps. À ce sujet, voir, entre autres, « Stop, Look, Listen : Recognising the Sentience of Farm Animals », *Compassion in World Farming Trust,* 2006.

111. L'ALBC se décrit comme une « association à but non lucratif œuvrant à protéger de l'extinction plus de 150 races de bétail et de volailles ». American Livestock Breeds Conservancy, 2009, http://www.albc-usa.org

Histoire

112. Grandin écrit que l'abattoir a « automatiquement échoué à l'audit pour avoir tranché la patte d'un animal conscient ». Temple Grandin, « 2007 Restaurant Animal Welfare and Humane Slaughter Audits in Federally Inspected Beef and Pork Slaughter Plants in the US and Canada », département de science animale, université d'État du Colorado, http://www.grandin.com/survey/2007.restaurant.audits.html

113. Sur les quelque huit milliards de poulets de chair que l'on trouve aux États-Unis, 0,06 % proviendraient d'élevages traditionnels. Si l'on part

du principe que les Américains mangent chacun environ 27 poulets par an, cela signifie que la production traditionnelle pourrait nourrir moins de 200 000 personnes. De même, sur les quelque 118 millions de porcs du pays, 4,59 % proviennent sans doute d'élevages traditionnels. Sachant que les Américains consomment chacun en moyenne 0,9 porc par an, la production traditionnelle de porcs pourrait nourrir presque 6 millions de personnes. (Pour les chiffres des animaux de l'élevage industriel, voir la note 2.) Le nombre d'animaux abattus chaque année provient de l'USDA, et le nombre moyen de poulets et de porcs consommés par chaque Américain a été calculé par Noam Mohr à partir des statistiques de l'USDA.

114. C'est une légende tenace et très répandue, mais je ne sais absolument pas si elle est véridique. On est cependant en droit d'en douter sachant qu'on trouve plusieurs allusions au fait qu'il mangeait des saucisses. Voir, par exemple, H. Eberle et M. Uhl, *The Hitler Book*, Jackson, Tennessee, PublicAffairs, 2006.

115. Cette citation de Martin Luther King Jr est fréquemment reprise sur Internet ; voir par exemple Quotiki.com

116. Les obèses ont discrètement dépassé les mal-nourris en 2006. « Overweight "Top World's Hungry" », *BBC News*, 15 août 2006.

117. On ne dispose d'aucune donnée fiable sur le nombre exact de végétariens dans le monde. On ne parvient même pas à s'entendre sur ce que signifie être végétarien (en Inde, par exemple, les œufs sont considérés comme non végétariens). Cela dit, on estime que 42 % des 1,2 milliard d'habitants de l'Inde, soit environ 500 millions de personnes, sont végétariens. « Project on Livestock Industrialization, Trade and Social-Health-Environment Impacts in Developing Countries », FAO, 24 juillet 2003. Si environ 3 % du reste des habitants de la planète sont végétariens, cela leur garantit une place à la table. Ce pourcentage paraît raisonnable. Aux États-Unis, par exemple, entre 2,3 et 6,7 % de la population sont végétariens, selon la définition que l'on en donne. Charles Stahler, « How Many Adults Are Vegetarian ? », *Vegetarian Journal* 4, 2006.

118. L'obésité progresse rapidement dans le monde entier. D. A. York *et al.*, « Prevention Conference VII : Obesity, a Worldwide Epidemic Related to Heart Disease and Stroke : Groupe I : Worldwide Demographics of Obesity », *Circulation : Journal of the American Heart Association*, n° 110, 2004.

Sources

Bibliographie

- *American Poultry History, 1823-1973*, Madison, American Poultry Historical Society, 1974.
- *Animal Rights : Current Debates and New Directions*, Oxford, Oxford University Press, 2005.
- *Anthropomorphism, Anecdotes, and Animals*, Albany, SUNY Press, 1997.
- *Blood, Sweat, and Fear : Workers' Rights in US Meat and Poultry Plants*, New York, Human Rights Watch, 2004.
- Environmental Justice Foundation Charitable Trust, *Squandering the Seas : How Shrimp Trawling Is Threatening Ecological Integrity and Food Security Around the World*, Londres, Environmental Justice Foundation, 2003.
- *Globalising Food : Agrarian Questions and Global Restructuring*, Londres, Routledge, 1997.
- *The Merk Veterinary Manual*, Whitehouse Station, New Jersey, Merck, 2008.
- *The Well-Being of Farm Animals : Challenges and Solutions*, Ames, Blackwell Publishing, 2004.

*

- M. C. Appleby *et al.*, *Poultry Behaviour and Welfare*, Wallingford, CABI Publishing, 2004.
- James Baldwin, *Abraham Lincoln : A True Life*, New York, American Book Company, 1904.
- Gene Baur, *Farm Sanctuary*, New York, Touchstone, 2008.
- Marc Bekoff, *The Emotional Lives of Animals*, Novato, New World Library, 2008.
- Wendell Berry, *The Art of the Commonplace*, Berkeley, Counterpoint, 2003.
- Wendell Berry, *Citizenship Papers*, Berkeley, Counterpoint, 2004.

- D. C. Coats et M. W. Fox, *Old McDonald's Factory Farm : The Myth of the Traditional Farm and the Shocking Truth About Animal Suffering in Today's Agribusiness*, Londres, Continuum International Publishing Group, 1989.
- Hernán Cortés, *Letters from Mexico*, New Haven, Yale University Press, 1986.
- A. W. Crosby, *Epidemic and Peace, 1918*, Westford, Greenwood Press, 1976.
- Pete Davies, *The Devil's Flu*, New York, Henry Holt, 2000.
- Scott Derks, éd., *The Value of a Dollar : 1860-1999*, Lakeville, Grey House Publishing, 1999.
- Jacques Derrida, *L'Animal que donc je suis*, Galilée, 2006.
- L. A. Dugatkin, *Cooperation Among Animals*, New York, Oxford University Press, 1997.
- Gail A. Eisnitz, *Slaughterhouse : The Shocking Story of Greed, Neglect, and Inhumane Treatment Inside the U.S. Meat Industry*, Amherst, Prometheus Books, 2006.
- Richard Ellis, *The Empty Ocean*, Washington, Island Press, 2004.
- Benjamin Franklin, *The Completed Autobiography*, édité par Mark Skousen, Washington, Regnery Publishing, 2006.
- Michael V. Gannon, *The Cross in the Sand*, Gainesville, University Press of Florida, 1965.
- J. P. George, *Longline Fishing*, Rome, Food and Agriculture Organization of the United Nations, 1993.
- Temple Grandin et Catherine Johnson, *Animals Make Us Human*, Boston, Houghton Mifflin Harcourt, 2009.
- Michael Greger, *Bird Flu*, Herndon, Lantern Books, 2006.
- P. Imperato et G. Mitchell, *Acceptable Risks*, New York, Viking, 1985.
- J. A. Koslow et T. Koslow, *The Silent Deep : The Discovery, Ecology and Conservation of the Deep Sea*, Chicago, University of Chicago Press, 2007.
- Joseph LaDou, *Current Occupational and Environmental Medicine*, New York, McGraw-Hill Professional, 2006.
- Saul Lieberman, *Greek in Jewish Palestine : Hellenism in Jewish Palestine*, New York, Jewish Theological Seminary of America, 1994.
- James E. McWilliams, *A Revolution in Eating : How the Quest for Food Shaped America*, New York, Columbia University Press, 2005.
- Erik Marcus, *Meat Market : Animals, Ethics, and Money*, Cupertino, Brio Press, 2005.

Sources

– Jim Mason, *Animal Factories*, New York, Three Rivers Press, 1990.
– G. C. Mead, *Food Safety Control in the Poultry Industry*, Florence, CRC Press, 2005.
– Jacob Milgrom, *Leviticus 1-16*, Anchor Bible series, New York, Doubleday, 1991.
– E. Millstone et T. Lang, *The Penguin Atlas of Food*, New York, Penguin, 2003.
– Jeffrey Moussaieff Masson, *The Pig Who Sang to the Moon*, New York, Vintage, 2005.
– Marion Nestle, *Food Politics : How the Food Industry Influences Nutrition, and Health*, Berkeley, University of California Press, 2007.
– Marion Nestle, *What to Eat*, New York, North Point Press, 2007.
– B. Niman et J. Fletcher, *Niman Ranch Cookbook*, New York, Ten Speed Press, 2008.
– G. C. Perry, éd., *Welfare of the Laying Hen*, vol. 27, Poultry Science Symposium Series, Wallingford, Royaume-Uni, CABI Publishing, 2004.
– D. Pimentel et M. Pimentel, *Food, Energy and Society*, 3e éd., Florence, CRC Press, 2008.
– Michael Pollan, *The Omnivore's Dilemma*, New York, Penguin, 2007.
– Jeremy Rifkin, *Beyond Beef : The Rise and Fall of the Cattle Culture*, New York, Plume, 1993.
– John Robbins, *Diet for a New America*, Tiburon, H. J. Kramer Publishing, 1998.
– Lesley J. Rogers, *Minds of Their Own*, Boulder, Westview Press, 1997.
– Alan R. Sams, *Poultry Meat Processing*, Florence, CRC Press, 2001.
– Elaine Scarry, *On Beauty and Being Just*, Princeton, Princeton University Press, 2001.
– Calvin W. Schwabe, *Unmentionable Cuisine*, Charlottesville, University of Virginia Press, 1979.
– Matthew Scully, *Dominion : The Power of Man, the Suffering of Animals, and the Call to Mercy*, New York, St Martin's Griffin, 2003.
– James Serpell, *In the Company of Animals*, Cambridge, Cambridge University Press, 2008.
– Isaac Bashevis Singer, *Enemies, a Love Story*, New York, Farrar, Straus and Giroux, 1988.
– Peter Singer, *The Life You Can Save : Acting Now to End World Poverty*, New York, Random House, 2009.
– Stephen Sloan, *Ocean Bankruptcy*, Guilford, Lyons Press, 2003.

– Jonathan Z. Smith, *Imagining Religion : From Babylon to Jonestown*, Chicago, University of Chicago Press, 1988.
– P. Smith et C. Daniel, *The Chicken Book*, Boston, Little, Brown, 1975.
– M. S. Smolinksi *et al.*, *Microbial Threats to Health : The Threat of Pandemic Influenza*, Washington, National Academies Press, 2005.
– Kevin Stafford, *The Welfare of Dogs*, New York, Springer, 2007.
– S. M. Stead et L. Laird, *Handbook of Salmon Farming*, New York, Springer, 2002.
– Steve Striffler, *Chicken : The Dangerous Transformation of America's Favorite Food*, New Haven, Yale University Press, 2007.
– D. D. Stull et M. J. Broadway, *Slaughterhouse Blues : The Meat and Poultry Industry in North America*, Belmont, Wadsworth Publishing, 2003.
– Keith Vivian Thomas, *Man and the Natural World : A History of the Modern Sensibility*, New York, Pantheon Books, 1983.
– L. R. Walker, *Ecosystems of Disturbed Ground*, New York, Elsevier Science, 1999.
– Lyall Watson, *The Whole Hog*, Washington, Smithsonian Books, 2004.
– Christine Woodside, *Living on an Acre : A Practical Guide to the Self-Reliant Life*, Guilford, Lyons Press, 2003.

Articles de presse, publications universitaires ou spécialisées

– « An HSUS Report : Human Health Implications of Non-Therapeutic Antibiotic Use in Animal Agriculture. »
– « Farm sea lice plague wild salmon », *BBC News*, 29 mars 2005.
– « Global Risks of Infectious Animal Diseases », Council for Agricultural Science and Technology CAST, n° 28, 2005.
– « Retained Water in Raw Meat and Poultry Products; Poultry Chilling Requirements », *Federal Register* 66, n° 6, 9 janvier 2001.
– « The Welfare of Intensively Kept Pigs », *Report of the Scientific Veterinary Committee*, 30 septembre 1997.
– « The Worst Way to Farm », *New York Times*, 31 mai 2008.
– « Vegetarian Diets », *American Dietetic Association* 109, n° 7, juillet 2009.

Sources

*

- A. D. Anderson *et al.*, « Public Health Consequences of Use of Antimicrobial Agents in Food Animals in the United States », *Microbial Drug Resistance* 9, n° 4, 2003.
- P. J. Ashley, « Fish welfare : Current issues in aquaculture », *Applied Animal Behaviour Science* 200, n° 104, 2007.
- J. M. Barry, « Viruses of mass destruction », *Fortune* 150, n° 9, 2004.
- R. Behar et M. Kramer, « Something Smells Foul », *Time*, 17 octobre 1994.
- R. B. Belshe, « The origins of pandemic influenza – lessons from the 1918 virus », *New England Journal of Medicine* 353, n° 21, 2005.
- Wendell Berry, « The Idea of a Local Economy », *Orion*, hiver 2001.
- Steve Bjerklie, « The Era of Big Bird Is Here : The Eight-Pound Chicken Is Changing Processing and the Industry », *Business Journal for Meat and Poultry Processors*, 1er janvier 2008.
- S. Boersma, « Managing Rapid Growth Rate in Broilers », *World Poultry* 17, n° 8, 2001.
- Mark Brandau, « Indy Talk : Eric Blauberg, the Restaurant Fixer », *Nation's Restaurant News*, 22 octobre 2008.
- Scott Bronstein, « A Journal-Constitution Special Report – Chicken : How Safe ? First of Two Parts », *Atlanta Journal-Constitution*, 26 mai 1991.
- Patricia Leigh Brown, « Bolinas Journal ; Welcome to Bolinas : Please Keep on Moving », *New York Times*, 9 juillet 2000.
- Marian Burros, « Poultry Industry Quietly Cuts Back on Antibiotic Use », *New York Times*, 10 février 2002.
- J. C. Buzby *et al.*, « Bacterial Foodborne Disease : Medical Costs and Productivity Losses », *Agricultural Economics Report*, n° AER741, août 1996.
- D. Carvajal et S. Castle, « A US Hog Giant Transforms Eastern Europe », *New York Times*, 5 mai 2009.
- George E. « Jim » Coleman, « One Man's Recollections over 50 Years », *Broiler Industry*, 1976.
- E. W. Craig et D. L. Fletcher, « Processing and Products : A Comparison of High Current and Low Voltage Electrical Stunning Systems on Broiler Breast Rigor Development and Meat Quality », *Poultry Science* 76, n° 8, 1997.

- Lisa Duchene, « Are Pigs Smarter Than Dogs ? », *Research Penn State*, 8 mai 2006.
- Grant Ferrett, « Biofuels'crime against humanity », *BBC News*, 27 octobre 2007.
- R. A. M. Fouchier, « Characterization of a novel influenza A virus hemagglutinin subtype (H16) obtained from black-headed gulls », *Journal of Virology* 79, n° 5, 2005.
- Nichols Fox, « Safe Food ? Not Yet », *New York Times*, 30 janvier 1997.
- Amy Garber et James Peters, « Latest Pet Project : Industry agencies try to create protocol for improving living, slaughtering conditions », *Nation's Restaurant News*, 22 septembre 2003.
- L. Garrett, « The Next Pandemic ? Probable cause », *Foreign Affairs* 84, n° 4, 2005.
- Evan George, « Welcome to $oy City », *Los Angeles Downtown News*, 22 novembre 2006.
- Peter S. Goodman, « An Unsavory Byproduct : Runoff and Pollution », *Washington Post*, 1er août 1999.
- Temple Grandin, « Commentary : Behavior of Slaughter Plant and Auction Employees Toward the Animals », *Anthrozoös* 1, n° 4, 1988.
- Temple Grandin, « Solving livestock handling problems », *Veterinary Medicine*, octobre 1994.
- Michael Greger, « Swine Flu and Factory Farms : Fast Track to Disaster », *Encyclopaedia Britannica's* Advocacy for Animals, 4 mai 2009.
- Aaron Gross, « When Kosher Isn't Kosher », *Tikkun* 20, n° 2, 2005.
- P. Gunderson *et al.*, « The Epidemiology of Suicide Among Farm Residents or Workers in Five North-Central States, 1980 », *American Journal of Preventive Medicine* 9, mai 1993.
- Diane Halverson, « Chipotle Mexican Grill Takes Humane Standards to the Mass Marketplace », *Animal Welfare Institute Quarterly*, printemps 2003.
- Marlene Halverson, « Viewpoints of agricultural producers who have made ethical choices to practice a "high welfare" approach to raising farm animals », EurSafe 2006, congrès de l'ESAFE, Oslo, juin 2006.
- D. Hansen et V. Bridges, « A survey description of down-cows and cows with progressive or non-progressive neurological signs compatible with a TSE from veterinary client herd in 38 states », *Bovine Practitioner* 33, n° 2, 1999.
- Gardiner Harris, « Poultry Is N° 1 Source of Outbreaks, Report Says », *New York Times*, 11 juin 2009.

Sources

- Moira Herbst, « Beefs About Poultry Inspections : The USDA wants to change how it inspects poultry, focusing on microbial testing. Critics say the move could pose serious public health risks », *Business Week*, 6 février 2008.
- Ramona Cristina Ilea, « Intensive Livestock Farming : Global Trends, Increased Environmental Concerns, and Ethical Solutions », *Journal of Agricultural Environmental Ethics* 22, 2009.
- P. Jensen, « Observations on the Maternal Behavior of Free-Ranging Domestic Pigs », *Applied Animal Behavior Science* 16, 1968.
- Nathanael Johnson, « The Making of the Modern Pig », *Harper's Magazine*, mai 2006.
- Niall Johnson et Jurgen Mueller, « Updating the Accounts : Global mortality of the 1918-1920 "Spanish" influenza pandemic », *Bulletin of the History of Medicine* 76, 2002.
- R. B. Kegode *et al.*, « Occurrence of *Campylobacter* species, *Salmonella* species, and generic *Escherichia coli* in meat products from retail outlets in the Fargo metropolitan area », *Journal of Food Safety* 28, n° 1, 2008.
- S. C. Kestin *et al.*, « Prevalence of leg weakness in broiler chickens and its relationship with genotype », *Veterinary Record* 131, 1992.
- T. G. Knowles, « Handling and Transport of Spent Hens », *World's Poultry Science Journal* 50, 1994.
- T. G. Knowles *et al.*, « Effects on cattle of transportation by road for up to 31 hours », *Veterinary Record* 145, 1999.
- K. L. Kotula et Y. Pandya, « Bacterial Contamination of Broiler Chickens Before Scalding », *Journal of Food Protection* 58, n° 12, 1995.
- Nicholas Kristof, « Our Pigs, Our Food, Our Health », *New York Times*, 11 mars 2009.
- K. N. Laland *et al.*, « Learning in Fishes : From three-second memory to culture », *Fish and Fisheries* 4, n° 3, 2003.
- J. P. Lallès *et al.*, « Gut function and dysfunction in young pigs : Physiology », *Animal Research* 53, 2004.
- Jennifer Lee, « Neighbors of Vast Hog Farms Say Foul Air Endangers Their Health », *New York Times*, 11 mai 2003.
- R. L. Lewison *et al.*, « Quantifying the effects of fisheries on threatened species : the impact of pelagic longlines on loggerhead and leatherback sea turtles », *Ecology Letters* 7, n° 3, 2004.
- P. K. McGregor, « Signaling in territorial systems – a context for individual identification, ranging and eavesdropping », *Philosophical*

Transactions of the Royal Society of London Series B – Biological Sciences 340, 1993.
- Debora MacKenzie, « Swine Flu : The Predictable Pandemic ? », *New Scientist* 2706, 29 avril 2009.
- J. N. Marchent et D. M. Broom, « Effects of dry sow housing conditions on muscle weight and bone strength », *Animal Science* 62, 1996.
- Andrew Martin, « PETA Ruffles Feathers : Graphic protests aimed at customers haven't pushed KFC to change suppliers' slaughterhouse rules », *Chicago Tribune*, 6 août 2005.
- M. H. Maxwell et G. W. Robertson, « World broiler ascites survey 1996 », *Poultry International*, avril 1997.
- M. Milinski *et al.*, « Do sticklebacks cooperate repeatedly in reciprocal pairs ? », *Behavioral Ecology and Sociobiology* 27, 1990.
- G. Mitchell *et al.*, « Stress in cattle assessed after handling, after transport and after slaughter », *Veterinary Record* 123, n° 8, 1988.
- Heather Moore, « Unhealthy and Inhumane : KFC Doesn't Do Anyone Right », *American Chronicle*, 19 juillet 2006.
- Senan Murray, « Dogs' dinners prove popular in Nigeria », *BBC News*, 6 mars 2007.
- B. R. Myers, « Hard to Swallow », *Atlantic Monthly*, septembre 2007.
- Ellen Nakashima, « Court Fines Smithfield $12.6 Million », *Washington Post*, 9 août, 1997.
- R. L. Naylor *et al.*, « Effects of aquaculture on world fish supplies », *Issues in Ecology*, n° 8, hiver 2001.
- J. S. Nguyen-Van-Tam et A. W. Hampson, « The epidemiology and clinical impact of pandemic influenza », *Vaccine* 21, 2003.
- Terrence O'Keefe et Gray Thorton, « Housing Expansion Plans », *Walt Poultry Industry USA*, juin 2006.
- Daniel Pauly *et al.*, « Fishing Down Marine Food Webs », *Science* 279, 1998.
- Sid Perkins, « A thirst for meat : Changes in diet, rising population may strain China's water supply », *Science News*, 19 janvier 2008.
- Ronald L. Plain, « Trends in US Swine Industry », rapport de la Meat Export Federation Conference, septembre 1997.
- Roger Pulvers, « A Nation of Animal Lovers – As Pets or When They're on a Plate », *Japanese Times*, 20 août 2006.
- Monica Reynolds, « Plasma and Blood Volume in the Cow Using the T-1824 Hematocrit Method », *American Journal of Physiology* 173, 1953.

Sources

- Fern Shen, « Maryland Hog Farm Causing Quite a Stink », *Washington Post*, 23 mai 1999.
- K. Smith *et al.*, « Quinolone-Resistant *Campylobacter jejuni* Infections in Minnesota, 1992-1998 », *New England Journal of Medicine* 340, n° 20, 1999.
- G. R. Spencer, « Animal model of human disease : Pregnancy and lactational osteoporosis ; Animal model : Porcine lactational osteoporosis », *American Journal of Pathology* 95, 1979.
- Ken Stalder, « Getting a Handle on Sow Herd Dropout Rates », *National Hog Farmer*, 15 janvier 2001.
- G. T. Tabler, I. L. Berry et A. M. Mendenhall, « Mortality Patterns Associated with Commercial Broiler Production », *Avian Advice* 6, n° 1, printemps 2004.
- J. K. Taubenberger *et al.*, « Characterization of the 1918 influenza virus polymerase genes », *Nature* 437, n° 889, 2005.
- Jeff Tietz, « Boss Hog », *Rolling Stone*, 8 juillet 2008.
- K. J. Touchette *et al.*, « Effect of spray-dried plasma and lipopolysaccharide exposure on weaned piglets : I. Effects on the immune axis of weaned pigs », *Journal of Animal Science* 80, 2002.
- V. Trifonov *et al.*, « The origin of the recent swine influenza A (H1N1) virus infecting humans », *Eurosurveillance* 14, n° 17, 2009.
- Lynette M. Ward, « Environmental Policies for a Sustainable Poultry Industry in Sussex County, Delaware », Université du Delaware, 2003.
- Joby Warrick, « They Die Piece by Piece », *Washington Post*, 10 avril 2001.
- R. J. Webby *et al.*, « Evolution of swine H3N2 influenza viruses in the United States », *Journal of Virology* 74, 2000.
- Kenneth R. Weiss, « Fish Farms Become Feedlots of the Sea », *Los Angeles Times*, 9 décembre 2002.
- Craig Wilson, « Florida Teacher Chips Away at Plymouth Rock Thanksgiving Myth », *USA Today*, 21 novembre 2007.
- Keith Wilson, « Sow Mortality Frustrates Experts », *National Hog Farmer*, 15 juin 2001.
- Cindy Wood, « Don't Ignore Feet and Leg Soundness in Pigs », *Virginia Cooperative Extension*, juin 2001.
- Boris Worm *et al.*, « Impacts of Biodiversity Loss on Ocean Ecosystem Services », *Science*, 3 novembre 2006.
- L. L. Young et D. P. Smith, « Moisture retention by water-and air-chilled

chicken broilers during processing and cutup operations », *Poultry Science* 83, n° 1, 2004.
- L. Y. Yue et S. Y. Qiao, « Effects of low-protein diets supplemented with crystalline amino acids on performance and intestinal development in piglets over the first 2 weeks after weaning », *Livestock Science* 115, 2008.
- A. J. Zanella et O. Duran, « Pig Welfare During Loading and Transport : A North American Perspective », Conferencia Virtual Internacional Sobre Qualidad de Carne Suina, novembre 2000.
- C. Zhao *et al.*, « Prevalence of *Campylobacter* spp., *Escherichia coli*, and *Salmonella* Serovars in Retail Chicken, Turkey, Pork, and Beef from the Greater Washington, D, Area », *Applied and Environmental Microbiology* 67, n° 12, décembre 2001.
- Daniel Zwerdling, « A View to a Kill », *Gourmet*, juin 2007.

Ressources Internet

ftp://ftp.fao.org/docrep/fao/010/a0260e/a0260e00.pdf
ftp://ftp.fao.org/docrep/fao/010/a0701e/a0701e00.pdf
http://afp.google.com/article/ALeqM5gb6B3_ItBZn0mNPPt8J5nxjgtllw
http://animaldiversity.ummz.umich.edu/site/accounts/information/Suidae.html
http://asp.okstate.edu/baileynorwood/AW2/InitialReporttoAFB.pdf
http://bonaireunderwater.info/imgpages/bonaire_seahorse. html
http://fedbbs.access.gpo.gov
http://leg.state.nv.us/NRS/NRS-574.html#NRS574Sec200
http://profiles.nlm.nih.gov/NN/B/C/Q/G/
http://pubs.er.usgs.gov/usgspubs/ofr/ofr9340
http://pubs.ext.vt.edu/news/livestock/2009/05/aps-20090513.html
http://usda.mannlib.cornell.edu/usda/current/PoulSlauSu/PoulSlauSu-02-25-2009.pdf
http://whqlibdoc.who.int/hq/2004/WHO_CDS_CPE_ZFK_2004.9.pdf
http://www.aasp.org
http://www.adherents.com
http://www.agric.gov.ab.ca
http://www.afac.ab.ca
http://www.aida-americas.org
http://www.americanhumane.org

Sources

http://www.ams.usda.gov
http://www.ansc.purdue.edu
http://www.apha.org
http://www.aphis.usda.gov
http://www.ars.usda.gov
http://www.birdflubook.com
http://www.bnet.com
http://www.brightergreen.org
http://www.britannica.com
http://www.cdc.gov
http://www.chickenout.tv/39-day-blog.html
http://www.ciwf.org.uk
http://www.cok.net
http://www.compensationresources.com
http://www.consumerreports.org
http://www.cspinet.org
http://www.csrees.usda.gov
http://www.dairycheckoff.com
http://www.depts.ttu.edu
http://www.dogmeattrade.com
http://www.eatright.org
http://www.epa.gov
http://www.ers.usda.gov
http://www.etymonline.com
http://www.evostc.state.ak.us/facts/qanda.com
http://www.fao.org
http://www.farmsanctuary.org
http://www.fishinghurts.com
http://www.fmi.org
http://www.foodproductiondaily.com
http://www.forbes.com
http://www.fsis.usda.gov
http://www.gallup.com
http://www.gan.ca
http://www.gao.gov
http://www.goveg.org
http://www.grandin.com
http://www.healthfinder.gov

http://www.hfa.org
http://www.history.com
http://www.hnn.us
http://www.hsus.org
http://www.iatp.org
http://www.iccat.int
http://www.incredibleegg.org
http://www.kentuckyfriedcruelty.com
http://www.kfc.com
http://www.leopold.iastate.edu
http://www.livestocktrail.uiuc.edu
http://www.midwestadvocates.org
http://www.nass.usda.gov
http://www.nationalchickencouncil.com
http://www.nationaldairycouncil.org
http://www.ncifap.org
http://www.ncpolicywatch.com
http://www.ncsu.edu
http://www.ottumwa.com
http://www.petsinamerica.org
http://www.pfaf.org
http://www.pigprogress.net
http://www.plosone.org
http://www.pubmedcentral.nih.gov
http://www.rcsb.org
http://www.recipesource.com/ethnic/asia/filipino/00/rec0001.html
http://www.reuters.com
http://www.rkpachauri.org
http://www.seaturtles.org
http://www.shmais.com
http://www.sierraclub.org
http://www.soc.duke.edu
http://www.sor.govoffice3.com
http://www.sussexcountyde.gov
http://www.sustainabletable.org
http://www.thepigsite.com
http://www.thepoultrysite.com
http://www.ucsusa.org

Sources

http://www.un.org
http://www.upc-online.org
http://www.usapeec.org
http://www.wattnet.com
http://www.wattpoultry.com
http://www.westonaprice.org
http://www.who.int
http://www.wholefoodsmarket.com
http://www.worldbank.org
http://www.worldwatch.org
http://www.wspa-usa.org/download/44_improvements_in_farm_animal_welfare.pdf

Réalisation : PAO Éditions du Seuil
Achevé d'imprimer par Normandie Roto Impression s.a.s.
à Lonrai (Orne)
Dépôt légal : janvier 2011. N° 709 (104444)
Imprimé en France